リリアンと燃える双子の終わらない夏

ケヴィン・ウィルソン
Kevin Wilson

芹澤恵 訳

集英社

リリアンと燃える双子の終わらない夏

アン・パチェットとジュリー・ベアラーに

1

一九九五年の春の終わりの、二十八歳になってまだ数週間というある日のこと、友人のマディソン・ロバーツから手紙が届いた。わたしのなかでは、マディソンはいまだに、マディソン・ビリングスのままだ。マディソンからは年に四回から五回の頻度で手紙が届くから、そのつどわたしは彼女の近況を知ることになるわけだけれど、わたしにとって彼女からの手紙は月からの便りに等しいものだった。マディソンは、そのぐらいかけ離れた境遇にあって、たとえるなら雑誌の記事で読むだけの存在に近い。まずは既婚者だ。歳(とし)の離れた夫はアメリカ合衆国の上院議員で、その人とのあいだにまだ幼い息子がひとりいる。水兵服を着せられた坊やの写真が同封されてきたことがあったけど、なんだか高級テディベアが人間の男の子に変身したように見えた。翻ってわたしのほうは、レジ係として二軒のスーパーマーケットで働き——しかもその二軒は互いに商売敵の関係にあるにもかかわらず、こちらはしれっと掛け持ちしていて——仕事が終われば母親の家の屋根裏部屋で葉っぱ(マリファナ)を吸う日々を送っていた。どうして屋根裏部屋なのかといえば、わたしが十八歳になったとたん、母親がわたしの寝室を召し上げ、フィットネスルームにしてしまったからだ。斯(か)くして、わたしがみじめで不幸な子供時代を過ごした部屋には、〈ノルディックトラック〉社の巨大なトレーニングマシンが鎮座ましますこととなった。仕事をして葉っぱ(マリファナ)を吸うあいまに、ときどき気まぐれにデートらしきこともするにはしたけど、お相手は大したことないくせに自分では大したことあると思っているようなやつばかりだった。というわけで、想像がつくだろうと思うけど、マディソンの手紙は、わたしの手紙よりも百倍は興味深いものだった。とはいえ、それでもわたしたちは互いに連絡をとりあっていたのだ。

　マディソンの手紙は、いつも決まった間隔で、そろそろかな、と思う頃合いに、きちんきちんと届いていた。今回の手紙はそうした定期便の時期ではないときに届いたけれど、だからといって戸惑うことはなかった。マディソンとは手紙でしかやりとりしていなかったから。考えてみたら、わたしはマディソンの電話番号も知らなかった。

　その日は〈セイヴ・ア・ロット〉（アメリカのスーパーマーケットチェーン）で働いていたので、マディソンから届いたその臨時便を読むには休憩時間になるまで待たなくてはならなかった。開封して眼を通したところ、マディソンはわたしにテネシー州フランクリンの、マディソンが夫と一緒に暮らしているお屋敷まで来てほしがっていることがわかった。わたし向きのおもしろい仕事がある、というのだ。バス代として五十ドル紙幣が一枚同封してあったが、これはマディソンがわたしの車には走行距離が十五マイルを超えるとにわかにぐずりだす、という癖があることを承知していたからだった。どういう仕事かは書いてなかったけれど、食糧配給券（フードスタンプ）の処理をしたり、秤（はかり）としての機能に明らかに問題のあるくそ秤で撥（は）ね出しのリンゴの正確な重さを量ることを求められたりする仕事より冴（さ）えない仕事、ということはまずありえないだろうと思った。休憩時間の残り五分を費やして、上司のデレクに、何日か休ませてほしいとかけあった。〝ノー〟と言われることはあらかじめわかっていたので、休みが認められなくても恨まなかった。そう、これは致し方のないことだ、これまで誰よりも頼りになる責任感のある従業員だったわけではないのだから。その程度の自覚はあった。ふたつの仕事を掛け持ちすることのしんどい点は、そのときどきのタイミングでどちらかの上司の期待を裏切ることになるものだから、そうなると、ときどき、どちらの上司をより蔑ろにしたのか、覚えていられなくなってしまうことだ。わたしはマディソンのことを考えた。これまでの人生で、わたしがリアルに出会ったことのある人のなかで、たぶん、いちばんの美人と言っていいと思う。おまけにちょっと気味が悪いぐらい頭が切れて、どんな場合においても、取りうる手段ひとつひとつのメリット、デメリットを冷静に弾きだす。そんなマディソンが、わたし向きの仕事があるというのなら……それはもう、受けるしかなかった。〝母親の家の屋根裏部屋を出て、今のこの人生におさらばする〟の一択しかなかった。なぜなら、わたしにもわかっていたのだ。正直なところ、今のこの人生にはなくなってしまったところで惜しいと思うほどのものなどほとんどない、ということが。

　マディソン宛てに到着予定日を知らせる返事を出した一週間後、ナッシュヴィルのバスターミナルで待っていたのは、ポロシャツにサングラスをかけた男だった。いかにも〝警護畑〟の人間っぽかった。「リリアン・ブレイカー？」とその男に訊かれて、わたしはうなずいた。「ロバーツ邸にお連れするように、とロバーツ夫人から言いつかってる。おれはカールだ」

「ロバーツ家のお抱え運転手？」と訊いてみた。何不自由のない暮らしぶりってやつに興味津々だったから。わたしの知る限りでは、テレビに出てくる金持ちにはたいていお抱え運転手がいるものだけれど、それってハリウッド的なまやかしというか、現実から切り離された世界のことに思えなくもなかった。

「いや、正確にはちがう。仕事的には、便利屋というか何でも屋というか、まあ、そういう類いになるな。必要とされた場合にロバーツ上院議員の、その延長線上で状況によってはロバーツ夫人の、サポートにまわる」

「あたしがどういう仕事をすることになるか、知ってる？」と続けて訊いてみた。警官がどんなしゃべり方をするか、知らないわけじゃない。カールのしゃべり方は警官のしゃべり方だった。法を執行する機関については、個人的に大ファンというわけではなかったので、それとなく探りを入れてみたのだ。

「知ってはいるが、説明するのはおれの役目じゃない。のちほどロバーツ夫人から直接説明を受けるまで待つべきだろうね。それが夫人の希望でもある」

「どんな車で迎えに来てくれたの？」とわたしはカールに尋ねた。「自分の車？」ナッシュヴィルまでの何時間もの道中、バスの車内に閉じ込められ、コミュニケーションの手段は咳払いと鼻をぐずぐずいわせることのみ、という人たちと過ごしてきたので、わたしとしてはただもう無性に、自分の声が聞きたかったのだ。開放された空間で発せられる自分の声が。

「ミアータ（マツダ・ロードスターの北米での呼称）で来た。ああ、自分の車だ。それでは、お客さま、ご準備がよろしければ参りましょうか。お預かりするお荷物は？」とカールは言った。その口調は明らかに、己に割り振られた任務のこの導入部分を、つつがなくとっとと完了してしまいたい、と言っていた。過剰に礼儀正しい言い方をすることで、隠しきれない苛立ちを隠そうとする――これもまた警官の常套手段のひとつだった。

「なし。荷物は持ってこなかったから」とわたしは言った。

「すばらしい。では、車にご案内しますよ。ロバーツ夫人がお待ちだからね、可及的速やか(ASAP)にお連れしないと」

カールの乗ってきたミアータは、真っ赤な車体はセクシーだったけど、実際に道路を走るにはあまりにもコンパクトすぎるような気がした。せっかくだからルーフを開けて運転してもらえないか、と言ってみたところ、それはあまり名案とは思えない、と言われた。断らなくてはならないのが不満そうだった。でも、ひょっとするとそんなことを頼まれること自体が不満なのかもしれなかった。よくわからない人だった。少なくとも、わたしには。で、おとなしく車に乗り込み、とりあえずなりゆきに任せてみることにした。

「ロバーツ夫人の話では、昔からの友だちだとか?」とカールが言った。話題に困ったのかもしれなかった。

「まあ、そう言えなくもないかな。知りあってけっこう経つしね」とわたしは言った。マディソンにはたぶん、ほかに本当の友だちなんてひとりもいないだろう、ということまでは言わなかった。マディソンに対して含むところがあるわけではなかった。わたしにだって、本当の友だちなんてほかにいやしないのだ。それと、これもあえて口にはしなかったけど、マディソンとわたしが本当の意味でお互いがお互いの友だちと呼べる存在なのかどうか、それもよくわからなかった。わたしたちは、もっと奇妙な関係だった。けど、そういうことはどれもカールが興味を持つような話題とも思えなかった。だから、そのあとの道中、どちらも黙ったままでいた。ラジオからイージーリスニングが流れてきていたもんだから、わたしの気分は、熱いお風呂にゆったりと浸かりつつ、思い浮かんできた知りあいを片っ端から脳内でぶち殺してやりたいモードになっていた。

マディソンとは、人里離れた山奥の女子校で出会った。知る人ぞ知る私立の名門女子校だ。百年ちょっとまえ、もしかするともうちょっとまえかもしれないけど、人里離れた山奥の地味（ちみ）も貧しくいたって恵まれない環境下にありながら、どうにかこうにかひと財産築きあげた男たちはもれなく、自分たちにも典型的な〝山男〟時代があったことを誰にも思い出させない地点まで世の中の階段をのぼりつめてやろうという決意のもと、ゆくゆくは自分たちの娘を自分たちと同程度以上のしかるべき金満家に嫁がせるため、そんな娘たちを通わせる花嫁学校の設立を思い立った。で、とあるイギリス人の男をテネシーまで引っ張ってきたのだが、そのイギリス人の男は件（くだん）の学校をプリンセスのための学校であるかのように経営したので、じきにまた別の人里離れた山奥の地味（ちみ）も貧しくいたって恵まれない環境下にありながら、どうにかこうにかひと財産築きあげた、また別の男たちが、自分たちの娘を送り込んでくるようになった。そして、そうした事例が充分に積み重なると、そのうちニューヨークだのシカゴだのといった本物の大都会の金持ちたちまでもが件の学校のことを耳にするようになり、自分たちの娘を送り込むようになった。そういう幸運な循環というものは、いったんまわりだすと、何世紀も継続するものだ。

　わたしはそんな女子校のある山奥の谷あいで育った。それなりに貧しい生活だったから、自分の生まれ育った環境を抜け出して生きることは想定の範囲内ではあった。一緒に暮らしていたのは母さんと、そのときどきで顔ぶれの変わる母さんのボーイフレンド軍団の誰か。父親は死んでしまったのか、ただ単にふいっといなくなってしまったのか。その点について母さんははっきりとは語らず、写真すら一枚も残していなかった。ということは、つまり、あのなんとかいうギリシア神話の神が種馬に姿を変え、オリュンポスの山のてっぺんに戻る途中でわたしの母親を孕ませた、と考えることもできないわけではないけど……まあ、より可能性の高いのは、母さんが掃除の仕事でまわっていた見てくれだけは立派なお屋敷のどれかに住んでる一介の助平野郎という線だと思う。もしかしたら地元の市議会議員かなんかで、それとは知らずに何度も見かけている人物なのかもしれない、と思ったこともあった。でも、わたしとしては、父親は死んでいてくれたほうが好ましかった。死んでいるなら自動的に、わたしをこの不幸せな人生から救いだすことは百パーセント不可能だという理屈が成立するから。

　件の私立女子校は、アイアン・マウンテン・ガールズ・プレパラトリー・スクールといって、毎年地元の山家育ちで前途を嘱望される女子一名ないし二名に対して、全額給付奨学金を付与していた。でもって、今となっては信じがたい気もするけれど、わたしは当時、超がつくほど前途を嘱望される女子だった。なんせ、全子供時代を優秀であることに捧げていたので。そう、文字どおり歯を食いしばって、なにもかもをなげうって。文字が読めるようになったのが三歳のとき。子供向けの物語本とそれについてくる付録の朗読レコードを使って自習したのだ。ちっぽけなスピーカーから聞こえてくるナレーターの発することばと本に記されている文字とを一致させる、というやり方で。八歳のときには、母さんから家計のやりくり全般を任されるようになった。母さんが毎晩家に持ち帰る封筒の中身をもとに週ごとの予算を立てるのだ。成績はもちろんオールAで通した。そのための努力は、初めのうちはトップに立ちたい、という純粋で本能的な欲望に根差したものだった。〝あたしはある種のスーパーヒーローみたいなもんなんだから、能力の限界ってやつを確認しようとするもんでしょう？〟という感じだった。ところが、各学科担当の教師たちが、アイアン・マウンテンという女子校があって奨学金制度もあるという話を持ち出しはじめるに至って、その手の情報は母さんなら洟もひっかけないだろうことが充分に予測できたこともあり、わたしは努力の方向性を変えることにした。そのときは、アイアン・マウンテンというのは金持ちの女の子が事前に敷かれたレールに乗って未来へと向かう過程で獲得する、箔付けのお飾りだとは知らなくて、アマゾネスのための訓練キャンプのようなところだと思っていたのだ。そんなわけで、わたしはスペリング大会では毎回、ほかの生徒たちに悔しさのあまりべそをかかせるようになった。他人さまの科学論文を無断で拝借し、内容を子供レベルまで落とすという手法で、郡主催の科学コンテストで受賞者の常連になった。ハーレムを詠った詩をどっさり覚え、母さんのボーイフレンドのまえでぎこちなく暗誦してみせては、こんなわけのわからない、うわごとのようなことを口走るとは悪魔でも憑いているんじゃないか、という眼で見られるようにもなった。バスケットボールの男子の移動チームに参加してポイントガードとしてプレイしたのは、女子のチームがなかったからだ。そういう活躍ぶりは、地元の町の人たちを、その人たちが貧困層だろうと中流階級だろうと、歓ばせることになった。とりわけ中流の上に位置する人たちを。彼らにとって、そういうわたしは承認できるもの、この辺鄙でちっぽけな町を代表する立派な女の子だったわけだ。とはいえ〝偉大な人物になるべく運命づけられている〟レベルには達していなかった。その点は自覚もしていた。だけど、そんな運命を握っていながらみすみすその手を緩めるようなおまぬけさんたちから、どうすれば機会を奪い取ることができるか、そのぐらいの知恵はまわったということだ。

　おかげで見事奨学生に選ばれ、おまけに何人かの教師たちが中心となって教科書と参考図書と食費をまかなえる程度の義援金を集めてもくれた。母さんからにべもなく、そういう掛りはどれもうちでは捻出できるわけがない、と宣言されてしまっていたからだ。学校が始まる日、手持ちの衣類のなかでそれしかまともな服がなかった、という理由で、ジャンパースカートなんぞというダサいことこのうえない代物を着たわたしは、学校の制服である白いブラウスに黒いスカートのセット三組とその他もろもろを突っ込んだダッフルバッグともども母さんの車で学校のまえまで送ってもらった。ほかの子の親たちはＢＭＷとかあまりにも高級すぎてわたしなんか名前も知らない類いの車とかでやってきていた。「うわっ、ちょっと、やだ、すんごいとこに来ちゃったじゃないの」と母さんは言った。車のラジオから聞こえてくるヘヴィーメタルをＢＧＭに、火をつけていない煙草（たばこ）をいじりながら。火をつけていないのは、わたしが、髪に煙草のにおいがつくから吸わないでほしいと頼んだからだった。「リリアン、こんなことを言うと意地悪を言ってるみたいに聞こえるかもしれないけどさ、ここはあんたのいる場所じゃない。って、別にあの子たちがあんたより出来がいいって言ってるんじゃないの。ただ、ここにいたら、あんた、相当苦労することになるよ」

「これはチャンスなの」とわたしは言った。

「あんたは肥溜（こえだ）めに生まれついた。うん、確かにね、それはわかってる」と母さんは言った。わたしに対して、それまで一度も見せたことがないほどの辛抱強さを発揮して。とはいえ車のエンジンはアイドリングさせたままだったけれど。「肥溜めに生まれついたあんたが、肥溜めに生まれついたからって理由で肥溜め以上のものを望んでるのもわかる。でも、それって、堆肥（こやし）を黄金に変えるってことだからね。実践するのは、めちゃくちゃしんどいよ。うまくいくといいとは思ってるけど」

　別に腹は立たなかった。母さんから愛されていることはわかっていたし。ほかの人から見て一目瞭然で理解できるような、わかりやすい形ではないかもしれないけれど。少なくとも、わたしが元気で問題なく毎日を送れることを願ってはくれていた。だけど、だからといって、必ずしも好かれているわけでもなかった。それもわかっていた。母さんにとってわたしは、理解できない存在であり、自分の生き方を否定する手枷足枷なのだ。わたしとしては、まあ、それならそれでかまわなかった。そのことで母さんを嫌ったりはしていなかったし。ううん、もしかすると、嫌っていたのかもしれない。でも、そのときはなんせ、ティーンエイジャーだったから。言ってみれば、身のまわりの誰も彼もを嫌っていたんだと思う。

　母さんは車のシガレットライターを押し込み、ライターが熱くなるまでのあいだを利用して、わたしを抱き締めてそっとキスをした。「いつでも帰ってきていいんだからね、スウィーティ」と言われたが、わたしとしては、そんな羽目になろうものなら自殺してやる、と思っていた。わたしが車を降りると、母さんは車を出した。わたしは寮に向かった。歩いているあいだに、ほかの生徒たちがわたしに眼もくれないことに気づいた。敵意があって無視しているわけではなさそうだった。ただ単にわたしのことが眼に入っていないのだ。彼女たちの眼は、生まれ落ちたその瞬間から、重要なものだけに反応するようトレーニングされてきているから。わたしは、そういう存在ではない、ということだった。

　そうして、わたしはマディソンに出会った。わたしに割り当てられた寮の一室で。正確には、わたしに割り当てられ、もうひとりの生徒と一緒に生活することになる部屋で。夏休みのあいだに学校から送られてきた短い手紙で知らされていたのは、寮で同室になるのはマディソン・ビリングスという生徒で、ジョージア州アトランタ出身である、ということだけだった。母さんの何人めかの別れたボーイフレンドのチェットは、母さんが特定の相手とつきあっていないときには、当然のような顔をしてわが家に出入りしていたんだけど、そのチェットが学校から送られてきた件の手紙を見て、こう言った。「この同室の生徒って、あの〈ビリングス百貨店〉の娘だな。あそこもアトランタが本拠地だから。めちゃくちゃ金持ちだぜ」

「なんで、そんなこと知ってんの？」と訊いてみた。チェットのことは、そこまで嫌いではなかった。不器用で気がまわらない人なのだ。それはほかの連中よりもまし、ということでもあった。ついでに言うと、チェットは腕にベティ・ブープのタトゥーを入れていた。

「いいか、ちょっとした手がかりを見逃しちゃだめなんだよ」とチェットはわたしに言った。これまたついでに言うと、チェットはフォークリフトの運転士をしていた。「情報は力なり、って言うだろ？」

マディソンは、ブロンドの髪を肩にかかるぐらいの長さにしていた。着ていたのは黄色い地に小さなオレンジの金魚を何百匹も散らしたサマードレス。履いているのはビーチサンダルなのに、モデル並みの長身だった。きっと足の裏もめちゃくちゃ柔らかかったりするんだろうな、とわたしは思った。完璧な恰好（かっこう）の鼻に濃いブルーの眼、そばかすの散り具合も、ひと目見て「うわぁ、気の毒」ってならない程度の、ほどよく健康的に見えるぐらい。寮の部屋全体にほのかに漂う、ジャスミンの香り。マディソンはドアから遠いほうのベッドを選んで、早々と自分のスペースを確保していた。わたしに気づくと、笑みを浮かべた。まるで友人と再会したみたいに。「あなたがリリアン？」と訊かれて、わたしは黙ってうなずくのが精いっぱいだった。ジャンパースカートなんて冴えないなかでも最悪に冴えないものを着ている自分が、『ボゾ・ショウ』（子供向けのテレビ番組）のスタジオ観覧にきてるくそがきにしか思えなかった。

「わたし、マディソン。どうぞよろしくね」と言ってマディソンはわたしに向かって片手を差し出してきた。すべての爪が薄ピンクに塗られていた。うさちゃんの鼻みたいな色に。

「改めまして、あたしはリリアン」と答えて、差し出された手を握った。同年代の相手と握手なんて、そのときまでしたこともなかった。

「特待生なんだってね」とマディソンは言った。その口調から非難も批判も感じなかった。ただ自分が知っていることを知らせておきたいと思ったのかもしれなかった。

「なんで学校はそんなことまで知らせてるわけ？」とわたしは言った。頬がかあっと熱くなるのが自分でもわかった。

「さあ、なんでかな。ともかく知らされたの。わたしが失礼な態度を取らないよう、ひと言言っておかなくちゃ、と思ったのかもしれない」

「ふうん、あっ、そう」とわたしは言った。マディソンに対してはただでさえ四十歩も五十歩も後れをとっているように感じているというのに、その距離を縮めて追いつくことを学校側がすでにもう難しくしてくれちゃってるよ、というわけだ。

「わたしは別に気にしてないから」とマディソンは言った。「というか、かえってよかったと思ってる。金持ちの娘だったら最悪だもの」

「ってことは、そっちも金持ちの娘じゃないってこと？」と訊いてみた。期待を込めて。

「金持ちの娘よ」とマディソンは言った。「でも、そのへんにいる普通の金持ちの娘とはちがうの。だからだと思う、あなたと同室に割り振られたのは」

「へえ、そうなんだ」とわたしは言った。気がつくと、めちゃくちゃ汗をかいていた。

「どうしてここに?」とマディソンが訊いてきた。「つまり、どうしてこの学校に入ろうと思ったの?」

「どうしてって訊かれてもね。だって、いい学校なんでしょ、ここ?」とわたしは答えた。マディソンには、それまでにわたしが接したことのない率直さがあった。本人にとっては生命取りになりかねない、くそとんでもないことを口にしているにもかかわらず、眼が濃くて深いブルーで、人をおちょくっているようには思えないから、という理由で、どういうわけか許されてしまう類いの率直さが。

「そうね、そうだと思う。というか、そういうことじゃなくて、なんていうかな……ええと、この学校でなにを手に入れたいと思ってるの?」とマディソンは言った。

「荷物を降ろしてもいいかな?」とわたしは言って顔に手をやった。玉の汗が噴きだしていて、その汗がだらだらと首筋まで滴っていた。マディソンはわたしが提げていたダッフルバッグにそっと手をかけ、わたしから受け取って床に置いた。そして、まだベッドメイクのされていないわたしのベッドのほうを身振りで示し、わたしが腰をおろすのを待って、わたしのすぐ隣に坐った。他人にそこまで接近されるのは、わたしとしては好ましくなかった。

「将来はどんなことをしたいと思ってるの?」またしてもマディソンが訊いてきた。

「わかんないよ、そんなこと。まじでわかんない」とわたしは言った。マディソンにキスされるんじゃないか、と思いながら。

「うちの親たちがわたしに期待してるのは、この学校ですばらしい成績をおさめて、ヴァンダービルト大学に進学して、その後どこかの大学の学長と結婚して、かわいい赤ちゃんを何人か産むこと。

特にパパがね、めちゃくちゃ具体的なのよ。『われわれとしてはおまえが大学の学長と結婚してくれたら、言うことはないよ』なんてね。でも、そのつもりはないんだ」

「なんで？」その大学の学長とやらがそこそこセクシーだったら、わたしならマディソンの両親が娘の将来として思い描いている人生に、歓び勇んで飛び込むだろうに。

「力を手に入れたいから。わたし、大きなことを成し遂げられる人間になりたいの。たくさんの人に、それぞれの人たちが一生かかっても返しきれないほどの恩義という名の貸しをたっぷり押しつけたいの。とんでもない大失敗をしちゃっても、ぜったいに罰を受けることのない、超がつくほどの重要人物になりたいの」

そんなことを言うマディソンは、クレイジーな人っぽく見えた。こういう人といちゃいちゃするのも悪くないかもしれない、という気になった。マディソンは肩に垂れかかった髪を、さっと払いのけた。日頃からそういうことをやりつけている人にしかできない払い方で。「こういうこと、あなたになら話せる気がする」

「なんで？」とわたしは訊いた。

「だって、あなた、貧乏でしょ？　でも、この学校に入学した。あなたもやっぱり力を手に入れたいのよ」

「あたしは大学に進学したいだけ。今の境遇から抜け出すためにね」とわたしは言った。でも、もしかしたらマディソンの言うとおりなのかもしれない、という気もしていた。マディソンが言ったようなことを、わたしもいずれは望むようになるのかもしれない。力ってものを手に入れようと思うようになるのかもしれない。

「わたしたち、友だちになれそうね」とマディソンが言った。「っていうか、なれたらいいと思ってる、少なくともわたしは」

「わお」とわたしは言った。全身が震えだしそうになるのを必死に抑えながら。「あたしもだよ、あたしもなれたらいいと思ってる」

そして、そのことばどおり、マディソンとわたしは友だちになった……まあ、そう言ってしまってもいいと思う。マディソンは持ち前の〝異端児っぷり〟を、人前では抑えつけておかなくてはならなかった。なぜなら、上流階級の麗(うるわ)しき人間がそれらしく振る舞わないと、まわりの人たちを怖がらせることになるし、見苦しい場面が出来(しゅったい)してしまうことにもなるからだ。そして、わたしはわたしで、自分の〝異端児っぷり〟を抑えつけておかなくてはならなかった。なぜなら、全額給付奨学金を授与されている特待生というだけですでに、まわりから白眼視というか、〝とてつもなく変わった子〟視されていたからだった。新学期が始まって何日も経たないうちに、わたしと一緒にその年度の特待生に選ばれた隣町出身の子が近づいてきて、意地悪な意図ではなく、こう言った。「お願いがあるの。この学校にいるあいだは、ぜったいに話しかけてこないで」わたしはその場で同意した。そのほうがお互いのためだったから。

いずれにしても、マディソンもわたしも、人前では〝お行儀よく〟していなくてはならなかった、ということだ。だから、寮の自分たちの部屋に戻ってくると、ふたりしてはしゃいだ。雑誌に載ってる『爆発！デューク』（アメリカのCBSテレビで放映されたアクション・コメディドラマ）のボーとルークの写真を切り抜いて、その写真を身体(からだ)じゅうにこすりつけたりして。マディソンが、将来は弁護士になって世界じゅうの極悪人のなかでもいちばんの極悪人を電気椅子送りにしてやる、と息巻くのを聞いているのは痛快だった。わたしは大人になったら朝食は来る日も来る日も〈ミルキーウェイ〉のチョコレートバーにするつもりだ、と言うと、そっちのほうがアメリカ合衆国の大統領になりたいなんて夢よりもずっとすてきだ、とマディソンは言った。アメリカ合衆国の大統領、というのは、マディソンの〝将来なってもいいかもしれないもの〟のひとつだった。

　ついでに言うと、マディソンもわたしもバスケットボール部に所属していた。新入生で入部した生徒は、何年ものあいだ、ただのひとりもいなかったらしい。バスケットボール部の活動は本格的で、州の大会でも何度か優勝もしていた。アイアン・マウンテン・ガールズ・プレパラトリー・スクールにおいて、バスケットボールとクロスカントリーは、学校の独自性を打ち出すうえで、とりわけ重要な役割を果たしていた。部員のほとんどは、大学の入学願書に特記事項として記入してほかの入学志願者との差異化をはかるセールスポイントのひとつと考えていたのだろうけれど、なかにはわたしみたいに、弱っちい相手を片っ端から叩きのめすのが純粋に好き、という部員もいた、ということだ。ポジションはわたしがポイントガードで、マディソンはめちゃくちゃ背が高かったから、パワーフォワードかセンター。ふたりして体育館で何時間も過ごした。そう、ふたりきりで。コート全面をめいっぱい使い、全速力で駆けずりまわり、利き手でないほうの手でシュートをしたりして。はっきり言って、わたしがコートに入って活躍しないことはなかったけど、マディソンと同じチームになると、それ以上に活躍できた。マディソンと一緒にプレイしていると、五感を超えて、超感覚的にコートをとらえることができた。マディソンがあまりにも美しいせいで、いちいち眼で確認しなくてもどこにいるかがわかるのだ。マディソンとわたしは、マジックとカリームだった（マジック・ジョンソンとカリーム・アブドゥル＝ジャバーのこと。両名ともNBA史上最高の選手と評されていて、ロサンゼルス・レイカーズではチームメイトとして揃って大活躍した）。ふたりしてコーチに、黒のハイカットシューズを履いてプレイしたい、と言ってみたけど、「まったく、なにを言いだすかと思えば。お嬢さんたち、きみらはニューヨークのストリートバスケ界の大物スター選手かなにかか?」と即刻却下。「そんなことを言ってる暇があるなら、ファウルがかさんで退場をくらったり、ターンオーバーを取られたりしないよう、びしっと試合に集中しろ」

ときどき、マディソンから〝置いてきぼり〟にされることもあったけれど、気にはならなかった。わたしがあのときのわたしとはちがうタイプの人間だったら——もちろん、金持ちだったらって意味ではなくて——そういうことにも一喜一憂して仲間になろうとしていたかもしれないが、まったく興味がもてなかったのだ。ランチのとき、マディソンはきれいな子たちのグループに加わって、彼女たちと同じテーブルについた。ときどき、そのグループの子たちと一緒に学校の敷地をこっそり抜け出して、とあるバーにたむろし、その近くのとある実験的な芸術大学に通う男の子たちに声をかけられたりしていた。さらにときどき、そのグループの子たちと一緒に、〝パンダ〟というとんでもなくあやしげな人物からコカインを買ったりもしていた。寮監は、わたしたちの素行に二十四時間眼を光らせているってことになってたけど、マディソンはどういう手を使うのか、その監視の眼をくぐりぬけて、午前三時に寮の部屋にふらりと帰還し、床に坐り込んで特大サイズのペットボトルから水をがぶ飲みしながら、こんなことを言うのだ。「まったく、もう、自分でもうんざり。わたし、これ以上ないぐらい、ありきたりなことしてる」

「でも、愉(たの)しそうじゃん」とわたしは心にもないことを言った。

「かもしれない」異様に瞳孔の開いた、イッちゃってる眼でマディソンは言った。「けど、こんなのただの通過儀礼だもの」

学校生活は、谷あいの町での生活よりは、いくらかややこしくて面倒といえば面倒だったけど、授業はどの教科もそれほど難しくはなかった。成績はオールAだった。わたしも、マディソンも。わたしは貧しい家庭に育ったことをテーマにして詩のコンテストで優勝を勝ち取った。初めて書いた詩を——ちなみにチューリップなんてものを題材にした、くそお恥ずかしい詩だったんだけど、それをマディソンに見せたときに貰(もら)ったアドバイスに従ったのだ。マディソンの言った「ここぞってときに使うべきよ」というのは、つまりわたしの恵まれなかった子供時代のことだろうと解釈し、「そうすれば最大限の効果を引き出せるんだから」という部分も正しく理解していたと思う。というのは、そのときのわたしは、アイアン・マウンテンの生徒として順調に学校生活を送っていたから。そこまで這(は)いあがってきたのだ。マディソンがわたしの狭苦しいベッドにもぐり込んできたときには、ふたりで抱きあって眠っていたし。つまり、わたしは恵まれていたのだ。そういうときには、そこにたどり着く以前にどういう場所にいたかを認めるのも、それほど難しいことではない。

　そんなある日のこと、マディソンとつるんでいるきれいな子軍団のひとりが——意地悪なことを言っちゃうと、全部で六人のそのグループのなかでいちばんかわいくない子だったんだけど、その子がマディソンの言ったジョークにつむじを曲げた。マディソンの例の〝異端児っぷり〟が、寮のわたしたちの部屋という境界線から、ほんの一瞬だけはみだしてしまった、というだけのことだったけど、その子は腹立ちまぎれに寮監に告げ口をした。マディソンがコカインの小袋を自室のデスクの抽斗(ひきだし)に隠し持っている、というのだ。寮監が検(あらた)めたところ、デスクの抽斗から確かにコカインの小袋が出てきた。アイアン・マウンテンは金持ちのための学校であり、すべてはその金持ちたちの意向次第というところがある。で、マディソンは、わたしのベッドで一緒に横になってその件についてわたしたちなりに話しあったときに、希望的観測かもしれないけれど学校側はこの件について寛大な処置をしてくれるんじゃないか、と言った。だけど、わたしは金持ちではないので、アイアン・マウンテンのようなところはときに、ひとりの金持ちを見せしめにすることでその他大勢の金持ちの信頼を得ようとするものだ、ということを心得ていた。もうじき学年末という時期で、学年末試験が数週間後に迫っていたある日のこと、学校長がマディソンとその両親を面談のため校長室に呼び出した。ちなみに学校長といっても、そのときはもうイギリス人の男ではなくなっていて、ミズ・リプトンという南部出身の、白髪を夜会巻きにして臙脂(えんじ)色のパンツスーツを着た女の人が務めていたのだが、その学校長からの面談の呼び出しは、学校の名前入りの便箋(びんせん)と封筒を用いた正式な通知だった。ミズ・リプトンはどの生徒のことも〝娘〟と呼んでいたけど、じつのところ結婚の経験はなかった。

面談の日の前夜、マディソンのお父さんが車でやってきた。お母さんのほうは、ビリングス氏が電話で娘に伝えたところでは、〝あまりのことに失意のどん底に沈み込んでいて〟、とてもではないが同行できる状態ではない、とのことだった。ビリングス氏に、マディソンと一緒に夕食をどうか、と誘われた。お別れ会みたいなものだと言われたけれど、それもなんだかおかしな話だと思った。ビリングス氏は真新しいジャガーでわたしたちを迎えにきた。わたしが想像していたより老けていて、わたしに気づくと、やあというようにウィンクをしてみせるところなんかが、俳優のアンディ・グリフィスに似ていた。「こんばんは、お嬢さんたち」と言いながら、ビリングス氏はわたしたちのために車のドアを開けた。マディソンのほうは、不機嫌なうなり声をあげただけでさっさと車に乗り込んだけど、わたしはビリングス氏に手を取られ、おまけに手の甲にキスまでされた。

「きみのことはマディソンからしょっちゅう話を聞いてるよ、ミス・リリアン」ということばとともに。

「そうですか」とわたしは言った。あのころはまだ、大人が相手だと、どうしても萎縮してしまっていたのだ。この人、わたしと寝たがってるのかもしれない、と思ったことを覚えている。

連れていかれたのはステーキハウスだった。事前に席が予約されていた。四名で予約してある、とビリングス氏は店側に伝えた。そのとき、母さんの姿が眼に入った。母さんにしてはドレスアップしてはいたけど、こういう場にふさわしい装いとまでは言えなかった。わたしに気づくと、〝あんた、ちょっと、いったいなにをやらかしてくれたわけ？〟の顔になったものの、その表情を急いで引っ込め、ビリングス氏に向かって笑みを浮かべた。ビリングス氏は自己紹介をして、母さんの手を取り、手の甲にキスをした。母さんはそれだけで舞いあがった。娘が見てありありとわかるほどに。

「呑み物は？」と訊かれて、母さんはジン＆トニックを注文した。ビリングス氏はバーボンをストレートで頼んだ。なんだか、あっという間に、新しい家族ができあがっちゃったみたいだった。ビビりまくってるのはわたしだけじゃないはず、と思ってマディソンの表情をうかがおうとしたが、マディソンはメニューに視線を落としたまま、顔もあげなかった。

「よくぞおいでくださった、こうしてご一緒できて嬉しい限りですよ」注文がすむと、ビリングス氏はそう言った。母さんは二十五ドルと記載されていたフィレステーキを注文した。わたしはチキンのフェットチーネを選んだ。メニューのなかでそれがいちばん安かったから。今になって思い出そうとしてみても、マディソンとビリングス氏はなにを注文したんだったか、さっぱり思い出せない。

「こちらこそ、お招きくださってありがとう、だわ」と母さんは言った。暮らしは楽じゃないし、投げやりな毎日を送ってるし、煙草も吸いすぎてはいたけれども、ハイスクール時代はチアリーダーにしてビューティークイーンだった人だ。娘の眼から見ても、まだ充分に美しいと認めないわけにはいかなかった。その美しさはわたしには受け継がれなかったものだ、ということも含めて。ということは、この状況を利用して、母さんがビリングス氏を誘惑して一夜を共にする可能性もなきにしもあらず、ということだった。

「こうしてご一緒することになった理由はさておき、ですかね。はっきり言って、あまり嬉しくない事態ですからね」ビリングス氏はそう言って、娘のマディソンに眼を向けた。マディソンは今度は眼のまえのテーブルクロスを見つめたまま、やっぱり顔をあげなかった。「お恥ずかしい話ですが、娘は自分のしでかしたことのため、目下窮地に立たされていましてね。なにぶん強情な子で。わたしには子供が五人おりますが、この末っ子のマディソンときたら、残りの四人が束になってもかなわんほどの問題児で。親にとっては特大の悩みの種なんですよ」

「四人とも男だけど」とマディソンは言った。小さく怒りを炸裂させて。

「それはまあともかく、マディソンは今回、まちがいをしでかし、そのことで罰を受けることになりました。と申しますか、どうやら明日の朝にはそういうことになりそうでしてね。そこで、こうしてあなたとリリアンにご相談したいと思った次第です」

「パパ――」マディソンの言いかけたことばは、ビリングス氏の鋭いひとにらみで封じられた。

「リリアンがなにかまちがったことをしてしまったんでしょうか？」と母さんが言った。いつの間にか、ジン&トニックは二杯めになっていた。

「いいえ、まさか」とビリングス氏は言った。「リリアンはアイアン・マウンテンで学ぶ女子たちの模範です。お母さまとしても鼻が高いことと思いますよ」

「そうですね」と母さんは言ったけど、なんとなく疑問形ともとれるようなイントネーションだった。

「さて、それでですね、問題点を整理してみたんです。わたしはビジネスマンです。なので、物事に対して常にちがった角度から検討してみることが習慣になっています。要するにあらゆる可能性を考慮に入れる、ということですな。たとえば、今回、家内は同行を拒みました。家内に言わせれば、マディソンは受けて当然の罰を受け、それに伴う現実を受け入れ、今後はその現実を背負ってよりよい生き方を目標にすべきだ、ということになります。ですが、家内は――いや、家内のことは愛していますよ、心から――だが、家内は放校処分がマディソンにもたらすもろもろの副次的問題を充分に考慮できているとは言いがたい。娘の将来にもたらされるであろう影響は、ことばでは言い尽くしようもないものになる、とわたしは思っています」

「まあ、子供というのは、なんだかんだまちがいをしでかすもんですからね。そうやって学んでいくんじゃないですか」と母さんは言った。

ビリングス氏の笑みが、ほんの一瞬だけ剝(は)がれ落ちた。次の瞬間には、急いで貼りなおされていた。「ええ、おっしゃるとおりです」とビリングス氏は言った。「確かに子供はそうやって学びます。まちがいをしでかし、同じまちがいはもう二度とくりかえさないよう学ぶわけです。ところが、マディソンの場合、二度とくりかえさなかったところで、どうにもならんのですよ。その時点ではもう運命が決まってしまっているんですから。そこで、わたしからおふたりにご提案があります」と言われて、わたしにもわかった。そのときになって、くそがつくほどはっきりとわかった。もっと何時間もまえにわからなかった自分に猛然と腹が立った。マディソンのほうに眼を向けたけど、マディソンはもちろんこちらを見ようともしなかった。テーブルの下でマディソンの腕をつかみ、指先が食い込むぐらいぎゅっと握っても、まったく無反応だった。

「そのご提案というのは？」と母さんは言った。いささか酔っぱらっていて、いささかどころでなく興味を惹かれていた。

「わたしが考えるに、校長先生も、これがマディソン以外の生徒であれば、もう少し態度を軟化させるはずです」とビリングス氏は言った。「たとえば、そう、おたくのお嬢さんのように、数多の困難にも挫けることなく地道に努力を続け、ここまで頑張ってきた真面目な生徒であれば、処罰を申し渡されるとしても、ごくごく軽微な、最悪の場合でも一学期間の停学程度ですむのではないかと思うのです」

「どうして？」と母さんは言った。思わず、横っ面に一発、蹴りをお見舞いしたくなった。酔いを醒ましてやりたくなった。けれども、そうしたところでなにが変わるわけでもないことは、わたしにもよくわかっていた。

「それがですね、込み入っているんですよ」とビリングス氏は言った。「ですが、これだけはまちがいなく言えます。明日の朝、あなたがリリアンを連れて校長室に乗り込み、例のドラッグはじつはリリアンのものだったと打ち明けた場合、処罰はかなり寛大なものになるはずです」

「それはまたずいぶんと、不確実な部分が大きくありませんか？」と母さんは言った。わたしが思っていたほど酔っぱらっているわけではないのかもしれなかった。

「まあ、確かにそれなりのリスクはあります。その点は認めましょう。なので、そちらにおかけするご不便とご迷惑に対しては、それなりのものをお支払いする心積もりでおります。というか、じつは、ブレイカーさん、あなた宛てに額面一万ドルの小切手を用意してきていましてね。それだけあれば、お嬢さんの今後の教育資金に役立てていただけるのではないかと思いますよ。なおかつ、それだけあれば、その思いがけない臨時収入のうちのいくらかは、あなたご自身の使途にまわしていただくこともできるのではないかと思いますが」

「一万ドル?」母さんは言われた金額をくりかえした。

「ええ、そうです」

「母さん」とわたしが言うのと同時にマディソンも「パパ」と言ったけど、ふたりともそれぞれの親に黙らされた。そのとき、マディソンがわたしに眼を向けてきた。あの濃くて深いブルーの眼を。ダサいことこのうえないステーキハウスのやたらと薄暗い照明のなかでも、それがはっきりとわかった。ものすごく奇妙な感じがした。ひとりの相手を心の底から憎みながら同時に心の底から愛してもいたから。そういうことは大人には当たり前のことなのだろうか、とふと思った。

ビリングス氏は母さんと話を続けた。注文していた料理が運ばれてきたけれど、マディソンもわたしも一切手をつけなかった。わたしは耳のスウィッチをオフにした。マディソンはテーブルの下でわたしの手をつかんだ。勘定をすませて戻ってきたビリングス氏に、席を立つよう促されるまで、その手を握りしめたまま放さなかった。わたしたちは席を立ち、ビリングス氏の小切手は母さんのバッグにしまわれた。

その晩、ビリングス氏に送られて寮に戻り、帰寮の報告を終えて部屋に引きあげてくると、マディソンがそっちのベッドで一緒に寝てもいい？　と訊いてきたけど、わたしとしてはふざけんな、としか言いようがなかった。わたしは歯を磨き、マディソンが自分のベッドに腰かけてレポート課題かなんかの準備のために——そう、結局のところ、停学処分を免れるってことは学年末試験は受けなくちゃならないわけだから——シェイクスピアを読んでいるあいだに、ダッフルバッグに荷物を詰めた。どういうわけか、入寮したときよりも荷物が少なくなっていた。そういう人生だった、ということかもしれなかった。わたしはベッドに入って明かりを消した。数分後、マディソンも明かりを消した。寮の部屋の暗がりのなか、ふたりともじっとしたまま、ひと言も口をきかなかった。どれぐらいそうしていたか、はっきりとはわからないけど、最後にはマディソンがひっそりと部屋のわたしのほうの側に近づいてきて、わたしのベッドのすぐ横に立った。マディソンはわたしのたったひとりの友人だった。わたしはベッドに寝たまま身体をずらして場所を空けた。そこにマディソンが入ってきた。肩越しに腕がまわされ、背中にマディソンの胸が当たるのを感じた。「ごめんね」とマディソンは言った。

「マディソン」そのひと言しか出てこなかった。わたしは〝なにかを望む〟ということをして、望んだものを手に入れそびれたのだ。つまりは、二度めのチャンスというものがめぐってきたとしても、望んだものを手に入れることはもっと難しくなるにちがいなかった。

「あなたはわたしの親友よ」とマディソンは言った。わたしのほうはなにも言えなかった。そうして横になったまま、いつの間にか眠りに落ちたようだった。朝になってドアがノックされ、お母さんがそとで待っている、と寮監に言われたとき、夜のあいだのどこかのタイミングで、マディソンが自分のベッドに戻っていたことに気づいたのだった。

校長先生は、わたしが嘘をついているのがわかっているようだった。言い分を変えるつもりがあるなら変えられるよう、何度かそれとなく促してくれたが、そのたびに母さんが口を挟んできて、わたしのそれまでの人生がどれほど辛く、いかに苦労の連続だったかを訴えた。最終的に、ミズ・リプトンはわたしを放校処分にした。母さんは大してショックを受けたようでもなかった。だけど、わたしはそれまで母さんの煙草をくすねてこっそり吸ってみたこともなかったのに、そんなわたしがドラッグを使用したという理由で放校になったのだ。これまでいったいなんのためにいい子でいつづけたのか……わけがわからない、というものだった。

ダッフルバッグを取りに寮の部屋に戻ったときには、マディソンの姿はもうなかった。谷あいの町まで帰る車のなかで、母さんは、例のお金はあんたの大学の学費用にとっておくから、と言ったけど、わたしにはわかっていた。あのお金はもうないものと思うべきだった。母さんの手に渡ったとたん、霧のように消えてしまったのだ、と。

四か月後、マディソンから手紙が届いた。メイン州で過ごした夏休みのことが書いてあった。わたしのいない学期末の何週間かがどれほど悲惨だったかも書いてあったし、会いたくてたまらないからアトランタまでぜひ訪ねてきてほしい、とも書いてあった。わたしの身に起こったことについては、マディソンのためにわたしがしたことについては、まったく触れられていなかった。けれども、メイン州である男の子と知りあいになって、その子にどこまでの行為を許したかについては報告していた。手紙のなかからマディソンの声が聞こえてくるようだった。あの澄んだきれいな声が。

わたしは返事を書いた。ふたりのあいだに残された、拭(ぬぐ)いようのない特大のくそについては触れなかった。そうして、マディソンとわたしは文通友(ペンパル)だちになったのだった。

　学業について言えば、わたしは地元の公立のろくでもないハイスクールに出戻った。それは、どこよりも高い山の頂上で一年間を過ごしたあと、いきなり海抜ゼロ地点に逆戻りしたようなものだった。どの教師も、どの生徒も、それどころか町の誰も彼もが、わたしが放校処分をくらったことを知っていた。その理由がコカインで、つまりわたしは這いあがるためのたった一度きりのチャンスをみすみすふいにしてしまったのだ、という事実を知っていた。おまけに、元の話にちょこちょこと尾ひれやら尻(しり)びれやらときには背びれまでつけてくれちゃうもんだから、ますます聞くにたえない話になった。で、みんながわたしを非難した。わたしに対してともかく腹を立てまくった。まったく、山出しのイモ娘のくせに、無駄に期待させやがって、とでも言いたげに。でもって、当然のことながら、わたしを見限った。大学進学や奨学金制度についての話をしなくなった。わたしは幽霊になった。町の語り種(ぐさ)になり、教訓的な逸話になった。でも、そんなもの誰が怖がる？　誰が耳を傾ける？

　誰からも気にかけられないし、なにもかもがあまりにも楽ちんだし、わたしはなにに対しても関心というものを持てなくなった。放課後はアルバイトをするようになり、母さんが手をつけないから家の掃除をするようになった。頭が空っぽの男の子や女の子とつるむようになり、その子たちからマリファナやあやしげな錠剤を手に入れ、相手からなにも期待されないあいだは一緒に過ごすようになった。そして期待されるようになると、自分でマリファナを買って、家の裏のポーチで自分で巻いたマリファナ煙草をふかした。世界がぺしゃんこになった気がした。そのうち、将来のことがどうでもよくなった。現実をなんとか耐えられるものにすることのほうが切実だったから。そうして時が過ぎていった。それがわたしの人生だった。

ロバーツ家の屋敷に近くなると、あたり一面緑の牧草地と何マイルも何マイルも延びているかに思える白いフェンスだけしか存在しなくなった。少なくとも、わたしには牧草地と白塗りのフェンスしか見えなかった。そのフェンスだけど、いったいなんのためのフェンスなのか、さっぱりわからなかった。なにかが出ていくのを防ぐ役目も、なにかが入ってくるのを防ぐ役目も、どう見ても果たせそうにないのだ。こんなの、ただのお飾りじゃん、と思ったところで、そりゃそうか、と気がついた。うなるほどお金があるということは、ただのお飾りをお飾りとして見せびらかせる、ということなのだ。もっと賢くならないと、と自分で自分に言い聞かせた。いや、わたしだって賢くないわけじゃない。ただ、そのうえに愚かさが分厚い層となって積もってしまっているのだ。それでも、必要となれば今でも牙を剝くことはできた。ならば、もっと賢くだってなれるはずだ。マディソンが用意している仕事がどんなものであれ、楽々とわが物にしてみせようじゃないの。

そのドライヴウェイとかいうしゃらくさい代物は、一マイルどころではなくありそうだった。天国の門まで一直線に延びているようでもあった。それぐらい完璧に維持管理がなされているのだ。行きついてみたら、窓に鉄格子のはまったさびれたピッツァ店でした、という可能性もなくはないけど、だとしてもわくわくすることに変わりはなかった。

「もうすぐだ」とカールが言った。

「ここの郵便事情ってどんな感じ？」と訊いてみた。

「郵便事情？　どういう意味だ？」と訊き返された。

「だから、配達された郵便物を受け取るには、そのつど、このドライヴウェイってやつをえっちらおっちら歩いて取りに行かなくちゃならないのかってこと。それともゴルフ場のカートみたいなものでもあるの？　それか、郵便物を取りに行く専門の人が別にいるとか？」ひょっとして、それもあなたの業務の範疇？　とはあえて訊きはしなかったけど、そんな考えがわたしの頭をよぎったことが、カールにはわかったようだった。

「いや、配達員が母屋の玄関まで届けてくれる」とカールは言った。

「ああ、そうなんだ」とわたしは言った。ポーチの椅子に腰かけたマディソンが、甘い香りのするお茶を飲みながら、郵便配達員がドライヴウェイをのたのたと近づいてくるのを辛抱強く待っているところを思い浮かべた。配達員が届けるのは、わたしの手紙だ。足首にタトゥーを入れようかどうしようか迷ってる、という内容の。

　これまでにも何度も、マディソンが暮らしているお屋敷について、想像力を逞しくしてきた。お屋敷の写真を送ってほしいと頼むのは、いくらなんでも突拍子がなさすぎる気がした。だって――ねえねえ、テディベア坊やの写真はもういいから、あんたのお屋敷のバスルームを一か所残らず写真に撮って送ってもらえないかな、とはさすがに言えないでしょ？　手紙に同封されてきた写真の背景をじっくり観察することで、お屋敷の様子が少しずつわかった。豪華で、手入れが行き届いていた。写真の背景だけを切り抜いて寄せ集めてみたら、お屋敷の全体像がつかめたのかもしれない。ときどき、めんどくさくなって、マディソンはホワイトハウスに住んでるんだ、と思い込んでみることもあった。そのほうが納得がいくような気がした。マディソンは、あのホワイトくそったれハウスに住んでるんだ、と思い込むほうが。

　そうこうするうちに、いよいよお屋敷が近づいてきた。なんだかこう、咽喉（のど）の奥にダイアモンドの塊みたいなもんを詰め込まれたような感じで、精神的な支えを求めるあまり、思わずカールの手にしがみつきそうになった。お屋敷は三階建てで……ううん、もっとあるかもしれない、とそのときのわたしは思った。なんせ、どれほど上を向いても、最上階ってのが見えてこなかったから。ともかく、その時点でわかったのは、お屋敷はわたしの視野からはみだすくらい大きくて高い、ということだった。外観は眼もくらむほど真っ白だった。黴（かび）やら泥やらの汚れとは千パーセント無縁の、夢のなかだけに登場する家ってやつだった。ポーチも特大サイズで、もしかすると建物の周囲をぐるりと一周しているのかもしれなくて、だとしたらポーチを伝って歩くだけで一マイルの散歩ができそうだった。裕福とはどういうものか、わたしなりのイメージをこしらえていたつもりだったけど、裕福であることがどういう形を取りうるか、わたしのそれまでの人生経験をもとに推し量るのは、明らかに無理があったということだった。にしても、マディソンのだんなさんって、こんなとんでもない大金持ちなの？　とわたしは胸のうちでつぶやいた。だってコンピューターを開発したわけでもないし、ファストフード帝国を傘下に置いてるわけでもないのに。なのに、こんなお屋敷が手に入っちゃうんだね。そして、マディソンだって手に入っちゃうんだね。そのとき、不意に、その当のマディソンが、生身のマディソンが、お屋敷の玄関口に現れた。マディソンはこちらに向かって手を振っていた。そのあまりの美しさに、このお屋敷かマディソンかで選択を迫られたら、わたしはまちがいなくマディソンを選ぶと心に誓った。選択の機会をたとえ何万回与えられようと、そのつど必ずマディソンを選ぶ、選ぶに決まってる、と。

カールはドライヴウェイのまんなかにある噴水をまわり込んで、お屋敷の正面玄関のまえで車を停めた。エンジンをかけたままで、すばやく車外に出て、こちら側にまわってきてドアを開けた。わたしは立ちあがれなかった。脚に力が入らなかった。そのとき、マディソンがいきなり玄関まえの階段を駆けおりてきた。両腕をハグの構えに差し伸ばして。それでも、わたしは動けなかった。筋肉ひと筋でも動かそうものなら、眼のまえのすべてが消えてなくなり、わたしはエアコンの壊れた自分の部屋のいつものフトンの上で眼を覚ますことになりそうな気がして。最終的にカールに抱えられて車から引きずりだされたわたしは、誕生日プレゼントのぬいぐるみ人形のようにマディソンに引き渡され、その両腕のなかに倒れ込んだ。マディソンはその背の高さで、その力強さで、わたしをしっかりと抱き締めた。わたしがマディソンのにおいを嗅ぎ、マディソンのことを思い出し、寮の部屋のベッドで一緒に眠ったことを思い出して、眼のまえのなにもかもが実態を取り戻すまで、しっかりと抱き締めつづけてくれた。これは現実だった。わたしは身を離し、ようやく自分の足で地面に立った。会わなくなってから、ほぼ十五年が経ったというのに、マディソンは以前と変わっていなかった。少し陽に灼けて、大人の女らしいふくよかさが適度に加わっただけで。ロボットのようには見えなかった。魂が抜けているようにも見えなかった。

「すっごくきれいよ、あなた」とマディソンは言った。わたしはそのことばを信じた。

「だったら、そっちはスーパーモデルだね」とわたしは言った。

「スーパーモデルじゃなくて残念」とマディソンは言った。「スーパーモデルなら自分の写真しか載ってないカレンダーが手に入るもの」そう、そんなふうにして以前のふたりが復活したのだ。〝異端児な〟わたしのまえで、信じられないことに、マディソンもまた持ち前の〝異端児っぷり〟

をさらけだしてくれたから。

カールは腕時計に眼をやり、映画とかでしか見たことのない、あの首をかっくんと折るような一礼をしてから、運転席に戻って車を出した。そのまま車が走り去っていくのを、マディソンとふたりで夜まで眺めていたってよかった。むしろそうしたいぐらいだった。わたしは車がカボチャだかヘチマだかに、カールがネズミに戻るのを待ちつづけた。魔法が解ける瞬間を。それでもがっかりしない自信があった。

「戸外は暑いわね」とマディソンが言った。「なかに入りましょう」

「ここが家なの？」とわたしは訊いた。

マディソンは笑みを浮かべた。「ここだけじゃないけどね」そう言うと、マディソンは鼻の頭に皺を寄せた。眼がきらきらしていた。こんなしゃべり方は、だんなさんにはできないだろう。贅沢な生活を送るほかの奥さん連中に対しても。いいことだった。マディソン自身も自分の幸運が信じられてないってことだから。

家のなかについて、どんな想像をしていたかと訊かれても説明に困るけど、実物はずいぶんと地味だった。少なくとも、尖りまくったわけのわからない作風の美術品が壁を占領してることはなかった。時代の最先端をいく家具が揃ってるんだろうな、ぐらいは想像していた気がするけど、家具についてはどれもこれもともかく地味で、実際に触ってみるか、近づいてじっくり眺めるかしてみて初めて、最上級の素材が使われ、とても手の込んだ造りだとわかる、という類いの高級家具だった。玄関ホールにはマディソンとだんなさんがふたりで写っている特大サイズの写真が飾ってあった。ふたりの結婚式の写真だった。マディソンはミス・アメリカの栄冠を手にしたばかりに見えた。

だんなさんのほうは、かつて一世を風靡（ふうび）したことのある司会者のように見えた。愛しあっての結婚だったのかどうかは、わたしにはわからなかった。とはいえ、こと愛に関して、わたしは目利きではないという自覚はあった。なんせ、それまで生きてきて愛というものを経験したことはおろか、ただの一度も眼にしたことさえなかったから。

マディソンがジャスパー・ロバーツ上院議員と出会ったのは、マディソンが政治学の学位を取得してヴァンダービルト大学を卒業した直後、当時再選を目指していたロバーツ上院議員の選挙対策本部で働いていたときのことだ。選挙対策本部のいちばん下っ端のぺえぺえだったマディソンがあれよあれよという間に取り立てられていったのは、ちょうどそのころ、それまでスキャンダルゼロの経歴を誇っていたロバーツ上院議員が、妻とふたりの子供をあっさりと捨て去り、大口の資金提供者のひとりだった、女相続人にしてへんてこな帽子と馬に眼がないご婦人とつきあいはじめたばかりだった、という内部事情によるところが大きい。再選キャンペーンにはやはり〝女性の視点〟というやつが必要だ、ということになったんだと思う。それまで選挙運動を引っ張ってきた事務方の上層部、つまり上院議員がその発言に対して聞く耳を傾けることになっている男たちは、その件については徹頭徹尾、堂々と振る舞うよう、上院議員に求めた。自らは決して語らず、仮に話を振られた場合でもマペットみたいなわざとらしい咳払いなど断じてしないよう、言い含めた。そのころに届いたマディソンの手紙は今でも覚えてる――〈まったく、男ってほんと、どうしてあそこまでおばかなんだか。揃いも揃って脇が甘すぎ。おばかなことをやらかしたら、それなりの手当てが必要なのに、誰もそうは考えてない。放っておけばそのうちなんとかなるだろうって高をくくってるんだから〉。マディソンは有能だったので、そしてあの率直で少し斜に構えたものの言い方で相手を真っぷたつに叩き切ることができるということもあったので、ロバーツ上院議員は最終的にマディソンを選挙キャンペーンの責任者に据えた。もちろん、誰もがそうであるように、上院議員もまたマディソンに心を奪われたから、という理由もあったけれど。そして、付け加えるなら、例の女相続人が自分が買いつけを希望しているどこぞの馬について延々としゃべりまくることをやめなかったからでもあった。

選挙キャンペーンを率いる立場になったマディソンは、懐柔策を推し、上院議員には公の場で宥和的な態度を取るよう進言した。上院議員の演説やスピーチの原稿はすべてマディソンが手がけた。上院議員は自らの過ちを告白することとなった。曰く――支持者の暮らしを豊かにしたい、自分を代表としてくれた人たちひとりひとりの力になりたい、と願うあまり、自分自身の家族を幸せにする術を見失ってしまった、その家族を失った今、より大きな家族、この偉大なるテネシー州の有権者であるみなさんまで失うわけにはいかないのです、云々。失地回復はそれほど難しくはなかった。なんせ、ジャスパー・ロバーツには、政治の世界で何代にもわたって活躍してきたロバーツ一族の男という基盤があったし、財産家で資金も潤沢だったし、そうなると有権者のみなさんにおかれましては、自動的に、この人物に投票しなくては、と思うようになるものなのだ。ロバーツ上院議員としては、ただ、ばかなことをしてしまったと自覚している、という態度を示すだけでよかった。

そして、見事、再選を果たした。そしてマディソンは政界関係者のあいだで一躍時の人となった。

〈それもこれも、対立候補の男ってのが、頭にいくつ超をつけても足らないぐらいのおばかすぎるおばかで、自分のやるべきことがまるでわかってなかったからなんだけど〉とマディソンは次の手紙で書いてきた――〈わたしが向こうの陣営にいたら、ジャスパーは落選してたでしょう〉と。それからしばらくして、ふたりは結婚した。それからしばらくして、マディソンは妊娠した。そして今、この暮らしを手にしている、というわけだった。

マディソンとわたしはソファに腰をおろした。坐り心地は……雲に腰かけているみたいだった。つまり、わたしの部屋のあの薄汚れたフトンとは正反対の坐り心地だった。あのフトンときたら、なにしろ、腰をおろすたびに床にあいた穴にすっぽりはまってしまってそこから永遠に抜け出せなくなってしまう、という代物なのだ。さりげなくあたりを見まわし、この内装のどこまでがマディソンの選んだもので、どこからが上院議員のまえの奥さんが残していったものなんだろう、と考えるともなく考えた。テーブルの二段重ねのトレイに、サンドウィッチが並んでいた。たっぷりのマヨネーズとキュウリのサンドウィッチだった。一切れがとても小さくて、お人形の家の食べ物みたいだった。甘い香りのするお茶のピッチャーにグラスがふたつ。どちらのグラスにも、大きくて透きとおった氷の塊が入っていた。氷はまだ溶けはじめてもいなかった。つまり、わたしたちが部屋に入ってくる寸前に、タイミングを見計らって運ばれてきた、ということだ、とわたしにもわかった。

「初めて会った日のこと、覚えてる？」とマディソンが言った。

「もちろんだよ」とわたしは言った。そんな昔のことじゃないんだから。マディソンにとっては、はるか昔のことなんだろうか？「金魚の柄のワンピースを着てたよね」

「あれね。パパがアトランタのお店に頼んで仕立てさせたものなの。大嫌いだった。だって金魚よ、金魚。ありえないでしょ？　パパってほんと、なんにもわかってない人だった」

「えっ、待って、お父さん、亡くなったの？」とわたしは訊いた。急に気になったからだった。

「ううん、まだ生きてるわ」とマディソンは言った。

「ああ、よかった」とわたしは言った。心からそう思って言ったわけではなかった。ものの弾みというやつだ。「それならよかった」念のため、もう一度言っておいた。

「今でも覚えてるけど、リリアン、あなた、ひょっとして髪も梳かしてなかったんじゃない、あのとき」とマディソンは言った。

「まさか、それはないよ。髪ぐらいちゃんと梳かしてたよ」と言い返した。

「それと、これも今でも覚えてるんだけど、あなたがあの部屋に入ってきた瞬間、稲妻が走ったみたいにわかったの――ああ、この子のこと、大好きになるだろうなって」

だんなさんはどこにいるんだろう、と考えた。なんだか今にもこのままソファの上でことに及びたくなっちゃいそうな展開だったから。もしかしてわたし向きのおもしろい仕事というのは、マディソンの秘密の恋人になることだったりするのかもしれなかった。脈が速くなった。マディソンのそばにいるときは、いつもそうだったけど。

わたしがなにも言わないうちに、マディソンがいきなり、どことなく虚ろな眼になって、こんなことを言いだした――「あなたがアイアン・マウンテンからいなくなったあと、〝ああ、わたしは本当にすばらしいものを失ってしまったんだな〟って気持ちが消えなかった。ずっと、ずうっとそう感じてたの」

とはいえ、ふたりのあいだで過去の清算をする、ということではなさそうだった。少なくとも、今のところは。マディソンとしては、マディソンのまだ死んではいないパパが、わたしにお金をたんまりと払って娘の罪の肩代わりをさせたという事実も、その事実があったからこそ、マディソンがこのお屋敷を、アメリカ合衆国上院議員の夫を、そこらじゅうに満ちあふれている高級品の数々を手に入れることができたという事実も、ここで持ち出すつもりはない、ということだ。なるほど、お互い礼儀正しく振る舞いましょうね、ということか、と理解した。

「でも、やっと会えた！」マディソンはそう言って、ピッチャーから甘い香りのするお茶を注いだ。わたしはそれをふた口で飲み干した。マディソンは驚いた素振りも見せず、黙ってわたしのグラスにたっぷりとお代わりを注いだ。わたしはサンドウィッチをひとつ食べた。わたしの口には合わなかったけど、おなかがすいてたのでもうふたつ食べた。そのときになって初めて、重ねた小皿がトレイに載っていたことに気づいた。なんと、わたしとしたことが、お行儀の悪いことに、サンドウィッチをトレイからじかに手づかみで食べてしまったのだ。膝の上は見たくもなかった。たぶん、パン屑だらけだろうから。

「ティモシーは？」と訊いてみた。わたしとしては、マディソンの息子が、昔の王族みたいに蒼白い顔をして、アライグマの毛皮の帽子に、木でできた豆鉄砲を抱えて部屋に入ってくるのを期待していた。

「お昼寝中なの」とマディソンは言った。「寝るのが好きな子なの。ぐうたらなのよ、わたしに似て」

「あたしも昼寝は好きだな」とわたしは言った。こういう席では、サンドウィッチはいくつぐらい食べていいものなのだろう？　と考えながら。トレイにはまだ、ざっと見ても二十切れ以上は残っていた。礼儀としていくつか残すものなんだろうか？　マディソンは手も伸ばしていなかった。ちょっと待って、もしかしてこれもお飾りなわけ？

「こうして遠路はるばる来てもらったわけだけど、あなたとしても知りたいわよね、どうしてこんなことを頼んだのか」とマディソンが言った。

それを聞いて、今回のこの訪問は一時的なもので、時間になったら帰ることになるのだとわかった。で、にわかに興味が湧いてきた。何年ものあいだ手紙のやりとりしかしてこなかったふたりが、こうして直接顔を合わせることになるほど重要な用件というのは、いったいなんなのか？

「あたし向きのおもしろい仕事があるってことだったよね」とわたしは言った。「アルバイトみたいなもの？」

「リリアン、あなたのことが思い浮かんだのはね、じつをいうとこれがとてもプライベートなことだからなの。つまり、これから話すことなんだけど。あなたが最終的にどういう決断をくだすにしても、ともかく口の堅い人が必要だったの。きっちり秘密を守れる人が」

「口は堅いほうだよ」とわたしは言った。こういうことは大好物だった。悪事の予感がすることは。

「知ってるわ」とマディソンは言った。今にも顔を赤らめそうになったけど、実際に赤らめるところまではいかなかった。

「なにか困ってることでもあるの？」と訊いてみた。

「あるとも言えるし、ないとも言える」マディソンはそう言うと、きゅっと唇をすぼめた。ぶくぶくした水を吐き出すときみたいに。「そう、あるとも言えるし、ないとも言えるわ。ジャスパーの最初の家族について、あなたに話したことってあったかしら？」

「ないと思うよ。なにかの記事かなんかで読んだ覚えはあるけど。それって最初の奥さんのこと？」

　見ると、マディソンは申し訳なさそうな顔をしていた。わたしのことを、身を滅ぼしかねない災厄に引きずり込んでいることはわかってる、とでもいったような。だからといって、そこで話をやめるようなマディソンではなかった。わたしを母さんの家に送り返すようなマディソンではなかった。マディソンはわたしにしがみついていた、それはもうしっかりと。

「ええとね、ジャスパーの最初の奥さんって、幼馴染(おさななじみ)っていうか、子供のころからの恋人だったそうなんだけど、亡くなってるの。めったにないタイプの癌(がん)を患ってたってことだから、それで亡くなったんだと思う。ジャスパーはまったく話さないのよ、その最初の奥さんのこと。あの人がわたしのことを愛しているのはまちがいないけど、いちばん愛してたのは、たぶん、その人だったんだと思うわ。それはともかく、最初の奥さんが亡くなったあと、ずいぶん長いこと悲しみに沈んでいたわけ。その後、ジェーンと結婚することになった。テネシー州の政治の世界では絶大な影響力を持ってる人の末娘と。そのジェーンって人なんだけど……なんていうか、変わってるの。心に闇を抱えてるっていうか。ただね、自分の夫を悪く言うつもりはないんだけど、政治の世界で活躍するなら彼女と結婚するのは絶大なるアドバンテージだったわけ。ジャスパーが足を踏み入れた政治の世界を熟知していたし、ジャスパーが必要とすることを理解して支えにもなれた。そのうち子供も生まれた。女の子と男の子の双子がね。そうやって彼らなりの人生を歩んでいたわけ。そこに、あの馬女がしゃしゃり出てきて、なにもかもがめちゃくちゃになった」

「でも、そこに登場したのがマディソンで、すべては丸くおさまりましたとさ」と合いの手を入れてみた。

マディソンはにこりともしなかった。それどころではないのだ。当事者だから。「ええ、そのとおりよ。わたしたちはティモシーを授かった。わたしは今でも政治の世界に足を突っ込んでるわ。立場は少し変わって、補佐役みたいな形にはなったけど。でも、それも悪くない。ジャスパーはわたしの意見には耳を傾けるしね。じつを言うと、当のご本人は政治にはもう飽きちゃってるみたいなの。そういう家系だから政治家をやってるってだけで。名声は好きだけど、法案を提出したり審議したりするのはそれほど好きじゃないって人だから。でも、まあ、それなりに順調にいってるわけ」

「で……?」とわたしは言った。

「うん、そうよね。じつはジェーンが亡くなったの。何か月かまえのことなんだけど」

「それはお気の毒に」とわたしは言った。そのジェーンって人が亡くなってマディソンはどういう類いの悲しみを感じただろうか、と考えてみた。どういう類いもこういう類いも、悲しみは感じなかっただろう、たぶん。それでも、やっぱりわたしが言うとしたら、ここは〝お気の毒に〟しかなかった。

「というか、痛ましい話でね」とマディソンは言った。「離婚の痛手から完全には立ち直れなかったのよ。いつだって不安定だったし、挙動不審だったし。正直に言うと、いくらか正気を失いかけてたと思う。夜の夜中に電話してきて、聞くにたえないことをしゃべり散らすの。ジャスパーは、そういう相手のいなし方がよくわかってなかった。だから、わたしがひと晩じゅう相手をするわけ。ジェーンが新しい現実を受け止めてちょっとでもまえに進んでいけるように。わたし、そういうの得意だから」

「で、そのジェーンって人、どうなったの？」とわたしは尋ねた。

マディソンは眉根をきゅっと寄せた。そばかすが、すごくすごくすてきだった。「ここからよ、さっきお願いしたことが関係してくるのは。いい、リリアン、これから話すことはぜったいに口外しないで」

「わかってるって」と言ったけど、内心、ちょっぴり苛立ってた。秘密は守るとさっききっちり約束したのに。前置きはいいから、その御大層な秘密とやらをとっとと投げ与えてもらおうじゃないの。ごくりと丸呑みして、後生大事におなかのなかにおさめておくから。

「ジェーンが亡くなったわけだから」マディソンは話を先に進めた。「遺された子供たちのことを考えなくちゃならなくなるわよね。十歳になる双子で、ベッシーとローランドっていうんだけど、いい子たちなのよ……って、なにを言ってるんだろ、わたし。会ったこともないのに。でも、まあ、ともかく子供たちが遺されたわけ。その子たちって、つまり、ほら、ジャスパーの子供なわけじゃない？　ジャスパーには親としての責任があるでしょ？　で、その子たちを迎え入れるために、目下わたしたちの生活を調整しているところなの」

「ちょっと待って」とわたしは言った。「だんなさんの子供に会ったこともないの？　ってか、だんなさんは自分の子供に会ってないわけ？」

「リリアン、あのね」とマディソンは言った。「今はそういうことは突っ込まないでもらえない？」

「その子たち、まだここには連れてきてないんだね？」とわたしは言った。

「ええ、まだよ」マディソンはそのとおりだと認めた。

「けど、お母さんがしばらくまえに亡くなってるんだったら、その子たちはどうしてるの？　子供だけで暮らしてるってこと？」

「まさか、そんなわけないでしょ。もう、なんてこと言うのよ。今はジェーンの両親のところで暮らしてる。ただふたりともスーパー高齢者だし、子供の扱いにも不慣れだけどね。こちらとしても、準備のために多少の時間は必要だったから。ふたりを迎えるにあたって、いろいろと整えておかなくちゃならないわけだから。一週間後にはここに迎え入れるつもりよ。それからは、わたしたちと一緒に暮らすことになるわね」

「そっか」とわたしは言った。

「その双子だけどね、リリアン、これまでずいぶんいろんな目に遭ってきてるの。幸せいっぱいの子供時代を過ごしてきたわけじゃないと思う。ジェーンは気難しい人だったのよ。子供たちを家から出そうとしなかった。ともかく片時も眼を離さないの、子供たちから。自宅学習をさせてはいたらしいけど、どんなことを勉強させていたのか……。そんなわけで、ふたりとも他人に慣れてないの。環境の変化に対する心構えができてないのよ」

「で、あたしになにをしろって？」と訊いてみた。

「ふたりの面倒を見てもらいたいの」そこでついに、とうとう、ようやく、わたしが遠路はるばるバスの旅をしてここまでやってくることになった真の理由がマディソンの口から明かされた、というわけだった。

「ベビーシッターみたいに？」とわたしは質問を重ねた。「どうもよくわからないんだけど」

「ベビーシッターみたいに？　うん、そうね、そう思ってもらってよさそう」とマディソンは言った。わたしに対して、というより、自分に言い聞かせているようだった。「だけど、どっちかって言うと、家庭教師のほうが近いかな。ベビーシッターよりもうちょっと古風なイメージ」

「どこがどうちがうの？」とわたしは訊いた。

「ざっくり言っちゃえば、聞いた人が抱くイメージがちがうってことなんだけど。それはともかく、リリアン、あなたには全面的にふたりの面倒を見てもらうことになると思って。ふたりが幸せでいられるようにするのが、あなたの役目だから。勉強も見てあげて。ふたりの年齢レベルの授業についていけるだけの学力を養ってほしいから。健康管理も必要ね。成長の過程を記録して。適宜、運動もさせてほしいし、衛生面にも気を配って、いつもこざっぱりさせておいて」

「マディソン、その子たちって、まさか、地底人かなんか？　なんか問題を抱えてたりするの？」そうであってほしかった。ミュータントであることを期待した。

「普通の子供よ、ふたりとも。だけど、子供って基本的に手に負えないものなのよ、リリアン。あなたにはわからないだろうし、想像もつかないことだろうけど」

「ティモシーは手がかからなそうに見えるよ」とわたしは言った。言ってしまってから、われながらとんまなことを言ったものだと思った。

「それは写真だから」とマディソンは言った。やけにぴりぴりした口調で。「しつけはしてるけど、ちっちゃいころはほとんど調教に近かったもの」

「でも、まあ、ともかくかわいい子だよ」とわたしは言った。

「双子たちもかわいい子たちよ、リリアン」というのがマディソンから返ってきた答えだった。

「その子たち、なんか問題を抱えてたりするの？」ともう一度訊いてみた。

ふかふかのソファに腰をおろして話を始めてからそこまで、マディソンは自分のグラスには手を触れもしていなかったけれど、そこで初めてグラスに手を伸ばし、中身を残らず飲み干した。もちろん、時間稼ぎのために。それから、ようやくわたしと眼を合わせた。マディソンはとてもとても真剣な眼をしていた。

「じつはね」とマディソンは言った。「ジャスパーを国務長官に推す声があがっているの。と言っても、今の時点では極秘中の極秘だからね、いい？　現職の国務長官が病気を理由に引退を考えてるってことで、大統領の側近筋から何度か接触があってね。後任候補として検討したい、ついては〝身体検査〟に備えておいてもらいたいって話があったわけなの。つまりは身辺を審査されるってことなんだけど、それがこの夏いっぱいかかりそうなの」

「それはたいへんだ」とわたしは言った。

「ゆくゆくはもっと大きな話につながっていく可能性もあるのよ。たとえば、副大統領候補とかそれ的な話に。ひょっとしてひょっとしたら大統領候補って話にもなるかもしれない。もちろん、それにはなにもかもがものすごく順調に運んだらって条件がつくわけだけど」

「そっか、それはすごいね」とわたしは言った。アメリカ合衆国の大統領夫人（ファーストレディ）になったマディソンの姿を思い浮かべた。それから、マディソンがバスケットボールの試合中、リバウンドを確保するため、相手選手の咽喉首に肘（ひじ）打ちをお見舞いして退場処分をくらったときのことを思い出した。気づくと笑みが浮かんでいた。

「ということで、状況は理解してもらえたと思うんだけど、どう？　ジェーンが亡くなって、遺された子供たちはここでわたしたちと一緒に暮らすことになるけど、それがあろうことかあるまいことか、ジャスパーの身辺審査が始まるタイミングとどんぴしゃりで重なってしまった。もう、どうかしちゃいそう。ものすごいストレスだもの。政治家の〝身体検査〟って、厳しいなんてもんじゃないのよ、リリアン。ありとあらゆることを調べあげられるんだから。例の不倫騒動については、とっくに情報を握られちゃってて、もちろんいい顔はされてはいないけど、でも、ジャスパーは党の上層部の覚えがめでたいの。そう、誰からも気に入られる人だから。この分なら問題なく順調に運ぶんじゃないかな、と思ってはいるのよ。問題は、あの子たちよ。これまでどんな育てられ方をしてどんな暮らしをしてきたかなんて、わからないじゃない？　あの子たちにジャスパーの〝身体検査〟を荒らしてもらいたくないの。そんなことになったら、ジャスパーは激怒するもの。ううん、ただの激怒ぐらいじゃおさまらないかもしれない」

「で、あたしはともかくその子たちの面倒を見て、危険な目に遭わないよう気をつけてあげてればいいってこと？」とわたしは尋ねた。

「それもそうだけど、おかしな真似をぜったいにさせないようにしてほしいの」とマディソンは言った。期待と希望で眼をきらきらさせながら。

わたしは考えた。ふざけた真似を許さないためにはどうすればいいか、それは心得ていた。よくないことがどんなふうに起こるかも、どうすればそれに巻き込まれずにすむかも熟知していた。他人を破滅させようとする連中のやり口を見抜ける程度の知恵もあった。それに相手は子供だ、このわたしが負けるわけがなかった。そこではたと気づいた、自分がこの仕事を引き受ける前提で考えていることに。子供のことなんて、なんもわかっちゃいないのに。基本の〝き〟の字も知らないのに。面倒を見るってなにをどうすればいいのか、さっぱりわからなかった。子供ってなにが好きなのか、なにを食べるのか、子供のあいだで今はどんなダンスが流行ってるのか、わからないことだらけだった。勉強を見ろと言われても、これまたなにをどうすればいいのやら……。この仕事を引き受けて、ものの見事に大コケしたら、マディソンとの仲はそれっきりになるだろう。ホワイトハウスに訪ねていくこともできなくなって、〝わたしたち、これまでただの一度も会ったことさえありません〟みたいになるにちがいない。

「たぶんやれると思うよ」と答えたものの、自分でも説得力に欠けると思った。で、声を張り、全身にぐぐっと力を込めて言い直した。「やるよ、マディソン。あたしならできる」

　サンドウィッチのトレイの向こうからマディソンの腕が伸びてきて、わたしの身体をぎゅっと抱き締めた。「ことばでは言い表せないぐらい、わたしにはあなたが必要なの」とマディソンは言った。「頼れる人がほかにいないのよ。あなたが必要なの」

「うん、わかった」とわたしは言った。これまでの人生は、マディソンにまた必要とされるまでの待ち時間であり、与えられた任務を見事やり遂げるための暖機運転（アイドリング）期間だったのかもしれない。そう思えば、はっきり言って、それほどつまらない人生でもなかった、ということになる。

　がちがちに緊張して小刻みに震えていたマディソンの身体から、すうっと力が抜けていった。わたしのほうも、ようやく気持ちが落ち着いた。事態の深刻さの程度がわかり、問題の根底を理解したので、その深みに這いおりていっても、たぶん無事にまた這いあがってこられるだろうと思えた。わたしはべらぼうに坐り心地のいいソファの背もたれに寄りかかった。ちょうどいい位置に身体がおさまった。それからすぐにまたすばやく身を起こして、サンドウィッチをもう二切れ食べた。

「リリアン」とマディソンが言った。

「なに?」とわたしは言った。

「じつはそれだけじゃないの」見ると、マディソンは表情を曇らせていた。

「というと?」と訊くしかなかった。

「子供たち——って、ベッシーとローランドっていうんだけど、そのふたりのことなんだけどね。ほかにもあなたに話しておかなくちゃならないことがあるのよ」

いくつかの可能性が、ぱぱぱぱぱっと思い浮かんだ。まずはなんらかの性的虐待を受けていて抜け殻状態になってしまっているんじゃないか、という考えが浮かんだ。それから、なんらかの身体的な障害を抱えている可能性もある、と気づいた。たとえば腕や脚を失ったとか、顔にひどい傷があるとか。日光に敏感だとか、歯が一本も生えていない、ということも考えられた。今度は、殺人衝動という発想が生まれた。バスタブで仔猫を溺死させたことがあるとか、肌身離さずナイフを持ち歩いてるとか。マディソンがしばらく黙っていたのは、もちろん、わたしが話を聞く耳を取り戻すのを待っていたからだった。

「ふたりにはとても珍しいタイプの……なんて呼べばいいのか、わたしにもよくわからないんだけど、疾患?　みたいなものがあるの」とマディソンがやっと話しはじめたのに、わたしのほうも黙っていられなくなっていた。

「口をあーんってすると歯が一本も生えてない、とか?」気がついたときには、そう訊いていた。恐れていたからではなく、とっとと疑問を解消したかったからだ。「それか仔猫を殺してたりするの?」

「えっ?　ううん、そういうんじゃなくて……ええと、いいから、ともかく聞いてもらえる?　あのふたりにはね、興奮しすぎたときに現れる、ある症状があるの」

「そっか、そうなんだね」とわたしは言った。要するに繊細で身体が弱い子供たちだということだ。運動は苦手ってことだね、了解、と胸のうちでつぶやいた。

「興奮しすぎると、ふたりとも身体が――そうなる原因はお医者さんたちにも突き止められてないんだけど、急激に熱くなるの。びっくりするぐらい体温が高くなるのよ」

「そうなんだ」とわたしは言った。もちろん話はそこで終わりではない。わたしのひと言は、マディソンにその続きを話してもらうための相槌みたいなものだった。

「でね、燃えあがるの」マディソンは意を決したように言った。「ふたりは――もちろん、めったにあることじゃないんだけど――発火するのよ」

「それってジョークだよね？」とわたしは言った。

「まさか、ちがうわよ、ジョークなわけないでしょ、リリアン。こういうことをジョークになんかすると思う？」

「うーん、だよね。けど、そんな話、聞いたこともないから。で、つい、ジョークなんだろうって思っちゃったんだよね」

「でも、ジョークなんかじゃないの。真面目な話よ、そういう深刻な身体症状を抱えてる子たちなの」

「あのさ、マディソン、それってとんでもなくヤバいよね」とわたしは言った。

「わたしも自分の眼で見たことがあるわけじゃないのよ、いい？」とマディソンは言った。「だけど、ジャスパーは見たことがあるって。あの子たち、動揺すると、体温がぐんぐんあがって身体がものすごく熱くなって、そのまま発火するらしいの」

驚きはしたけれど、正直なところ、想像できなくはなかった。火でできてる子供たち。そういうのって……個人的には見てみたいものの部類に入った。

「その子たち、どうして生きてられてんの、今も？」疑問に思ったので訊いてみた。

「当人たちはまったく無傷だから」とマディソンは言って、肩をすくめた。その意味するところは——わたしだって信じられないの。「皮膚が真っ赤にはなるのよ、陽灼けしすぎたときみたいに、だけど、火傷したりはしないの」

「着てるもんは？」これまた疑問に思ったことを訊いてみた。

「リリアン、わたしにもまだわからないことだらけなの」とマディソンは言った。「だけど、たぶん、身に着けていたものは燃えるんだと思う」

「ってことは、つまり、その子たちはすっぽんぽんで、しかも火だるまになるわけ？」

「だと思うわ。これでわかったでしょ、どうしてわたしたちが危機感を募らせているか。ジャスパーは確かに双子たちの父親だけど、これはおそらくジェーンのほうの家系に由来しているものよ。少なくとも、わたしはそうじゃないかとにらんでるの。問題の症状が出るようになったのも、ジェーンが子供たちを引き取ってひとりで育てるようになってからだし。あの人、ほんと、困った人だった。ものすごい変人の放火魔だったって言われても驚かない。そんな人に育てられた子たちなの。そこに、ジャスパーは介入しようとしている。ふたりを引き取って育てるつもりでいる。だったら、こちらとしてはそれなりに知恵を働かさないとね。それでね、敷地内にゲストハウスがあるの。以前は別の用途で使っていた建物だったんだけど、それはまあ、この際置いておくとして、その建物を改装させたの。ジャスパーが、ひと財産投じて。子供たちをまちがいなく安全に管理できるようにって。あなたも、子供たちも、そこで暮らすことになるわ。住み心地は保証する。すてきなおうちよ、リリアン。本音を言えば、わたしだってこんなただ大きいだけの母屋に住むより、あっちに住みたいぐらい」

「あたし、子供たちと一緒に暮らすことになるの？」念のため、確認した。

「一日二十四時間、月曜日から日曜日まで一週間フルにね」とマディソンは言った。そこで、わたしが浮かべた表情から〝そんなの、無理、ぜったい無理、ありえない！〟というメッセージを読み取ったようだった。「数日程度であれば休みを取れるよう調整できると思う。丸々一日休みが必要な場合は、代わりの人を手配することも考えるわ。それに、この夏だけのことだから。わたしたちがもっと恒久的な解決策にたどり着くまでの、一種の暫定措置だと思って、ね？　ジャスパーの〝身体検査〟やら審査やら指名やらを乗り切って一段落すれば、なにもかもずっと楽になるはずだし」

「けど、マディソン、それってへんだよ。あんたのだんなさんの燃える子供たちをあたしに育てろって言ってるんだよ」

「その〝燃える子供たち〟っての、やめて。ジョークだとしてもやめて。表沙汰にはぜったいにできないんだから。お医者さんたちは全員、ジャスパーの人脈に連なる人たちだから、これまで厳格に沈黙を守ってきてくれてるし、今後も不用意に口外することはまずないと思ってるけど、それでもわたしたちとしては手をこまねいているわけにはいかないのよ。目下の状況を冷静に読んでしかるべき対策を立て、この問題を解決する道筋をつけなくてはならないの」

と言っているのは、選挙対策本部を率いるマディソンだった。この分だと、双子ちゃんたちが、すっぽんぽんの人体自然発火現象でもってわたしの髪に火をつけるところを目撃したとしても、マディソンにとってそれは、プレスリリースや写真撮影に向けて解決すべき問題のひとつでしかない、ということになる。

「どうしようかな」とわたしは言った。キュウリのサンドウィッチなんて食べつけないもんを詰め込んだせいで、胃袋が猛烈にしくしくしてたし、甘い香りのするお茶のせいで歯まで疼きだしてるし……。カールはどこにいるんだろう？　とわたしは思った。母さんのうちまで送ってもらえないかな、と甘えたことを考えた。それから、そもそもこのまま帰らせてもらえるんだろうか？　と考えた。

「リリアン、お願い。あなたしか頼れる人がいないの。それに、こう言っちゃなんだけど、あなたからの手紙を読んでのうえで言ってるの、わかる？　あなたがどんな生き方をしているか、わかってるからこそなのよ。このままなにもかもあきらめちゃうつもりなの？　ほんとにそれでいいの？　友だちにテレビを盗まれたんでしょ？　お母さんに言われるがまま、ミシシッピくんだりのカジノまで車を運転する羽目になったんでしょ？　もちろん報酬は払うわ。それも少なくない額を。そうよね、確かに楽な仕事じゃない、それは認める。でも、ジャスパーは有力者だから、わたしたちのほうでもあなたの力になれるわ。この仕事が無事に終わったら、あなたには自由な人生が待ってるってことよ。これまでよりもいい人生を手に入れられるってことよ」

「あのさ、恩恵を施してるのは自分たちのほうだ、みたいな態度、やめてくれないかな」とわたしは言った。若干の怒りをにじませて。

「そんなつもり、これっぽっちもないわよ。たいへんなことをお願いしてるって、よくよくわかってる。こんなこと、できればわたしだって頼みたくはないの。でも、あなたはわたしの友だちだから。友だちとして手を貸してほしいのよ」

マディソンの言っていることは、まちがってはいなかった。わたしは、はっきり言って、くそとしか言えない生き方をしていた。それは褒められたことではないし、そのことで傷ついてもいた。というのも、マディソンみたいな人生をってのは望みすぎだとしても、少なくともその日暮らし以上の人生を思い描いていたから。っていうか、正直に言ってしまうと、じつはまだ、わたしにはすばらしい人生が約束されている、と心の片隅に信じてる部分があったからだった。ということであれば、その双子ちゃんたちをうまいこと飼い慣らして、興奮すると発火するっていうその奇っ怪な症状が出ないようにすることができたら、そこから、そのすばらしい人生ってやつがスタートすることにはならないだろうか？　でもって、その行きつく先は観る人全員が感動しまくりの、すんばらしい伝記映画が作られる、なんてことに、なったりしないだろうか？

「わかった」とわたしは言った。「わかったよ。その子たちの面倒を見るよ。その子たちの……ええと、なんて言い方してたっけ？」

「家庭教師ね」嬉しさを抑えきれない口調で、マディソンが言った。

「そう、それそれ。それをやるよ」

「リリアン、約束する、このことは一生忘れないからね。うん、一生忘れない」

「じゃあ、そろそろおいとまするね」とわたしは言った。「カールはもう帰っちゃった？　だったら、誰かにバスターミナルまで送ってもらえないかな？」

「それはだめ」マディソンは首を横に振った。「今夜は帰らないで。このままここにいて。うちに泊まっていってってこと。というか、あなたさえよければ帰ることなんてないじゃない？　必要なものはわたしたちのほうで買いそろえるから。着るものなんか全部、新調すればいいのよ。最新型のコンピューターとかも用意できるし。ほしいものはなんでも揃えるから」

「そっか、わかった」とわたしは言った。なんだか急に疲れを感じて。

「夕食はなにがいい？　うちの料理人はなんでも作れるわよ」

「うーん、なにがいいかな」とわたしは言った。「ピッツァとかなんかそんなもん？」

「うちにはピッツァ用の焼窯があるの」とマディソンは言った。「これまで食べたなかで最高ってぐらいのピッツァをご馳走（ちそう）する！」

　そこでマディソンと眼が合った。わたしたちはお互いにじっと見つめあった。時刻は午後三時をまわったところだった。夕食まで、ふたりでいったいなにをすればいいわけ？

「ティモシーはまだお昼寝中？」ぎごちない空気をなんとかしたくて、わたしは訊いた。

「ああ、そうだった。様子を見てこなくちゃ。飲み物かなにかほしいものはある？」

「それより、あたしもお昼寝させてもらおうかな」と言ってみた。

　屋内（なか）を歩いてみる機会ができて、それまでこのお屋敷の大きさを実感できていなかったことに改めて気づいた。マディソンの案内で螺旋（らせん）階段をのぼった。莫大（ばくだい）な予算をかけたミュージカルのセットみたいだった。螺旋階段をのぼりながらマディソンは、南北戦争当時はこの階段を使って馬を屋根裏まであげ、北軍に見つからないように隠したらしい、というありえないような逸話を語った。

　でも、もしかすると、あれはわたしの想像の産物だったという可能性もある。人生を一変させるほどの大きな決断をくだした直後の熱に浮かされた脳みそが見せた、夢のようなものだったのかも……。

案内された部屋は、国を追われて亡命中の姫君がベッドに隠れていてもおかしくなさそうな部屋だった。置いてある家具はどれもこれも、重さにして千ポンドはありそうに見えた。デスクに至っては、十九世紀に家具職人がこの部屋で制作したもので、それ以来ずっとそこに据え置かれたままなんじゃないか、と思いたくなるような代物だった。なんと、シャンデリアまでぶらさがっていた。広さときたら……わたしがこれまでに暮らしてきた全スペースを合体させたとしても、その部屋の三分の一にも満たないにちがいなかった。わたしは頭のなかのメモ帳に書きつけた――マディソンのお金持ちっぷりにいちいち恐れおののかないこと。これからはわたしもこの場所で暮らすのだ。この際、マディソンのものはひとつ残らず、わたしのものでもある、と思えばいい。触れるたびに感電死しそうになるんじゃなくて、慣れていかないと。

「寝間着は要る？」とマディソンに訊かれた。

「ううん、この恰好のまま寝るから」と答えた。

「愉しい夢をね」マディソンはそう言って、わたしのおでこにキスをした。マディソンの背の高さを改めて感じた。というか改めて思い出したのだ。ハイスクール時代にマディソンからおでこにキスされたときのことを、そのときに感じたマディソンの唇の柔らかさを。そんなことを思い出していたあいだに、マディソンはいなくなっていた。お屋敷の奥に呑み込まれて、姿が見えなくなっていた。足音ひとつさせずに。

ベッドに入るのがためらわれた。わたしなんか、このお屋敷がこれまでに迎えたなかで最も薄汚い存在なんじゃないかという気がして。気分的には、お屋敷にこっそり忍び込んだ、宿無しのみなしごだった。勢いよく足を振って、その勢いで靴を脱ぎ飛ばしたあと、ばらばらになっていた右の靴と左の靴をベッドの横にきちんと揃えて置いた。それからベッドに這いあがった。ベッドが高かったから、文字どおりの意味で。眼をつむって意志の力で眠ろうとした。マディソンから聞かされた、双子たちのことを考えた。ふたりが火に包まれながら、差し招くようにこっちに向かって腕を拡げているところを。わたしはふたりが燃えあがるのを眺めていた。ふたりとも笑みを浮かべていた。それでもまだ、わたしは眠りに落ちてはいなかった。夢を見ているのでもなかった。なんせ、今となってはそれがわたしの目覚めているあいだの現実となるのだ。ふたりは、わたしのすぐ眼のまえに立っていた。わたしはふたりを抱き寄せ……次の瞬間、炎に呑まれ、わたしも燃えあがっていた。

2

結局、わたしはそのまま家には帰らなかった。翌朝、母さんに電話してフランクリンに滞在することになったと伝えた。無駄に手の込んだ作り話をでっちあげ、さる法律事務所に弁護士補助職員（パラリーガル）として雇われ、有害廃棄物がらみのものすごく大がかりな集団訴訟を手伝うことになった、というような説明をしたけれど、母さんはほとんど気にもとめなかった。「で、あんたの荷物はどうすりゃいいの？」というのが唯一、母さんが気にかけてくれたことだった。

わたしはもともと物持ちじゃなかったし、これがないと生きていけないというものもなかった。なくして惜しいと思うものは、しいて言うなら、職場であるスーパーマーケットから失敬してきた雑誌が何冊か、ものすごく気に入ってるＴシャツが一枚、半年間こつこつ貯金して買ったバスケットシューズが一足——ＹＭＣＡで寄せ集めチームの試合をするときに履いてるやつ——ぐらいのものだった。だけど、マディソンから、ほしいものがあればなんでも買いそろえる、と言われている身だ。

「そのまま置いといて」とわたしは言った。「あとで取りに行くかもしれないから」

「マディソンとこにいるの？」と母さんは言った。

「うん、泊めてもらってる」とわたしは言った。

「あの子、どういうわけか、あんたにはやたらと親切なんだから」と母さんは言った。余計なおせっかいにあきれているときの口調で。

「そりゃね、ご存じのとおり、こっちもマディソンには親切にしてあげたわけですから」かっとなって、思わず喧嘩腰で言い返していた。

「大昔のことじゃないの」と母さんは言った。

「ほんとのことを言うとね、わたし、家庭教師をすることになったんだ」といきなり本当のことを言ってみた。

「へえ、そう。それじゃね」母さんはそう言うと、こちらに具体的な説明をする暇も与えず、一方的に電話を切った。


マディソンは階下の、ダイニングルームとは別に設けられた、軽食用のコーナーにいた。奥まったスペースに、テーブルをぐるりと取り囲む恰好で、滑らかな革張りのベンチを配してあって、突き当たりの大きな出窓から庭の芝生をリスが何匹か、木の実を探してちょこまか駆けずりまわってるのが見えた。しばらくしてようやく、ティモシーも同席してることに気づいた。ちっちゃな手にぴったりサイズの純銀のフォークを握っていた。ティモシーは何歳だったか思い出そうとした。三歳？　四歳だったっけ？　ううん、やっぱり三歳だ。どこから見てもかわいい子であることにまちがいなかった。そういう意味では美しい子ではあるけど、その美しさはマディソンの美しさとは種類がちがった。ティモシーの美しさは、どことなく不自然で漫画っぽいのだ。眼がぱっちりしすぎていて、両方の眼だけで顔面の面積の七十五パーセントを占めているように見える。どこかの老婦人の家にある、コレクター向けのお人形っぽい。着ているものは赤い地にテネシーの州旗の柄を散らしたパジャマ。

「どうもね」と声をかけてみたけど、こちらをじいっと見つめてきただけだった。恥ずかしがっているようには見えなかった。わたしという相手が口をきくに値する相手かどうか、判断をつけかねているだけなのだ。

「リリアンにご挨拶(あいさつ)は？　〝こんにちは〟って言うんでしょ」しばらく待った末に、マディソンが促した。マディソンはブルーベリーを散らしたカッテージチーズを食べていた。

「こんにちは」ティモシーはそれだけ言うと、すぐにまたスクランブルエッグのほうに注意を戻した。わたしへの対応はそれで終了なのだ。

「コーヒー、飲む？」とマディソンが言った。自分の子供にでも訊くような感じで。こうして顔を合わせるのは、ものすごく久しぶりなんかじゃなくて、ごくありふれたことだ、みたいな感じで。

そのとき、ぎょっとしたのは、背後から音もなく、湯気の立ってるコーヒーポットを持った女の人が現れたからだった。アジア系の人でものすごく小柄だった。年齢は不詳。

「この人はメアリー」とマディソンは言った。

「召しあがりたいものがおありでしたら、なんなりと」とその女の人が言った。イギリス風のアクセントで……というか、たぶん、イギリス風だと思われるアクセントで。ものすごく上品なしゃべり方だったから、ヨーロッパ風のアクセントに聞こえたのかもしれない。少なくとも南部訛(なま)りではなかった。それだけは、わたしにもわかった。微笑んでくれてないのが残念だったけど。もしかすると笑顔は禁じられているのかもしれなかった。でも、ここはできれば笑顔を見せてほしかった。

にこりともしてくれない相手には、特大のベーコンサンドウィッチは所望しにくいじゃないの。

「コーヒーだけでいいや」と言うと、そのメアリーなる女の人はカップにコーヒーを注いで、しずしずとキッチンに引きあげていった。いったい何人の人間がジャスパー・ロバーツに雇われているんだろう、とぼんやりと考えた。十人ぐらい？　それとも五十人程度？　ひょっとして百人以上とか？　どれであっても不思議はなさそうな気がした。ちょうどそのとき、わたしのそんな好奇心が召喚したかのように出窓越しに、サスペンダーにつばのくたっとした大きな帽子という恰好の男の人が、裏庭を突っ切っていくのが見えた。熊手を持った姿が、ライフル銃を抱えて行進する兵士のようだった。

「使用人って何人ぐらいいるの？」と訊いてみたところ、マディソンは身をこわばらせた。わたしがそんなことを訊いたのは、厭味なぐらい超絶大金持ちだという事実を突きつけてマディソンに居心地の悪さを感じさせたかったからなのか……自分でもよくわからなかった。

「そうね、わたしたちが実際に必要としている以上の人数がいるかもしれない」少ししてマディソンが認める口調で言った。「だけど、使用人じゃなくて従業員よ。クルーズ船とかなんかの運営スタッフみたいなものなの。建物や敷地の規模がここまで大きくなっちゃうと、維持していくためだけでも膨大な作業が発生するし、専門的な技術や能力を持った人たちにも何人もいてもらう必要が出てくる。でも、全員の名前を覚えてるわ。誰がどういう人かも、ひとりひとり、ちゃんと把握してるし」

「そこにあたしが加わったわけだ」とわたしは言った。

「あなたは別よ、従業員じゃないもの」とマディソンは明るく言った。「あなたは友だちよ、わたしの力になってくれる友だち」

コーヒーを飲んでみると、これがものすごくおいしかった。その複雑で奥深い味わいに、これまでの自分の経験知はいったん消去してしまう必要があることに気づかされた。コーヒーといえば、スーパーマーケットの従業員休憩室の、めちゃくちゃ薄くて砂糖を一ポンドばかりぶち込んでようやく味がするようになるコーヒーに慣れていた。それがコーヒーだと思っていた。まえの晩に食べたピッツァは作りたての焼きたてで、ソースのトマトの味までしっかりとわかった。生地もちょうどいい焼き具合で、絶妙なバランスで焦げめがついていた。この世に生まれ落ちて二十八年めにしてようやく、わたしは物事をあるべき形で経験していくことになったのだ。偽物よ、さらば。

「今日はなにをする予定なの？」とマディソンに尋ねてから、一拍置いて訊きなおした。「あたしは今日はなにをすることになってるのかな？」こっちのほうが、わたしにとっては重要だった。

「のんびりしたらいいんじゃない？　ここの様子に慣れるために敷地のなかを散歩してもいいし。午後になったらナッシュヴィルに出て、着るものとか身のまわりのものとか買いそろえましょう。ああ、そうそう、それと、今晩、ジャスパーが帰ってくるの。ワシントンD.C.から飛行機で。あなたにぜひ引きあわせたいと思ってるのよ」

「だんなさん、こっちには頻繁に帰ってきてるの？」とわたしは訊いた。

「たぶん、あなたが思ってるほどじゃないわね。向こうでの仕事が多いから。D.C.にもアパートメントがあるのよ。でも、わたしは満足してる。だって、ほら、ジャスパーって家族思いだし」

ほら、と言われても、わたしにはまったく理解できなかった。結局のところ、わたしがこうしてこの場にいるそもそもの理由は、その家族思いのだんなさんの子供たち、人馴(ひとな)れしていない孤児同然の子供たちの面倒を見る、というミッションのためなのだ。そこで、ふと、そもそも話をそちらに持っていったのはマディソンだったことに気づいた。見ると、当のマディソンは遠くを見るような眼をしていた。要は時間の問題なのかもしれなかった。ロバーツ上院議員の欠点やら短所やらいただけない点やらについては、いずれマディソンが自制心の箍を吹き飛ばしたときに、わたしの知るところとなる。それを待てばいい、ということだ。

「これからティモシーを保育所に預けにいくんだけど、戻ってきたら、一緒に散歩しましょう。どう？」とマディソンが提案した。

「うん、いいね」とわたしは言った。コーヒーをもう一杯飲みたかった。自分でお代わりを注ぎにいくのは失礼な振る舞いになるんだろうか、と考えた。それとも、ただお代わりを貰うためだけに、さっきのあのメアリーって人を呼びつけることのほうが横暴で眉をひそめられる振る舞いになるんだろうか？　どちらを選んでも不正解になるのは眼に見えていた。経験上、確実に正しいと思うほうを選択した、と自分でも納得できない限り、それはほぼ確実にまちがったほうを選んでいるのだ。

「リリアンに〝行ってきます〟は？」マディソンがティモシーに言った。

　そう言われてティモシーは、まず、ちんまりとした口元をナプキンで軽く押さえた。癪にさわるほど品のいい仕種に思えた。それからようやく、こっちに眼を向けてティモシーは言った。「行ってきます」

「行ってらっしゃい、ティム」とわたしは言った。名前を略称で呼ばれたことで不機嫌になればいいのに、と願いつつ。早くも、しくじりつつあるという自覚はあった。ティモシーには懐いてもらわなくてはならないのに。少なくともわたしのほうは、ティモシーを好きだと思う努力をしなくてはならないのに。なによりの練習台なのに。例の双子ちゃんたちがこのお屋敷にやってくるまえに、子供にはどんなふうに話しかけ、どんなふうに振る舞い、どんなふうに忍耐力を試されるかを知るための貴重な機会の提供者だというのに。

記憶を手繰り、これまでに自ら進んで子供と関わりを持とうとしたときのことを思い出そうとした。そういえば以前、〈セイヴ・ア・ロット〉の通路で迷子になっている女の子と遭遇したことがあった。ちょうど箱入りシリアルの値札をつけかえていたところで、急にその子の存在に気づいたのだ。わたしにしか見えない幽霊がすうっと現れたような感じで。その子は、眼をできるだけ大きく見開いていた。そう、ちっちゃな子が泣くまいとするときのあの表情だ。その子に向かってそろそろと片手を伸ばしてみたところ、向こうからその手につかまってきた。あっさりと、なんの疑問もなく。だから、手をつないだままふたりして黙って店内を歩いてまわった。店のいちばん奥の通路に入ったところで、その子の母親の姿が見えた。自分の娘が誘拐の危機にさらされていたも同然なのに、冷凍食品コーナーのまえに突っ立って、〈リーン・クイジーン〉の棚をきょろきょろ眺めまわしていた。呑気すぎというか、危機感なさすぎというか、なんも考えてなさすぎというか……そのあんぽんたんに向かって一発、辛辣な皮肉でもお見舞いしてやろうかと思う間もなく、女の子がつないでいたわたしの手をぎゅっと握りしめてきたので、わたしはそっちに眼をやった。女の子は手をつないだまま、わたしの手の甲にキスをした。それからその手を放して、母親のほうに駆けだしていった。わたしをその場に置き去りにして。追いかけていって抱きあげたくてたまらなかった。わたしはアイスキャンディ・コーナーの冷凍庫のドアを開けて、〈ポプシクル〉の棚の冷気に頭を突っ込み、しばらくそのままでいた。いつもの自分を取り戻したと確信できるまで。あの母娘の姿が見えなくなるまで。その一件で魂を抜かれてしまったわたしは、女の子のことを考えなくてすむように、というただそれだけの理由で、その日の仕事あがりに骨付き燻製ハム（カントリーハム）を一本丸ごとくすねた。それから何週間も、あの女の子と再会できることを願いつづけていたけど、姿を見かけることは二度となかった。もしかすると、それが子供というものの本質なのかもしれない。そのまっしぐらな切実さで相手の心を開いてしまうのが。たとえそんなことは望んでもいない相手であったとしても。

　マディソンが息子を連れて席を離れたあとも、わたしはテーブルについたままでいた。マディソンがカッテージチーズにほとんど手をつけずに残していったことに気づいて、手を伸ばしてボウルを引き寄せた。ひと口めを口に入れたところに、メアリーがまた姿を現し――瞬間移動してきたのかもしれない、念力で――わたしのカップにコーヒーのお代わりを注いだ。「なんでもお好きなものをこしらえますよ」とメアリーは言った。「遠慮なくお申しつけください」

「うん、でも、これを食べればいいかなと思って。ほら、なんていうか、もったいないし」

「残り物ですよ」とメアリーは言った。気の毒に思われているのか、ばかにされているのか、わからなかった。わからない場合はたいていばかにされている、と解釈することにしていた。でも、メアリーを殴るわけにはいかなかった。少なくとも、その場では。この人の重要度と実力のほどを見定めるまでは。そこで、あのすばらしく美味なるコーヒーをひと口味わい、身体の力を抜いて緊張を解いた。そうそう、こういうのを至福のひと時って言うんだよね、と自分で自分に言い聞かせた――この家政婦さんを殴ってそのひと時をめちゃくちゃにして、自ら楽園を追放されるようなばかな真似はしなさんな、と。

「せっかくだから、ベーコンサンドウィッチをこしらえてもらえる?」と頼んでみた。メアリーは黙ってうなずくと、いともさりげなくわたしの身体の横から手を伸ばして、カッテージチーズとブルーベリーを盛ったボウルをテーブルからさげた。

キッチンに向かうメアリーのあとについて、わたしもコーヒーを片手に席を立った。「お席までお持ちしますよ」メアリーは肩越しに言った。

「ううん、一緒に行く」とわたしは言った。「誰もいないテーブルにひとりでいるのって、なんか落ち着かないから」

キッチンの冷蔵庫は車一台分ぐらいありそうだった。メアリーはその巨大な冷蔵庫からベーコンの大きなパックを取り出した。そして、そのベーコンを何枚も何枚もフライパンに放り込んだ。全部で一ポンドぐらいになりそうだった。次いで、こちらには眼もくれず、焼きたてのパンの塊をスライスしてそのうちの二枚をトースターに押し込んだ。そのトースターがまた、一九五〇年代に製造されたものにも未来から届いたものにも見えるという代物だった。

「マディソンとこで働くようになってどのぐらい経つの?」とわたしはメアリーに訊いてみた。

パンがトースターから飛び出すのを待って、メアリーは答えた。「ジャスパー・ロバーツさまに雇われて今年で十一年になります」

「気に入ってる?」とわたしは訊いた。

「この仕事が、ですか?」とメアリーは訊き返してきた。見ると、眉間に皺を寄せていた。口調にそこはかとなく苛立ちが感じられる気がしたけど、その反応は理解できなくなかった。仕事先のスーパーマーケットにとんまな新人が入ってくるたびに、わたしがなにを思うか? こいつらの経験不足を補うためにこっちはどれぐらい残業を強いられることになるんだか、こいつらがしでかすへまのせいでこっちは何度ぐらい怒鳴りつけられることになるんだか、だもの。そう、他人(ひと)のことは言えない。それでも、メアリーを味方に引き入れることはできるはずだった。わたしがへまをしでかしたとしても、その泥はわたしにしか跳ね返ってこない。メアリーがとばっちりを喰(く)うことはないんだし。

「つまり、ここって職場として働きやすいとこ？」

「仕事は仕事です。特に問題はありません。ロバーツ上院議員はいい方ですしね」メアリーはフライパンのベーコンをペーパータオルの上に移して余分な脂を吸わせた。「パンになにか塗りますか？　お好みのものがあれば」

「じゃ、マヨネーズとか？」とわたしは言った。

　できあがったサンドウィッチを、メアリーは、結婚式の披露宴かなんかでなければ使わないんじゃないかって感じのお皿に載せた。ふうっと息を吹きかけようものなら、その場で割れてしまいそうなお皿、とも言う。「ここのカウンターで食べてもいいかな？」と訊いたら、メアリーは黙って肩をすくめた。サンドウィッチは、当然と言えば当然だけど、めちゃくちゃおいしかった。これまで食べたことのあるサンドウィッチのなかでいちばんおいしかった。初めは、人がこしらえてくれたものだからかな、と思ったけど、それを言うなら母さんだってこれまでサンドウィッチを――確かにサンドウィッチと呼ぶのもおこがましいものではあったけど――こしらえてくれたことがないわけじゃないから、ってことはたぶん雰囲気が影響しているのかもしれなかったけど、まあ、あまり深くは考えないようにした。「これ、すっごくおいしい」と言うと、メアリーは黙って短くうなずいた。わずか三口で食べ終えて、空になったお皿に視線を落とした。食べ終えたあとのお皿を、はてさて、どうするべきなのか……考えているうちに、メアリーがさっさとさげて、わたしのまんまえにあるシンクで洗った。その一連の流れを、わたしはただ眺めていた。たぶん、それが楽ちんだったから、だと思う。

「それじゃ、ロバーツ上院議員がふたりめの奥さんと結婚してたときも、このお屋敷にいたってことだよね？」とわたしはメアリーに尋ねた。

「はい、もちろんです」とメアリーは答えた。

「子供たちって、どんな感じの子供たちだった？」とわたしは言った。

「どんな感じもこんな感じも」とメアリーは答えた。「子供は子供です。やんちゃです」

「ティモシーみたい？」と言ってみた。メアリーは思わず笑みを浮かべそうになった……ようにわたしには見えた。

「いいえ、ティモシー坊っちゃまとはちがいます」とメアリーは言った。説明しようとすることで、肩の力が抜けたというか、リラックスした雰囲気になっていた。「やんちゃなんです。いい意味で。愛らしくてやんちゃな子供たちです。散らかすときはずいぶん派手に散らかしたりもしますけど、片づけるのは苦ではありませんから」

「あたし、その子たちの世話をすることになって」とわたしは言った。

「存じています」とメアリーは言った。だけど、その情報をメアリーがほんとに事前に知っていたのかどうか、わたしにはわからなかった。この人はできる、とわたしは思った。なんせ、この仕事を十年以上も続けているわけだし。

「マディソンは親友なの」とわたしは言った。とことん間抜けな発言だった。メアリーも間抜けな発言と思ったようだった。相槌程度の返事も返ってこなかったところをみると。「サンドウィッチ、ご馳走さま」と言うと、メアリーはそれを待っていたかのように、すぐに本来の業務に戻り、やりかけのまま放置していた作業に取りかかった。

わたしのほうは、お屋敷のなかをぐるっとひとまわりしてみることにした。われとわが身がこれほど広大な敷地の、これほど広大なお屋敷内にある、という興奮状態に慣れるため、部屋という部屋を片っ端からのぞいた。それぞれの部屋の用途を想像し、ほかの部屋とのちがいを見つけようとした。廊下やホールの床は大理石で、靴下越しに伝わってくる感触が好きになれなかったものの、部屋の床はどこもきれいな木目の硬木張りで、大きなラグマットが敷いてあった。南北戦争当時のラグマットなのかもしれなかった。わたしにはよくわからないけど。娯楽室もあった。ただし、娯楽室というのは正しい呼び方じゃなくて、ええと……わたしはボードゲームの〈クルー〉の犯人捜しで使われてた言い方を思い出そうとした。そう、ビリヤード室だ。部屋の中央にビリヤード台が置いてあって、片方の壁際にピンボールマシンがあって、その向かい側の壁のところにはチェステーブルを挟む恰好で、クッションが分厚くていかにも坐り心地のよさそうな椅子が二脚。奥の隅はバーになっていてカウンター越しに、ありとあらゆる種類のお酒がずらりと並んで埃（ほこり）をかぶっているのが見えた。ビリヤード台に近づき、ポケットのひとつに手を突っ込んで球をひとつ取り出し、空っぽのアイスペールに隠した。それからピンボールマシンのスタートボタンを押してみた。ちなみに機種は〈モンスター・バッシュ〉だった。すぐに明かりがついた。なんと、二十五セント硬貨要らず！　さっそく台の側面を叩くと〝揺らしすぎ（ティルト）〟の反則表示が出て、ゲーム終了となった。チェス盤から白のクイーンをつまみあげて、そのまま持ち帰ろうとしたけれど、さすがにちょっと恥ずかしくなって元に戻した。

戸外に出るには、靴を履く必要があったので、いったん自分の部屋に戻ることにした。戻ってみると、見ず知らずの女の人がいて、わたしの寝起きのベッドを整えていた。たちまち罪の意識が頭をもたげた。起きてすぐにベッドメイクをしなかったわたしが悪い。「どうもね」と声をかけると、女の人は一瞬びくっとしたけれど、すぐに緊張を解いたようだった。

「おはようございます、お客さま」と挨拶を返してくれたから。

「ありがとう、ベッドメイクをしてくれて」と言うと、女の人はきまり悪そうな顔になった。わたしは靴をひっつかんで急いで部屋を出た。じつはまだ髪も梳かしていなかったし、歯も磨いていなかった。洗面用具もなにも持ってきていなかったから。お願いさえすれば、どこからともなくヘアブラシが現れ、歯ブラシと四種類の異なるフレーヴァーの歯磨きペーストが運ばれてくるのはわかっていたけれど〝今のわたしに足りないものはなにもない〟と思うことで切り抜けるつもりだった。それって、本当は必要なものがない状態をただ我慢しているだけなんだけど。

母屋を出て石畳の小道をたどり、これから例の子供たちと暮らすことになるゲストハウスに向かった。二階建ての木造の建物で、白い外壁に臙脂色の鎧戸がついていた。玄関のドアには、鍵も取り付けられていなかったので、そのまま造作もなく屋内に入れた。白地にオレンジ色と黄色の水玉模様の壁、床はスポンジみたいな弾力のある素材でできていて色は鮮やかなブルー。そのあちこちに、小学校低学年の教室で見かけるようなビーズソファが置いてあった。全体的な印象としては〈セサミストリート〉に精神療養施設が合体したような感じ。といっても、悪くはなかった。科学実験のために設計された場所みたいな清潔感満載ではあったけど、まあ、住んでみてもいいかな、と思えなくもなかった。スペース的には充分な広さがあるから、子供たちを絞め殺したくなった場合に身を隠す場所も確保できそうだった。

天井を見あげると、信じられないぐらい複雑な仕組みのスプリンクラーが設置されていて、煙探知機の赤いランプが瞬いていた。この建物には防火材としてアスベストがたんまり使われていたりするんだろうか——少しだけ気になった。そもそも燃えだす可能性のある子供たちが暮らす家なんて、事前にどんな準備をしておけばいいのやら……。

「気に入ったか？」背後でいきなり声がした。

「ひゃっ！」悲鳴をあげつつ勢いよく振り返ったひょうしに、片脚が浮きあがり、意図せずして小さなジュードーキックのような動きになった。すぐ眼のまえにカールが立っていた。腕組みをして。こちらには眼もくれず、天井のスプリンクラー装置をじっと見あげていた。

「ああ、悪かった」とカールは言った。口で言うほど悪かったとは思っていなさそうだった。こっちがどれぐらいびっくりするかを試されたような気がした。カールは警官だろうと踏んでいたけど、考えを改めた。カールは映画のなかでE.T.を追い詰める、あの黒いスーツにサングラスをかけた顔のない男たちに近い。一九八〇年代の映画の悪役に。

「めちゃくちゃびっくりしたんだからね」とわたしは言った。

「ドアが開いていたからだ」とカールは言った。「念のため屋内の様子を確認する必要があった」

「あたし、これからここで暮らすことになるんだ」とわたしは言った。

「ああ、当面のあいだは」とカールは言った。「それじゃ、ロバーツ夫人から状況説明は受けたってことだな？」

　わたしは黙ったまま、ただカールを見つめ返した。説明に苦しむ相手に説明させると、いい気分を味わえるからだ。

「つまり子供たちについて」というのが、カールが苦しまぎれに絞りだした説明だった。「ふたりの、その……状態について」

「燃えるんだってね」とわたしは言った。「聞いてる」

「ついては質問させてもらいたいことがあるんだが、ミズ・ブレイカー？」

「なに？」

「子育てに関してなんらかの経験はあるか？　医療訓練を受けたことは？　児童心理学の学位を取得しているのか？」

「子供ふたりの面倒ぐらい見られます」とわたしはカールに言った。

「無礼なことを言いたくて訊いてるわけじゃない。たとえば、心肺蘇生法（CPR）とはなんのことか知っているだろうか？」

「はあ？　ちょっと、カール、勘弁して。知ってるに決まってるでしょ」とわたしは言った。「認定証だって持ってるからね。こう見えても講習を受講した有資格者だよ。いざってときには子供たちを生き返らせることぐらい、できるの」。二年まえ、スーパーマーケットの青果コーナーで老婦人が亡くなるという出来事があった。わたしがそばに膝をついて救急車の到着を待ってたあいだに。それを機に、スーパーマーケットのオーナーは、全従業員にＣＰＲと応急処置講習の受講を義務づけたのだ。

「そうか、ならいい」カールはそう言うと、ちらりと笑みを浮かべた。

「ちなみに消火訓練も受けてるからね」とわたしは言った。「消火器の使い方もばっちりだよ」

「子供に向かって使うのか？」とカールが言った。

「燃えてればね」とわたしは言った。

カールはキッチンに歩いていって、横のほうにあったドアを開けた。漠然と食料品とかを置いておく貯蔵室かなんかだろうと思っていたが、天井から床までの棚にはびっしりと真っ赤に輝く消火器が並んでいた。「そういうことなら、まあ、大丈夫そうだな」

「カール？」とわたしは声をかけた。

「なんだ？」とカールは答えた。

「これって、あたしが仕組んだことだと思ってたりしない？　あたしがうまいことマディソンを丸め込んで、問題のめっちゃ風変わりな子供たちのお世話係って仕事をゲットしたんだって思ってない？」

「いや、それはない。まったくない。ロバーツ上院議員とロバーツ夫人は、きわめて特殊な状況に置かれたのだと思っている。困難な状況にもかかわらず、責任を投げ出さず、親身になり、最大限の努力をしていると思っている。あんたはその部品だ。子供たちを救済するため、夫妻が立てている壮大な計画のほんの一部分だというふうに思っている。だが、個人的には、これが正しい対処法だとは思っていない。大惨事になりそうな予感しかない」

「けど、ふたりともただの子供だよ」とわたしは言った。

「いずれにしろ、おれはそれがどういったことであれ、サポートするためにここにいる」教え諭す口調で、カールはわたしに言った。「想定外の問題に遭遇した際の助っ人だとでも思ってくれ」

ちょうどそのとき、戸口のところにマディソンが姿を見せた。「気に入ってくれた？」とマディソンはわたしに尋ねた。「壁のこの水玉模様」

カールは、どう考えてもそんなことができるとは思えないのに、それまで以上にぴしっと背筋を伸ばし、姿勢を正した。骨の一個一個が人類史上未知の形態に固定され、兵士にだって真似のできない、直立不動のさらに一歩先のそんな姿勢ができあがっているのかもしれなかった。

わたしはうなずいて屋内を見まわした。それからカールの意見を求めた。「カールはどう思う、この水玉模様？　すてきだと思う？」

カールは笑みを浮かべた。「じつに子供向きというか、子供にはふさわしいものかと……」ようやくひねり出した答えだと思われた。「じつに……賑やかだし」

「カールは気に入ったって」とわたしはマディソンに報告した。

「あなたの着るものを揃えないとね」とマディソンは言った。「買い物に行くわよ」

「うん、いいね」とわたしは言った。マディソンが腕をからめてきたので、わたしたちはカールをひとり残してその場を離れた。傍から見たら、さしずめ〝今日はカールの誕生日だというのに、誰ひとりとしてパーティーにやってこない〟の図だったと思う。

「カールってちょっと不気味だね、マディソン」ガレージに向かいながら、わたしは言った。

「ある意味、それがあの人の仕事なんじゃない？」とマディソンは答えた。「その場の状況に応じて、相手を居心地悪くさせたり、その逆にものすごく居心地よくさせたりすることが」

「どうも好かれてないみたい」とわたしは言った。

「そう？　だけど、それを言うなら、わたしだって好かれてるかどうかわからない」とマディソンは言った。「けど、そんなこと誰が知るか、よ」

　わたしたちはマディソンのＢＭＷで一路、ナッシュヴィルに向かった。具体的に言うと、ナッシュヴィルのショッピングモールに。そのショッピングモールの顔とも言うべき存在が〈ビリングス百貨店〉だった。建物の要所要所に、洒落（しゃれ）た字体の大きな金色の〝B〟というロゴがへばりついていた。マディソンはバッグに手を突っ込んで、この店のゴールドカードを取り出した。あのお父さんから渡されているものだろうと思われた。「ここではなにを買っても無料（ただ）よ」とマディソンは言った。「だから、なんでもほしいものを選んで」

　と言われても、ほしいものはそれほどなかった。どれもこれも触っただけで破れたり壊れたりしそうだったし、やたらきらきらしてるのだ。サテンのパンツを試着してみたけど、自分で自分の首を絞めたくなった。「マディソン」とわたしは言った。「子供の世話をするんだよ、あたし。ベビーシッターだよ。ディナーパーティーに着てくような服なんて要らないって」

「わからないわよ、いつ、なにが必要になるかなんて」マディソンはそう言うと、鮮やかな緑のストラップレスドレスを選び出し、そのドレスをわたしの身体に当ててみた。気分は着せ替え人形だった。

「無理だよ、こんなドレス。あたしのおっぱいじゃ支えきれないって」とわたしは言った。そう、わたしはいわゆる貧乳というやつだ。成長期にはありがたいことだと思っていたが、ハイスクールに通うようになると残念に思うようになり、そのあとはもう気にしないことにしていた。

「わたしに買わせて」とマディソンが言った。「お洒落なものをなにかひとつぐらい。ひとつだけでいいから。あとはなんでもあなたの好きなものを選んで」

というわけで、わたしは〈カルバン・クライン〉のダメージ加工の入った、なかなかすてきなジーンズ六本（ダメージの入り具合がそれぞれちがうやつ）に、大量のTシャツを買った。着心地がよさそうで、それでいて安っぽくは見えないもので、燃えてしまったとしてもこの世の終わりとは思わずにすむようなものを。トレーニングウェアも買った。もっとずっと年寄りか、もっとずっと若い人向けの製品だったけれど、めちゃくちゃ気に入ったから。緑に銀の混じったレーヨン素材で、暗殺者気分になれそうだった。靴は〈コンバース〉のチャックテイラーを四足と、ものすごく値の張る〈ナイキ〉のバスケットシューズを一足。ブラジャーとショーツを何枚か。オリンピックの競泳選手が着るような水着を一着、それから太陽から眼を守るために、ダサくないバケットハットをひとつ。人魚姫って、突然脚が生えてきて人間の世界で暮らすことになったとき、きっとこんな気分だったんじゃないか、と思った。

わたしたちは、マディソンのお眼にとまった、髪をオールバックにして見るからに安物のスーツを着た男の人を従えて店内をまわり、買ったものは全部その人に持たせた。それ以上持ちきれなくなると、その人はいったんレジに戻って買い物の代金をそれまでの合計金額に加えた。わたしの眼を盗んで、マディソンはハイヒールを何足か、パンツスーツを一着、おまけにかなりセクシーな下着まで買い足していたけど、あえて止めなかった。全部貰ってしまうつもりだった。〈分別と多感〉というどこかで聞いたことがあるような名前の香水も買ってくれたんだけど、そのボトルの恰好があまりにもペニスにそっくりで、これってジョークだよね、としか思えなかった。

　買い物が終わると、マディソンからショッピングモールのフードコートに行ってそこで待つよう言われた。買い物の総額がいくらになったか、わたしに知らせたくなかったんだと思う。そんなこと、気にしないのに。ううん、でも、もしかすると気になったかもしれない。背がすらっと高くて完全無欠のマディソンが、あのオールバックの店員に例のゴールドカードを手渡している横で、薄汚れた恰好で野良犬かなんかみたいに突っ立っていることになったら、確かにそんな自分が気になったと思う。まあ、どんな気分になるかは、結局のところわからずじまいだったけれど。いくらも待たずにマディソンが眼のまえに現れた。買ったものはすべて、マディソンのＢＭＷのトランクに詰め込まれて、わたしを新しい住まいに連れて帰る準備は完了していた。

「だんなさんの話を聞かせてよ」わたしは運転席のマディソンにそう頼み、ダッシュボードのＣＤプレイヤーの停止ボタンを押した。エミルー・ハリスの心地よすぎる歌声に集中を乱され、なんだかいらいらしてきていたのだ。

「ジャスパーのなにが知りたいの？」とマディソンは言った。運転しているのに、ステアリングにはほとんど触れていなかった。それでも車はマディソンの意のままに動くのだ。

「どんな人なの？」とわたしは言った。「っていうか、ええと、そうだな……だんなさんのことを愛してるのかどうか、気になってるんだと思う」

「わたしがジャスパーのことを愛してないんじゃないかって思ってるの？」マディソンはそう言って笑みを浮かべた。

「それじゃ、愛してるの？」とわたしは訊いた。純粋に知りたかったからだ。

「そうね、愛してると思う」ひと呼吸置いて、マディソンは言った。「わたしにとっては完璧な男性なのよ。責任感がとても強くて、わたしのことを対等に扱ってくれるし、自分の趣味もちゃんとあるし、わたしがやりたいと思うことはなんでもやらせてくれるし」

「けど、どんな感じの人なの？　個人レベルで見て、どういうとこが好き？」中途半端な答えで納得したくなくて、わたしは重ねて尋ねた。母さんのボーイフレンドたちのことを、入れ代わり立ち代わり現れては消えていった数多の男たちのことを考えた。どの人もわたしには謎以外のなにものでもなくて、母さんがどうして自分の人生になにかをもたらしてくれる相手だと思えたのかが理解できなかった。それから、わたし自身のボーイフレンドたちのことを考えた。どの人に対しても、わたしが期待してたのはおおむね同じ部屋に一緒にいてくれることだけで、それ以外のことはなにも期待していなかったことについても考えた。それからロバーツ上院議員のことを考えた。写真で見た限りでは、銀色の髪にアイスブルーの眼をしていて、なかなかハンサムだった。ただし、故人であってもおかしくないほどの年寄りでもあった。

「ひたむきな人よ。典型的な南部人ではあるけど、南部人であることが恥ずかしくなるタイプじゃない。そういうの、ヴァンダービルト大学でうんざりするほど見せられたから、よくわかるの。パステルカラーのハーフパンツにデッキシューズってタイプの男子たち。それにシアサッカーのジャケットとかはおっちゃうの。四〇年代の人種差別主義でごちごちの弁護士かなんかみたいに。大嫌いだったわ、あいつら。子供に毛が生えたようなものなのに、中身も外見も中年のおじさんなんだから。〝ミントジュレップ坊や〟って呼んでやってた（ミントジュレップはバーボンベースのロングカクテル。アメリカ南部で昔から呑まれていた。現在ではケンタッキー・ダービーの公式ドリンクとなっている）。古き良き南部を懐かしがるような精神構造してるんだから。すさまじい人種差別が行われていたとしても、そのおかげで自分たちが最初から大物としてふんぞり返っていられるなら、その存在意義は認めるって考えるような連中よ」

「なんだかそれって、お兄さんたちのこと、言ってない？」とわたしは言った。マディソンから届く手紙にときどき登場していたお兄さんたち四人は、揃って銀行家、もしくはなんかの会社の最高経営責任者（CEO）というやつだった。マディソン曰く――いちばん歳下（した）の娘がなにを成し遂げようと、両親とも兄たちの業績を称賛するときほどの熱烈さで称賛してくれたことがない、四人とも揃いも揃ってほぼ酒浸りだし、離婚して再婚しているというのに。

「そうね、確かにうちの兄たちに似てるわね、〝ミントジュレップ坊や〟。休日でも祝日でもない普通の日なのにミントジュレップなんか呑んじゃって、それをおかしいともなんとも思わない人たち……あら、やだ、なにを言ってるのかしら、わたしったら。話が脱線しちゃってる。ジャスパーのことじゃなくなっちゃってた。ええと……ジャスパーのことよね。ひと言で言い表せることばが見つからない。あの人は物静かで、信念があって、ひたむきなの。人間ってものを深く理解してもいる。それで少し苛立つみたい。どいつもこいつも愚鈍で、己の身を守れていないってね。だから自分が守ってやらねばって思うみたい。はっきり言っておもしろい人じゃないけど、ユーモアのセンスは悪くないわ」

「どうして結婚したの？」とわたしは訊いた。

「あの人が結婚したがったから」とマディソンは言った。「わたしを必要としたの、あの人が。それに、わたしよりもずっと歳上で人生経験も豊かだったし、例の女相続人とはとっくに別れてたし、家族とも一緒に暮らしてなかったし、その点も悪くないと思えたわ。欠点がないわけじゃないけど、信念を捨ててないってとこがよかった。たぶん、そこが肝心なポイントだったんだと思う、わたしには」

「会うのが怖いな」とわたしは本音をもらした。

「だったら、わたしは会わせるのが少し怖い」とマディソンは言った。「あの人のこと、嫌いにならないでくれればいいけど」

わたしはなにも言わなかった。個人的な指向から言えば、まちがいなく嫌いになるだろうという確信があったからだった。そもそも男の人というものがそれほど好きではなくて、たいてい退屈してしまうのだ。とはいえ、ジャスパー上院議員に対してぴしゃりと門戸を閉ざすつもりもなかった。わたしは新しいことを進んで受け入れようとするオープンな人間だ……というか、少なくとも自分ではそう思っていた。あのお屋敷のゲストハウスで暮らすためなら、たまには上院議員と口のひとつもきくことにやぶさかではなかった。そもそも、わたしの利益のために尽力するのがジャスパー・ロバーツ上院議員の仕事なのだ。わたしは彼の選挙区であるこのテネシー州の居住者なんだから。投票したのは別の候補者だったけど、それはあちらさんにわざわざお伝えするほどのことでもないわけだし。

マディソンがティモシーを保育所に迎えにいっているあいだに、わたしはシャワーを浴びて買ってきたばかりの服に着替えた。それまで着ていたみすぼらしい衣類は、まとめて洗濯籠に放り込んだ。そうしておけばきれいに洗濯され、きちんとたたまれて、ひょっとするとリボンまでかかった状態で戻ってくるものと予想できた。マディソンが選んでくれた例の香水をつけてみた。年代物の銀食器とスイカズラのにおいがした。しばらくして階下におりると、ティモシーがひとりで突っ立っていて、大人の姿は見当たらなかった。「お母さんはどこ?」と訊いてみた。ティモシーはなにも言わずこちらにくるりと背を向けて、廊下を歩きだした。わたしはあとについていった。着いた先はティモシーの部屋だった。その日の朝、お屋敷のなかを見てまわったときには、見た覚えのない部屋だった。ベッドは、それまでにわたしが自分のベッドとして使っていたどのベッドよりもゆったりとしていて、よくもまあこんなにふかふかで、横になったとたん窒息しないもんだよね、と思うほど、ふかふかに見えた。「へえ、ここが自分の部屋なんだね?」とわたしはティモシーに訊いた。

「うん、そう」とティモシーは言った。「ぼくのぬいぐるみの動物、見る?」

「うーんと、そうだね」とわたしは言った。「見てもいいかな、うん」

部屋には大きな収納箱が置いてあって、ティモシーはいくらかもたつきながらその蓋を押しあげた。その収納箱のなかから、次から次へと、まるでフォルクスワーゲン・ビートルの車内からピエロが何人も登場してくるみたいに、動物のぬいぐるみが出てきたもんだから、途中からなんだか頭がくらくらしてきた。LSDには幻覚作用があるっていうから、一発きめると、こんな光景が見られるようになるのかもしれなかった。ティモシーが次に引っ張り出したのは、蝶(ちょう)ネクタイをしたアカギツネのぬいぐるみだった。「これはジェフリー」ティモシーは無表情のまま言った。

「こんにちは、ジェフリー」とわたしは言った。

その次に引っ張り出したのは、分厚いレンズの黒縁眼鏡をかけたゾウのぬいぐるみだった。「こっちはバーソロミュー」とティモシーが言った。

「ああ、そうなんだ。こんちは、バーソロミュー」

続いて、頭に王冠を載せたカエルが出てきた。「これはカルヴィン」とティモシーは言って、カエルのぬいぐるみをこちらに向けた。

「ケロちゃんじゃなくて？」と訊いてみた。

「カルヴィンだよ」とティモシーは言った。

「はあ、そうですか。どうもね、カルヴィン」

次に登場したのは、ピンクのワンピースを着せられたテディベア。「この子はエミリー」とティモシーは言った。

「この子たちはテレビ番組のキャラクターかなんかなの？」この少年をなんとか理解したくて、わたしは尋ねた。

「ちがうよ。ぼくだけのぬいぐるみだよ」

「この子たちをどうするの」と訊いてみた。

「並べんの」

「それだけ？　ただ並べるの？」

「並べてから、いちばんを決めるの」とティモシーは言った。

六歳のとき、誕生日に貰ったお金で、ガレージセールに出ていた大きな箱いっぱい分の、男の子向けのアクションフィギュアを買った。バービー人形は高くて買えなかったから、わたしは迷彩服姿で変わった髭（ひげ）を生やした、その人形たちで遊んだ。それぞれの人形に地元の町の人たちの役を割り振り、こうだったらいいのにと空想した、わたしの人生のさまざまな場面を演じさせた。わたしの役を演ずるのは、『ハッピー・デイズ』のフォンジーの人形だった（『ハッピー・デイズ』は一九七四年〜八四年に放映された、五〇年代を舞台にしたアメリカのコメディドラマ。フォンジーはその登場人物で、レザージャケットがトレードマークの不良少年）。フォンジーは合成樹脂製の親指を立てて〝いいね〟の仕種をしていた。母さん役を担当したのは、デニムのベストとショートパンツを身に着けた、筋肉むきむきの髭面の男だった。

あるとき、自分の部屋で遊んでいて、母さん人形が「リリアン、町長さんとこの飼い猫が行方不明よ」と言って、わたし人形が「心配しないで、母さん、〈ブレイカー探偵社〉が解決に乗り出したから」と言ったちょうどそのとき、本物の母さんの声がした。「なにやってんの？」

見ると、母さんが戸口のところに突っ立ったまま、こっちをじっと見つめていた。

「町長さんとこの飼い猫が行方不明なんだけど？」とわたしは混乱したまま言った。

「それがあんたなの？」母さんがフォンジーを指さして訊いてきたので、うなずいた。

「で、そっちがあたし？」と言って、プロレスラーのビッグ・ジョッシュ（本名マシュー・ボーンのリングネームのひとつ）の人形を指さした。わたしはまたしても黙ってうなずいた。うなずいてしまったものの、なんかまずいことをやらかしちゃったのかもしれない、という気がしはじめていた。

母さんはなんとも言えないへんてこな表情を浮かべて、わたしのことを見ていた。今にして思えば、まさにあの瞬間に母さんは気づいたんじゃないだろうか。この子は自分とはちがう、自分には理解できないし、これから先も永遠に理解できない存在でありつづけるだろう、と。そんな思いが母さんの眼に浮かんだ、ような気がした。呆気にとられてることを隠そうともしないで、母さんは「リリアン、あんたの頭んなか、あたしにはさっぱり理解できないわ」と言いおいて、その場から去っていった。わたしは自分がとんでもない変わり者だと言われたような気がした。わたしがやっていたのは、ただの〝ごっこ遊び〟だった。子供なら誰でもやることだったというのに。でも、母さんは〝ごっこ遊び〟が必要のない人だった。そういう愚かしいことをするのは、ある種の弱さの表れだと思っている節もあった気がする。わたしにとって自分の想像力というものは、人生をなんとか耐えられるものにしてくれているものではあったけれど、その出来事を機に、世の中というそとの世界に対しては隠しておくべきものだ、ということを、なんとなく理解したんだと思う。でも、どんなものでも、隠しつづけているうちにがんじがらめに縛りがかかり、動き方を忘れ、いざ本当に必要なときになっても呼び出すのが難しくなってしまうのだ。

そう、だからこそ、わたしにはティモシーのことが少しだけ理解できた気がした。ううん、もしかすると、羨ましかったのかもしれない。「一緒に遊んでもいいかな？」とわたしは訊いた。ティモシーはこくんとうなずき、大型の収納箱からさらに十二体のぬいぐるみを取り出して床に一列に並べた。

「ええと、それじゃ、ともかくいちばんを選べばいいんだよね？」とわたしは訊いた。

「いちばんじゃなきゃだめだよ」とティモシーは言った。

前足にちっちゃなギターが縫いつけられてるパンダが眼にとまった。「この子だと思う」

その選択を認めた、とでもいうように、ティモシーの眼が一瞬きらりと光った。ティモシーの身体に棲みついてる十七世紀の亡霊が突然、目覚めたようにも見えた。

「それはブルースだよ」とティモシーに教えられて、思わず笑ってしまった。ぬいぐるみにはあまりにも不似合いな名前に思えたから。

「この子がいちばん？」と訊いてみた。

ティモシーはじっくりと時間をかけてほかのぬいぐるみを眺めまわしてから、最後にこう言った。

「今日はブルースがいちばん」パンダを渡されたので、わたしは胸に抱き締めた。いいにおいがした。清潔そのもののにおいだった。

わたしがブルースを抱っこしているあいだに、ティモシーはほかのぬいぐるみを集めて収納箱に片づけた。満足しているように見えたので、試験に合格した気がした。ティモシーに頭を撫でられたときも、その手を払いのけたいという衝動を抑え込むことができた。

「よくできました」とティモシーは言って、小さく笑みを浮かべた。ちょうどそのとき、マディソンが姿を見せた。「あら、ふたりで遊んでたの？」とマディソンは言った。

「まあ、そんなとこ」とわたしは言った。

「ブルースを選んだの？」とマディソンが言った。

「うん。この子がいちばん」とわたしは答えた。

「今日のいちばんだよ」とティモシーが鋭く指摘して曖昧さを排除した。

「パパのお帰りよ」なんの前置きもなく、マディソンは言った。ティモシーが震えだしたのは、嬉しさのあまり？　興奮して？　それとも怖がって？　「パパ！」と声を張りあげると、ティモシーは満面の笑みで部屋を飛び出していった。

「ジャスパーが帰ってきたわ」とマディソンが言った。

「ひぇ〜」とわたしは言った。「そっか、うん」

そして、二人三脚にならない範囲で可能な限りマディソンにくっついて歩き、ティモシーを高々と抱きあげているロバーツ上院議員の姿を眼にすることになった。上院議員は世にも幸せそうな顔をしていた。その表情に一時的に警戒心が緩んだ。その反応こそ、この瞬間を切り抜けるのに、わたしがなにより必要としてたものだった。

「パパ、お帰り！」とティモシーが言った。ちっちゃな身体から誇らしさがあふれだしているのが見ていてよくわかった。

「ああ、ただいま」と言った上院議員は、微笑みこそ浮かべてはいないけど、眉間に皺を寄せてもいなかった。

ジャスパー・ロバーツ上院議員は背が高かった。出会った相手に、この人は重要人物だという印象を与えるのにちょうどいい背の高さだった。銀色の髪のせいで（白髪交じりの灰色なんかじゃ断じてなくて、あくまでも銀色）、うんと遠くの宇宙の果てにある氷の惑星の皇帝みたいだし、眼はそれはもう鮮やかなアイスブルーだから、美しいとしか言いようがないし、ひと言で言ってしまえば、ハンサムな男の人だった。着ているものは、身体にぴったり合ったベージュのスーツに淡いブルーのネクタイに銀のロバのネクタイピン（ロバは民主党の象徴）。そんな上院議員は、少しくたびれているように見えた。重要人物でいるのはヘラクレス級の尽力を要求される非常に骨の折れる仕事だとでもいうように。外見のどの部分についても、今よりもほんのちょっとでもずれたり、ゆがんだりしていようものなら、根性の曲がった底意地の悪い人間に見えていたと思う。でも、実物のバランスは完璧だった。わたしだったら、この人の財力を考慮に入れたとしても、結婚はしなかっただろうけど、マディソンがどうして結婚する気になったのか、それはわかったような気がした。

「あなた（ハニー）」ティモシーが父親の関心をたっぷり独占したことを確認してから、マディソンが上院議員に声をかけた。「お引きあわせするわ、こちらがリリアン」

ロバーツ上院議員はティモシーを抱きかかえたままで、ティモシーのほうは父親の胸に顔を埋めていた。「ようこそ、リリアン」と上院議員は言った。

「ロバーツ上院議員」とわたしは言った。

「いやいや、ジャスパーと呼んでもらえないだろうか」と上院議員は言った。そのことばとは裏腹に、礼儀作法どおり堅苦しく呼ばれたことを歓んでいるようにも見えた。

「お目にかかれて光栄です、ジャスパー」と今度は言われたとおりの呼び方をしてみた。

「きみはわが家では伝説の人物と化しつつあってね」とロバーツ上院議員ことジャスパーは言った。抑制の利いた計算された声だった。聞く人をうっとりさせる催眠術的な響きがあって、ちょうど心地よく思える程度に南部訛りがまじっていた。フォグホーン・レグホーン（アニメ『ルーニー・テューンズ・ショウ』に登場する雄鶏のキャラクター。南部訛りでしゃべる）みたいなこてこてに泥くさい訛りでもないし、アトランタのテレビ局のニュースキャスターみたいに訛りを抑えに抑え込んだしゃべり方でもなかった。軽やかで、甘く、とても自然で、いい響きだった。聞いていて心地よかった。「マディソンはきみのことをえらく買っているんだ。尊敬してると言っても過言じゃないな」

「えっ、そうですか」どぎまぎしながら、わたしは言った。マディソンはだんなさんに、いったいなにを話したんだろう？　ひょっとして、この人、マディソンが名門女子寄宿学校から放校される、という憂き目に遭わずにすんだのは、わたしのおかげだってことまで知っているんだろうか？　もしそこまでしゃべってるんだとしたら、それはいいことなのか、それともよくないことになるのか？

「きみをここに迎えることができて、マディソンもわたしもとても嬉しく思っている」とジャスパーは言った。そのとき、ジャスパーが瞬き（まばた）をしないことに気づいた。わたしにはよくわからないけど、政治家には必須のスキルかなんかなのかもしれなかった。瞬きは弱さの表れと見なされる、とか？　結果的に、その分こっちの瞬きの頻度が増した。あまりにも頻繁に瞬きしたせいで、そのうち涙がにじんできた。

「こちらこそ、嬉しいです」わたしはたどたどしく言った。舞台の上で、ようやく次の台詞を思い出した役者みたいに。

「夕食にしようか？」ジャスパーは誰にともなく言った。魔法の呪文を唱えるように。そう、わたしにもわかってきていた。ジャスパーがそのひと言を口にしたとたん、ダイニングルームのテーブルにそれまでなかった食べ物が突如、現れるのだろう、ということが。

「そうね」とマディソンが言った。「おなかは？」

「ああ、空腹だよ」とジャスパーは言った。そのときもまだ笑みを浮かべていなかった。もしかすると、燃える双子たちのことを考えているのかもしれなかった。でなければ、わたしのことを考えている可能性もあった。この見ず知らずの女がロバーツ家のお屋敷にずかずかと入り込んでいることを考えているのかもしれなかった。もしくは、ただ単に大統領になるために踏むべき数多のステップについて考えているだけなのかもしれない。要するに、なにが言いたいかというと、わたしにはジャスパー・ロバーツの考えていることがわからず、そのせいで緊張していた、ということだ。

「リリアン、あなたは？　おなかすいてる？」とマディソンに訊かれて、ここでわたしがすいてない、と答えたらどうなるだろうか、と考えた。普段は午前零時をまわって一時とか二時とかぐらいまで夕食を食べないこともあった。今の時刻は午後六時。わたしが、おなかはまだすいてない、と言ったら、みんなぞろぞろと自分の部屋に引きあげて、わたしのおなかがすくまで待ったりするわけ？　でも、まあ、確かめてみるほどのことではなかった。正直に言って、めちゃくちゃおなかがすいていたから。

「うん、すいてる。あたしも」というわたしの答えを機に、みんな揃ってダイニングルームに移動した。この一家の生活のリズムに、こうもすんなりと溶け込んでしまっているとは……われながらびっくりだった。すっかり身になじんでなんの違和感もないとまでは言えないけど、その場になじむために全エネルギーを投入して必死こいて頑張っている、という感じでもなかった。で、ふと考えさせられた。豊かさというものは、これはまあ、直接経験するまえから薄々わかっていなくもなかったことではあるけど、ほとんどの物事を〝当たり前〟にしてしまうものなのかもしれなかった。

ということは、双子の太陽のように地平線の彼方からやってくる、例のふたりの子供たちも、ここでは毒気を抜かれ、浄化されて、なんの問題も起こさないかもしれない……なんてことも思った。そのときはうっかり失念してたが、あとになってから、件の双子ちゃんたちは、以前はほかならぬこのお屋敷で暮らし、ここをわが家と呼び、挙句の果てにここから追い出されたのだ、ということを思い出した。それがどんな影響を及ぼすことになるのか、わたしには知りようがなかった。そのときのわたしには、そこまで考えが及んでいなかった、ということだ。

メアリーが用意した夕食を食べ終えてから――ちなみに夕食は、極細パスタのオリーヴオイルあえを添えたレモンチキン、晶洞石（なかが空洞になった球状の石で、内側は水晶などの鉱物で覆われている）の見本みたいにぱっくりと割れたパン、よく冷えたワイン。デザートにはアルコールで風味をつけたスポンジケーキ的なものが登場した――みんなして庭に出た。陽は傾きはじめたばかりで、絵に描いたような完璧な夕暮れ時だった。マディソンがわたしに見せたいものがあると言うので、みんなで芝生を突っ切った。踏みしめるたびに、足の下で芝生が、もののたとえとかじゃなくて本当に、きゅっきゅっと鳴った。芝生を越えた先に、バスケットボールのコートがあった。黒光りするアスファルトに、まばゆいばかりに白い線が、規格どおりに引いてあった。マディソンが電源のスウィッチを入れると、パチパチッという音とともに明かりがつき、コートを照らしだした。

「うわあ」とわたしは声をあげた。頭が現実についていけてなかった。

「もともとは平凡なテニスコートだったんだけど」とマディソンは言った。「それじゃつまらないから作り変えてもらったの」

「すごいね」とわたしは言った。本音を言えば、お屋敷そのものよりもこっちのほうに圧倒されていた。

「バスケットボールって、それほどお上品な趣味ってわけじゃないでしょ?」マディソンは顔をしかめながら言った。「やりたがる人がひとりもいないのよね」

「いるよ、ここに」とわたしは言った。「あたしはやりたい」

ジャスパーは、まるでこれが前もって計画されていたことだったみたいに、ティモシーの手を引いて、コートの脇に設置されているささやかな観覧席に向かった。マディソンは防水仕様の収納箱まで歩いていって、なかからボールを、見た限りではこれまでにただの一度も地面に触れたことがなさそうなボールを取り出し、それをわたしにパスしてよこした。わたしはキャッチしたボールをドリブルして、地面と掌のあいだを三往復させてから、緩いジャンプシュートを放った。ボールはリングのどまんなかに落ちて(神さま、ありがとう!)ネットを通過した。シュートが鮮やかに決まったときにネットが奏でる、あのぞくぞくするほどすてきな音を立てて。あのとき、あの場面でシュートをはずしていたら、わたしはきっとその場で泣いちゃってたと思う。

マディソンはボールがコートに落ちるまえにキャッチすると、架空の相手ディフェンスをかわしてボールを頭上に掲げ、左に回転して、基本に忠実なフックシュートを放った。ボールはバックボードに当たってリングに入った。

「しょっちゅうやってんの？」とわたしは訊いた。このコートが好きに使えるとしたら、わたしならリングの上で寝ているにちがいなかった。

「それほどでもない。もっとやりたいんだけど。ほら、だってフリースローばっかりやっててもおもしろくないじゃない？　試合が恋しい」

「従業員さんたちと一緒にやるわけにはいかないの？」と訊いてみた。そもそも庭師なんて雇う必要ある？　と胸のうちでつぶやいた。どうせ雇うなら、いっそのこと〈ワシントン・ジェネラルズ〉（アメリカのバスケットボールのエキシビジョン・チーム〈ハーレム・グローブトロッターズ〉の対戦相手。引き立て役のチーム）を雇ってゲストハウスに住んでもらえばいいのに。

「うちの従業員たちじゃ、わたしの相手にはならないもの」とマディソンは言った。うぬぼれているわけではなかった。おそらく実際に相手にならないと思う。アイアン・マウンテンはマディソンが十一年生だった年と、翌年の十二年生だった年に州大会で優勝していたし、その両年度ともマディソンは州の代表選手に選ばれてもいた。ヴァンダービルト大学に進学してからも、バスケットボールは続けていた。先発メンバーにこそ入っていなかったけど、ＳＥＣ（アメリカ南東部地区の大学バスケットボール連盟）トーナメントで優勝実績のあるチームで、ベンチ入りを果たしたわけだから、それはもうめちゃくちゃ実力があったということだ。

そして、わたしがここに来たことをマディソンが歓んでいるのもわかった。わたしも十二年生のときに州の代表選手に選ばれてはいた。といっても、それはチームがとことん弱小で、試合中はなにもかもわたしがひとりでやらなくちゃならなくて、それで否が応でもスタッツが積みあがり、気がついてみたらとんでもない好成績になっていたからなんだけど。わがチームは地区大会すら突破できなかった。わたしの通っていたハイスクールとアイアン・マウンテンが別々の組だったことを歓ぶべきか残念がるべきか、わたしは長らく決めかねていた。それはマディソン相手にドライブ（ドリブルでディフェンスを抜いてゴールに向かうこと）をしかけたら、向こうはどんな手でそれを止めようとしてくるか、知る機会がなかった、ということだから。

それでも、その晩わたしたちは、一対一の試合はしなかった。ふたりともただ漫然とシュートを打ち、ボールがアスファルトを叩く音にうっとりして過ごした。じきに筋肉がほぐれて、動きやすくなってきたのが自分でもわかった。いつの間にか自分のリズムを取り戻していた。そうなるともう、ミスなどしようがなくなった。マディソンはうしろにさがってスリーポイントシュートを立てつづけに何本も決めた。子供のころは、自分が女の子で、女の子にはダンクシュートなんてできないってことに猛烈に腹を立てていたけど、そんなのは目じゃない、ということが実感できた。いい位置を見つけ、すかさず移動し、機を逃さず奪い取る。そのほうがはるかによかった。要所要所でリングがプレイに参加し、コートのアシストも貰いながら、わたしたちは四十五分ばかりシュートを打ちつづけた。陽が沈もうとしていた。まわりでホタルの光が瞬きはじめたのに気づいて、ティモシーが歓声をあげた。わたしがドライブをかけてレイアップシュートを決めたのを最後に、マディソンはボールを片づけた。ティモシーは手をまえに伸ばし、ぎこちない動きで、ホタルをつかまえようとしていた。ジャスパーが空をつかむような仕種で一匹つかまえ、そっと握った拳を開いた。

みんながジャスパーのまわりに集まって見つめるなか、ホタルは息でも弾ませているみたいに、一回、二回と身体の内側から光を放ち、次の瞬間ジャスパーの掌から飛び立っていった。

「お風呂の時間よ」少ししてマディソンが言った。一瞬、わたしが言われたのかと思ったけど、見ると、ティモシーがこくんとうなずいて母屋に向かってとことこ歩きだしていた。マディソンが息子の手を取って一緒に歩きだしたとき、ジャスパーがわたしの右肘をそっとつかんだ。わたしはその場で固まった。

「きみにはたいへん感謝しているんだ、われわれのために尽力してくれて」とジャスパーが言った。

「そんな大したことしてませんから」とわたしは言った。なにをどう尽力しているのか、自分でもまださっぱりわかっていなかった。どれほどたいへんなことを引き受けてしまったのか、わたし自身がきちんと把握できるまで、感謝などしてもらいたくなかった。

「あの子たちは……」と言いかけて、ジャスパーはそこで、言おうとしていたことを手放したように見えた。「わたしはこれまで、善良な人間であろうとわたしなりに努力してきた」短い間を挟んで、ジャスパーが言った。言いたかったことを伝える別の言い方を見つけたのだ。「しかし、常に成功してきたとは言えなくてね。マディソンはそんなわたしを支え、真実に至る道を探すのを手伝ってくれる。幸運だと思っているよ、マディソンとめぐりあえて」

「そうですか」とわたしは言った。

「わたしは自分の子供たちのことで、ローランドとベッシーのことで、まちがいばかりしてきた。あの子たちがわたしから引き離されることになったとき、それを止めようとしなかった。ふたりを見失ってしまったんだ。それは、とりもなおさず、わたしの落ち度だ。あの子たちがジェーンと暮らしていたあいだに辛い経験をしていたのだとしたら、それもまた、わたしの落ち度だ。だが、そうして犯した過ちを、わたしは今からでもなんとか正そうとしている。そこのところをきみにも理解してもらえたら、と願っているんだ」

口にするひと言ひと言に、ジャスパーは小さく傷ついてるように思えた。どうすればその痛みをやわらげられるのか、わたしにはわからなかった。本音を言えば、痛みがやわらぐことなんて望んでもいなかった。

「無理なお願いをしているということは、百も承知だ」とジャスパーは言った。「きみが引き受ける気になってくれたのは、マディソンを案じてのことだというのも承知している。そのうえで、きみがうちに来てくれたことがわたしにとってどれほど大きな助けとなっているか、それをきみに知っておいてほしくてね」

この人はわたしを口説こうとしているわけじゃない、ということは理解できた。恋愛対象として興味を持たれているわけではない、とわかって、すうっと気持ちが落ち着いた。「マディソンから聞きました、いつか大統領になるかもしれないって」とわたしは言った。

ジャスパーは、なんとも言いようのない顔をした。マディソンには年がら年じゅう笑わせられているんだ、とでもいうような。「そうだな、まあ」とジャスパーは言った。「確かに、そういう可能性もないわけではない」

「ジャスパー・ロバーツ大統領」と声に出して言ってみた。

「まあ、それはないよ、少なくとも今すぐには。当面はほかに考えなくてはならない重要な事柄がいくつもあるわけだしね」とジャスパーは言った。

そして、そのままお屋敷に向かって歩きだした。わたしは二十ヤードほど距離が空くのを待って、あとに続いた。うしろから見ると、ジャスパーの背中がいくらか丸くなっているのがわかった。その姿は、自分の人生が、そのほんの一部とはいえ、それまでの道筋からどうしてはずれてしまったのかわからず、途方に暮れてるようにも見えた。わたしも同じ気持ちだった。

3

十五人乗りの白いヴァンで、わたしたちはハイウェイをかっ飛ばしていた。ヴァンは後部座席の二列分を取りはずして、エアマットレスを敷き込んであった。少しでも〝乗ってみてもいっかな〜〟な気分になってもらうため、チャーリー・ブラウンの柄のベッドシーツを拡げ、そこに動物のぬいぐるみ――具体的には、テネシー大学のスポーツチームのマスコット犬、ブルーティック・クーンハウンドのスモーキーの、まったく同じぬいぐるみをふたつ。その時点で車に乗っているのは、カールとわたしのふたり。この世界史上最も不幸な二人組は、例の双子ちゃんたち、ベッシーとローランドを遠路はるばる迎えに行くところだった。

　自分でも理由はわからないんだけど、わたしはどういうわけか、ジャスパーの子供たちはある日いきなりお屋敷に現れるんだろうと思っていた気がする。イメージとしては、華奢(きゃしゃ)な身体が壊れないよう、緩衝材をたっぷり入れて、巨大な木箱に詰められて届く、みたいな。で、わたしはそのふたりをただ抱き寄せてゲストハウスを改装した真新しい家に連れていって、おもちゃのおうちにお人形を並べるように、なかに入れてしまえばそれでオーケー、のように思っていた気がする。ところが、そうは問屋が卸さなかった。カールとふたりで車で迎えに行かなくてはならなかったのだ。往復六時間かけて。しかも、カールの口ぶりでは、どうやらわたしたちは、ふたりを縛りあげ、泣こうがわめこうが委細構わず、爆破されたビルの瓦礫の狭い隙間から引っ張り出す、という誘拐まがいのことをしないとならないようだった。「例の子供たちは変化というものに慣れていない」とカールは言った。「母親の死を受け止めようとしてはいるようだが、祖父母から得た情報を総合したところ、ふたりは……かなり動揺している」

「ふーん、だったら警察に介入してもらうべきじゃないの」と言ってみた。苦労が予想できる仕事は極力避けて通ろうとする生き方は、われながら最低だとは思ったが、でもね、はっきり言って仕事で苦労するなんてごめんだった。羽毛マットレスにゆったりのんびり寝転がってカモミールティーでも飲んでいたいじゃないの。少なくとも、正体不明の野生児を捕獲しにいく気分ではなかった。

「警察は介入させない」とカールは言った。「むしろ、われわれが最も避けたいと考えている事態だ。この任務に必要なのは、外部の眼を徹底的に遮断すること。最高度のプライバシーだ。警察はもちろん、社会福祉関連の諸機関にも病院にも介入させない。あんたとおれのふたりだけで実行する。それで事足りる程度のたやすい任務だ」

「マディソンはなんて言ってた?」といちおう訊いてみた。時間稼ぎにしかならないことは承知のうえで。

「あんたな、なんのために給料を貰ってるんだ?」業を煮やした口調でカールは言った。「上院議員の双子の子供たちの世話をする、あんたはそのためにここにいるんだろ? だったら、子供たちを迎えに行くのに同行するのは当然の任務のうちだ。ここに連れて帰ってきたあとは、ふたりが安全かつ幸せに過ごすために、あんたが必要だと思うことをなんでもすればいい」

「なにを着てけばいい?」とわたしは言った。まだ寝間着のまま、コーヒーを飲み、『ニューヨーク・タイムズ』紙を読みながら、メアリーが目玉焼きをこしらえてくれるのを待っていたのだ。時刻はもう午前十時を三十分も過ぎていた。翌日の早朝に出発するほうが合理的ではないだろうか？

「いつもの恰好で充分だ」とカールは言った。いつの間にかわたしに対する苛立ちを隠そうともしなくなっていた。ありがたいことだった。こっちも相手への苛立ちを隠す必要がなくなるもの。

「はいはい。まあ、ちょっと落ち着いてよ」とわたしは言った。「目玉焼きを食べてから出発すればいいじゃん」

「車にグラノーラバーと魔法瓶に入れたコーヒーがある。ぐずぐずしている暇はない。行くぞ。こんな時刻まで朝寝坊させてやったんだからな」とカールは言った。

「けど、メアリーはもう作りはじめちゃってるんだよ」とわたしは言った。「食べなきゃもったいないでしょうが」

カールは軽食用のコーナーの滑らかな革張りのベンチにするりと滑り込み、わたしのすぐ隣のスペースまで移動してくると、身を乗り出してきて囁いた。「あんたが目玉焼きを食わなかったからって、メアリーが気を悪くすると思うか？ それしきのことで傷ついたりすると思うか？」

「あのね、近づきすぎ」とわたしはカールに警告した。そのひと言でカールは、わたしの眼から見た自分がいかに威圧感たっぷりかに見えるかに、ふと気づいたようだった。わたしがおちょくるもんだから、つい必要以上に権威をふりかざしていたことにも。で、はっと全身を硬直させたかと思うと、なんともきまり悪そうな表情になってベンチの端まで移動し、立ちあがった。

「ヴァンで待ってる」とカールは言った。「十分以内に来い」

「お互いの時計を合わせとく？」と言ってみたけど、たぶんカールには聞こえていなかっただろう。

そのときにはもう廊下に出ていたから。わたしも立ちあがって、キッチンのカウンターに向かった。そしてメアリーが黙ってわたしのまえに置いてくれた目玉焼きを、あっという間に、まるでお皿に目玉焼きなんて載っていなかったんじゃないかと錯覚するほどのスピードで、ぺろりとたいらげた。

「ありがと、メアリー」と言うと、メアリーは短くうなずいた。

「道中、お気をつけて」とメアリーに声をかけられた。いつもの単調なしゃべり方に、ほんの少しだけ抑揚のついた、歌うようなしゃべり方だった。わたしはいつの間にかメアリーの、その徹底した食えない女っぷりの大ファンになっていた。向こう一年間ぐらい間近でじっくり観察したいところだった。

そんなこんながあって、カールとわたしは、ジェーンの両親が例の双子たちを人目につかないよう匿(かくま)っている別荘にあと少しのところまで来ていた。カールの語ったところによれば、ジェーンの実家であるカニンガム家は先祖代々、テネシー東部の政界を牛耳(ぎゅうじ)り、権勢をほしいままにしてきた一族だったが、ジェーンがジャスパーと結婚して間もなく、ジェーンの父親であるリチャード・カニンガムがとんでもなく複雑な出資金詐欺(ポンジ・スキーム)に関与したことで、法廷闘争に持ち込まれ、その結果、一族の資産をほぼ丸ごと失うことになったらしい。ジャスパーが保釈金を工面したので当人は投獄を免れたものの、カニンガム家は破産した。リチャード・カニンガムは懲(こ)りない男で、藍藻(ブルーグリーンアルジー)なるものの訪問販売をするようになった。ブルーグリーンアルジーなんて、その名前自体がマルチ商法のグループっぽく聞こえるけど、なんでもスーパーフードの一種らしい。でもって、グレートスモーキー山脈のほど近くにある別荘だけはなんとか死守し、今ではその別荘で問題の子供たちの世話をしている、ということだった。そうは言っても、カールが口にすることばの端々から、カニンガム夫妻はほとんどなにもしないでただのんべんだらりと過ごし、子供たちを何時間もプールで遊ばせておいて、たまに屋内に入るよう声をかけてはフィッシュ・スティック（白身魚をフライにした冷凍食品）を食べさせているだけだということがわかった。カニンガム夫妻は、子供たちを預かることで、ジャスパーから少なからぬ額の口止め料をせしめるつもりなのだろう、とわたしは思った。ベッシーとローランドというふたりをめぐって、一大産業が育ちつつある、ということだった。

カールは、なんの標識も出ていない田舎道にヴァンを進めた。わたしはなんだか落ち着かなくなってきた。「あのさ、カール、軍隊にいたことあるんじゃない？」と訊いてみた。

カールがこちらに顔を向けた。サングラスに映ったわたしが、じっと見つめ返してきた。前方に十字路が見えると、カールはその手前でいったん停止し、車なんて一台も見えやしないのに律儀に五秒間待ってから、また車を出した。わたしは改めてカールのことを眺めた。年齢はだいたい四十代の後半といったところだろう。贅肉とは無縁の引き締まった身体つきだけど、ご面相のほうはハンサムとは言えなかった。鼻が大きすぎるし、髪も薄くなりかけている。身長だって高くはない。だけど、ある種の一途さみたいなものが感じられて、それで欠点が全部チャラになっていた。自分の醜さを受け入れているようなところは美点と言えるかもしれなかった。「いや、軍人あがりじゃない」しばらくしてようやくカールが言った。

「だったら警官だったとか？」とわたしは訊いた。

「いや」

「なら、ジャスパー・ロバーツのところで働くようになるまえはなにをしてたの？」と重ねて尋ねた。この男のことを少しでも理解するまでは、あきらめるつもりはなかった。

「まあ、いろいろだな」とカールは言った。「新聞社で下っ端記者をやったあと、保険のセールスをした。それから私立探偵の資格を取った。仕事もできたし、口も堅かったから、そのうち政治の世界から声がかかるようになった。それで、何度かロバーツ上院議員から頼まれた仕事を引き受けた。上院議員が興味を持った人物の身上調査だ。その仕事ぶりが気に入られたんだろう。その後、フルタイムで雇われることになった」

「今の仕事は気に入ってる?」とわたしは訊いた。

「養育費を踏み倒してる、ろくでなしの父親どもを追いかけてるよりはましだね」とカールは言った。「おれは荒れた環境で恵まれない育ち方をした。ときどき、そこからずいぶん遠くまで来た気がしてね。ということは、まあ、おれの選択もまんざらまちがっちゃいなかったってことだろうな」

「あたしも恵まれない育ち方をしたんだ」とわたしは言った。カールに対して急に優しい気持ちが湧いてきたのは、カールがわたしなんかを相手に身の上話的なことを口にした事実に気持ちを揺さぶられたからだった。わたしたちはまるで似ていない、それはわかっていた。カールは四角四面でがっちり抑制されていて、へまをしでかすことを極度に恐れるタイプだった。わたしのことを、いつ起きてもおかしくない大災害と見なし、常に対処を要求されることになる問題だと考えていることも、まちがいなかった。それでも、そのとき、ほんの一瞬ではあったけど、カールのことが理解できた。カールは彼の今の仕事に向いていた。ろくでもない仕事ではあるかもしれないけれど。カールは問題を解決する人だった。頼りになる人だ、ということだった。

「ああ、あんたのことはなにもかも把握している」とカールは言った。そうしてびしっとアイロンのかかったスーツに力のこもった顎（あご）のライン、といういつものカールに戻っていた。なるほど、はいはい、そうですか、とわたしは声に出さずにつぶやいた。要するに親友にはなれないってことだね。まあ、別にいいけど、わたしは。「いったいどこにあるんだ、その別荘ってのは?」カールはぶつくさ言いながら周囲を見まわし、すばやくステアリングを切ってヴァンをUターンさせた。

しばらくしてヴァンは、山小屋風の建物のまえで停まった。ありとあらゆる種類の風変わりな窓がごてごてついた、三角形の建物で、玄関のドアが思い切り開けっ放しになっていた。「ったく、なんてざまだ」カールはそう言うと、サングラスをはずして鼻梁をぎゅっとつまんだ。

「あたしはこのままヴァンで待ってようか?」と言ってみた。〝あたしはこのままヴァンで待たせて、お願いだから〟と言っているように聞こえた。カールはヴァンを降り、後部席のスライドドアを開けてクーラーボックスを取り出した。なかには〈クールエイド〉(水で溶かして飲む粉末ジュース)と思しき液体の入ったペットボトルやら〈ハーシー〉のチョコレートバーやらが詰め込んであった。これにはいささか腹が立った。ここまでの移動中、わたしが口にしたのは、ぱさぱさで味気ないグラノーラバーと薄っすいコーヒーだけだったというのに、ここにこれほど大量の糖分が隠匿されていたとは。

「このジュースは鎮静剤入りだ」とカールは言った。「帰りの道中、せめてどっちかひとりだけにでもこいつを飲ませることができれば、少しは仕事が楽になるはずだ」

「子供たちに一服盛るってこと?」とわたしは言った。

「そういう議論は持ち出さないでくれ」とカールは言った。「落ち着かせるだけだ。ごく少量の鎮静剤で。ふたりとも不安定な精神状態にあるんだから」

「だったら、どうしてジャスパーが迎えにこないの? 父親でしょ? そのほうがふたりだって落ち着くんじゃないの?」

「それはどうだろうな」とカールは言った。つい本音をもらしてしまったのかもしれない。「それにロバーツ上院議員は目下、議会の仕事でワシントンD.C.に出張中だ。これはおれたちの仕事だ、あんたとおれの」

「だとしても、子供に一服盛るのはいやだからね」とわたしは言った。「〝ズル〟することでしょ、そんなの」

「勝手に言ってろ」とカールは言った。「ほら、行くぞ」

わたしたちは山小屋風の建物に入った。屋内（なか）は薄暗くて、明かりはひとつもついていなかったが、裏庭で人が動いているのが見えた。手前に置いてあるソファは花柄の張り地にビニールカヴァーをかぶせた悪趣味の塊みたいな代物だった。その半分が黒く焼け焦げ、その上の天井は煤（すす）で汚れていた。カールが裏庭に面したガラスのスライドドアを開けた。カニンガム氏（以外に考えられない人物）が、小さすぎる水着にビーチサンダルという恰好で、今にもすっ倒れそうなほど傾いた炭焼きグリルのまえに陣取り、ステーキを焼いているのが見えた。夫人のほうは、ローンチェアでぐっすり眠り込んでいた。

「カール君か！」こちらに気づいて、カニンガム氏が言った。年齢は七十代としか聞いていなかったが、白髪交じりの縮れ毛の、なんだかかつらみたいな髪をしていた。肌は陽に灼け、身体のあちこちでたるんだ贅肉が垂れさがり、ところによってはひだになって折り重なっているもんだから、身体全体が溶けかけているように見えた。顎の先っぽが大きくくぼんだ、割れ顎の持ち主だった。

「そこでなにをなさっているんです、カニンガムさん？」とカールが言った。とびきり愛想のいい口調で。

「人生を謳歌してるのさ」とカニンガム氏は言った。「ステーキを焼いてるんだよ」

「うまそうですね」とカールが合いの手を入れた。

「なんと言うか、まあ、人はブルーグリーンアルジーだけじゃ生きられんだろう、カール君」とカニンガム氏が話を引き取った。「しかし、考えようによってはステーキも一種のスーパーフードだと思うね」

「子供たちはプールに?」とカールは尋ねた。

「ああ、今日も朝からずっとな」とカニンガム氏は言った。「水が好きなんだな。ジェーンは泳げなかったろ。だが、子供らにはちゃんと泳ぎを教えた。自分にないものを子供らに与える、そういう母親だったよ、あの子は」

「余人をもって代えがたい方でした」とカールが合いの手を入れた。

「ジャスパーの唐変木めのせいで、あんなふうに人生がややこしいことにならなけりゃ……」カニンガム氏はそこで口をつぐみ、炭焼きグリルの上でジュージュー、パチパチ音を立てているステーキに視線を落とした。焼き網に載っているステーキは一枚だけだった。

「今後はロバーツ上院議員がお子さんたちの面倒を見ることになります」カールのしっかりした口調には相手を安心させる響きがあったが、カニンガム氏に聞く気はないようだった。

「小切手を預かってきてないか?」というのが、カニンガム氏が次に口にした質問だった。

カールは銀行小切手を渡し、カニンガム夫人のほうに眼をやった。「奥さまはお子さんたちにお別れをおっしゃりたいと思われるでしょうか?」とカールは尋ねた。

「寝かせておいてやってくれ」とカニンガム氏は言った。

「お子さんたちの荷物はまとめてありますか？」

「自分たちでやれと言ってある」とカニンガム氏は言った。「まあ、やっとらんだろう。聞きわけのない子供らだからな」

カールは心底うんざりしている様子だったが、黙ってうなずくことで返事に代えた。そして、わたしに向かって言った。「ということなんで、おれは子供たちの荷物をまとめてくる。あんたはここでカニンガムさんと待っててくれ。おれが戻ってきたら、子供たちを車に乗せてロバーツ邸に直帰する」

「あたし的には先に子供たちに会っときたいんだけど」と言ってみた。

「まったく、あんたって人は。子供たちにはあとで会える。いい歳こいた大人なんだから、ちょっとぐらい待てるだろうが」カールはそう言い残してその場をあとにした。

カニンガム氏は、その場にわたしがいることすら気づいていないようだった。わたしのことをいったい何者だと思っていたのか、いまだに謎だ。「ブルーグリーンアルジーってなにに効くんですか？」と訊いてみた。

カニンガム氏はこちらに眼を向けようともしなかったけど、こんな答えが返ってきた――「なんにでも効くよ、お嬢さん」

それから数分間、どちらもなにも言わなかった。夫人はいびきをかいていた。わたしは思い切って言った。「ちょっと失礼して子供たちに挨拶してきますね」カール抜きで子供たちに会う必要があった。わたしがクスリの売人とかじゃないとわかってもらうためにも。ついでに、わたしの〝異端児っぷり〟を見せつけて、子供たちの心をぐぐぐっと惹きつけるためにも。

「お好きにどうぞ」とカニンガム氏は言った。

プールの際まで歩いていくあいだに、いつの間にか水を撥ねちらす音が止まっていることに気づいた。見ると、プールの浅いほうの側に、水泳用のゴーグルをかけているせいでほとんど顔のわからない子供がふたり、突っ立っていた。ふたりのまわりにさざ波が立っていた。ふたりともじっとこっちを見つめているように思えたが、ゴーグルのせいではっきりとはわからなかった。正直に言ってしまうと、若干不気味だった。わたしとしては、ここはひとつメアリー・ポピンズ的態度でいってみようと企んでいたのに、ゴーグルのせいで出端をくじかれてしまったのだ。

「おふたりさん、どうもね」とりあえず、飾らないカッコよさ、というやつを打ち出し、以前からの知りあいっぽく言ってみた。それで好奇心をそそられるはずだ、と踏んだのだ。「ベッシーとローランド、だよね？」

ふたりは水のなかに身を沈めた。見ているほうが胸苦しくなってくるほど、ゆっくりとした動きで。そのまま向こうに泳いでいきはしなかったけど、その場にしゃがみ込んだままじっと息を止めていた。そのあいだ、わたしは両腕を身体の横にだらんと垂らしたまま、ただ突っ立っているしかなかった。メアリー・ポピンズの気分には、とてもじゃないけど、なれなかった。あんないけずうずうしいくそ女になるには、小道具が必要だった。たとえば、ほら、あのひと振りすると音楽が流れだす傘とか。カウントしていたわけではないが、ふたりは丸々一分間近く、少なくともわたしにはそのぐらいに思えるほど、水中に潜ったままだった。それからふたり揃って、また立ちあがった。これだけ待てばもう、わたしもどこかに行ってしまっただろうと思ったのかもしれない。

「ベッシーとローランド、でしょ？」聞こえなかっただけかもしれない、というふうにもう一度訊いてみた。

「あんた、誰?」とベッシーが訊き返してきた。

「その水泳用のゴーグル、はずしてくれないかな」とふたりに頼んだ。「顔が見たいから」

「かわいくないよ、あたしたち」とベッシーが言った。

「そんなことないと思うよ」とわたしは言った。内心、じつはそのとおりかもしれないと思わなくもなかったけど。

「ふたりとも眼が真っ赤なの、塩素のせいで」とベッシーが言った。「じいじがプールの消毒剤をただぶち込むんだもん。分量をはかったりとか全然しないで」

「こっちに出てこない?」と誘ってみた。わたしの計算では、カールがふたりの荷物を抱えて戻ってきてすべてをぶち壊しにするまでの残り時間は、あとほんの数分といったところだった。子供のころ、野良猫を手懐けたことなら何度もあった。手懐けるといっても、大したことをしたわけじゃない。残飯を与えて、そっと撫でてやるだけだ。肝心なのは向こうから近づいてこさせることだった。子供も猫も大差ないだろう、という発想だった。

「プールからは出ない」とベッシーは言った。身に着けているのは、黒いTシャツに水泳パンツ。地味くさい髪型をしていた。マッシュルームカットと言ってもいいかもしれない。マッシュルームの縁がところどころ欠けているんだと思えば。陽に灼けてはいるけれど、痛々しい灼け方ではなかった。弟のほうは姉のうしろで中腰になっていた。わたしから隠れようとしているのだ。ベッシーをこちらに引き入れることができれば、もれなくローランドもくっついてきそうだった。

「プールなら向こうにもあるよ」と言ってみた。「これより大きいのが」

「滑り台もついてる？」ベッシーが急に興味を示して訊いてきた。

「ふたつついてる」わたしは嘘をついた。

「足ひれもある？」と尋ねるベッシーを、ローランドが肘で小突いた。「じいじが足ひれはだめだって」

「足ひれも買ってあげる」とわたしは言った。

「あたしたちに来てほしいってこと？」とベッシーが言った。

「うん。とりあえず見に来てみない？　いいとこだから。きっと気に入ると思うな。あたしは気に入ってる」その時点で、わたしはプールの際に膝をついていた。指先を水に浸してみた。かなり温かい気がした。

「それじゃ、あんたがあたしたちの世話をするの？」とベッシーが言った。質問するたびに、ベッシーは少しずつこちらに近づいてきていて、ローランドはその場に取り残されていた。

「それでよければね」とわたしは言った。

「いいかもしれない」とベッシーは言った。興奮しているのを悟られないよう、抑えめの口調で。

「プールに滑り台がふたつあるんだよね？」

「あるよ、ふたつ」と言って、わたしはにっこりしてみせた。ベッシーは水泳用のゴーグルをはずした。ローランドも姉にならった。ふたりとも、ものすごくきれいなグリーンの眼をしていた。エメラルドみたいにきらきらしていた。陽射しのなかでもはっきりとわかるぐらい。ゴーグルがなくなったので、ふたりの顔立ちがよくわかるようになった。意外だったのは、ふたりとも頬がふっくらしていたことだ。燃える子供たちなら痩せこけてひょろひょろしているだろうと思っていたのに、なんせ燃焼するんだから体重だって落ちているはずだと思っていたのに、ふたりともまだ赤ちゃん時代のぽちゃぽちゃ感を残していた。ふたりとも、まぎれもなく子供だった。充分に世話をしてもらえていなくて、いくらか不安定で、どことなく風変わりではあったけれど。そのとき、ベッシーが水をかきながら、プールの縁に、つまりわたしのほうに、近づいてきた。

「あたしたちのこと、どこに連れてくの？」とベッシーは言った。

「すごーくすてきなとこ」とわたしは答えた。

「パパもいる？」

「ときどきはね」とわたしは言った。こんなこと言っちゃっていいんだろうか、と思いながら。

「手伝って」ベッシーはそう言うと、抱っこをせがむ赤ん坊のようにこちらに向かって両手を伸ばしてきた。抱きあげようとして身を乗り出したところで、ベッシーが少しだけ身体の向きを変えた。次の瞬間、ベッシーの全身が電気を帯び、獰猛（どうもう）さが漲（みなぎ）るのがわかった。気がついたときには、右手首をつかまれ、右手を丸ごと押し込まんばかりの勢いで口にもっていかれ、思い切り歯を立てられていた。わたしは悲鳴をあげた。自分のあげた悲鳴が聞こえなくなるほど力いっぱい叫んだ。痛いといったらなかった。時間が止まってしまうほどの痛み、というやつだった。右手をよじったり指を激しくうごめかしたりしながら、ベッシーに眼をやった。もがきにもがいているわたしの右手に、まだくらいついていた。その顔がなんだか笑みを浮かべているように見えた。

　と思ったときには、プールに落ちていた。ベッシーはわたしの頭を押さえつけ、水に沈め、髪を引っ張り、猛烈な勢いで顔に爪を立てようとしてきた。子供時代の野良猫相手の経験など、このきわめて獰猛で頭のネジが何本か吹っ飛んでいると思われる野生児には、なんの役にも立たないのだと思い知った。水から顔を出したとき、ベッシーが叫ぶのが聞こえた。「逃げて、ローランド!」ローランドが大砲から発射された弾のような勢いでプールから飛び出すのが見えた。裏庭の奥のフェンスに向かって走っていくところまではわかったが、そこでまた水に沈められた。ベッシーの爪が右の眼尻に食い込み、頰の皮膚が裂けた。わたしは相手の身体をつかもうとした。何週間もプールで過ごしてつるつるになっているうえに、手がつけられない激しさで暴れまわる身体の、どこでもいいからどこかを、つかもうとした。そこでまた嚙みつき攻撃をくらった。指の関節の骨に歯が当たる音が聞こえたような気がした。どうにかこうにかもう一度水から顔を出した。傷口から流れた血が、塩素に混じって水中で円を描いているのが見えた。

「なにしてんの、ローランド、早く逃げて」とベッシーが叫び、続いてカールの怒鳴り声が聞こえた。「なんだ、これは? どういうことだ?」大量に水を飲みはしたが、わたしはついにベッシーの腰に両腕をまわすことに成功した。うしろから抱えられても、ベッシーは両脚をまえにあげ、盛大にばたつかせて、水を撥ねあげ、暴れまくった。おまけにしっかりと組みあわせたわたしの指に爪まで立ててきた。わたしとしてはもちろん手を緩めるつもりはなかった。

「ベッシー、いい加減にしてよ。こっちは仲よくしようとしてるんだから」とわたしは言った。われながら、情けないぐらい下手に出た、意気地のかけらもない、とことん腰抜けな発言に聞こえた。自分で自分がいやになった。

そのとき不意に、ベッシーの身体がとても熱くなっていることに気づいた。水のなかにいるというのに、体温がぐんぐんあがり、肌も真っ赤を通り越して紫色に近くなっていた。身体じゅうから大量の蒸気があがっていた。わたしはパニックになった……んだと思う。ベッシーを水中に沈め、そのまま十五まで数え、三十まで数えた。ベッシーの肌から熱が引いていくのを感じながら、殺してしまっていませんように、と祈った。ベッシーを水から引きあげ、階段のところまで運んだ。本人は観念したのか、いくらか身体の力を抜いて、わたしの腕のなかでぐったりしていた。「ローランドは？」とベッシーは言った。「ちゃんと逃げられた？」

ベッシーを抱きかかえたまま、わたしはプールの階段に腰をおろした。そこでローランドの消息がわかった。フェンスを飛び越えようとしたローランドは、フェンスに水泳パンツが引っかかり、真っ白なお尻を丸出しにしてフェンスから逆さまにぶらさがっていたのだ。カールがぶつくさ言いながら、フェンスに引っかかった水泳パンツをはずそうとしていた。

「一緒になんか行かない！」とベッシーは大声で叫ぶと、その身体にひそかに隠していた残りの力をかき集めてわたしの腕を振りほどき、母屋に向かって走りだした。わたしはにゅっと手を伸ばして、ベッシーの足首をつかんだ。ベッシーは派手にすっ転び、膝小僧を擦りむいた。黒いTシャツから煙があがり、襟ぐりが焦げはじめたが、生地がたっぷり水を吸っているので燃えあがるところまではいかなかった。よく見ると、ベッシーの両腕から小さな黄色い炎が揺らめき立ち、腕に沿って行ったり来たりしていた。と思った次の瞬間、稲光が弾けたように、ベッシーの身体がいきなり炎に包まれた。赤と白と青の入り混じった花火のような炎だった。きれいだった。人が燃えるさまは、本当にきれいだった。

カールの叫び声が聞こえた。眼を向けると、ローランドも燃えていた。姉ほどの勢いではなかったが、同じように炎に包まれていた。カールはすかさずローランドをプールに蹴り込んだ。ローランドは石ころのように水に沈み、炎は消し止められた。

カニンガム氏が、バーベキュー用のばかでかいフォークを護身用の武器のように構えているのが見えた。カニンガム夫人はまだ眠っていた。

「こんなとこにいたいの?」わたしはベッシーに向かって大声を張りあげた。手が猛烈に痛かった。どのぐらい痛いかと言うと、傷を見たくないぐらい痛かった。見たくないと思うのは、視覚的に傷を確認しようものなら、自分が怒りのあまりわれを忘れるだろうとわかっていたからだ。ついでに、ほぼ見ず知らずも同然の凶暴な野生児にあやうく指を食いちぎられそうになった事態を回避するには、どうすればよかったのか、それを知ろうとしてうんざりするほど何度もタイムトラベルをくりかえすのが目に見えていたからでもある。「あんな年寄りたちと一緒にいたいわけ? たぶんあんたたちがなにを好きかもわかってないような退屈な人たちと」

「いたくない」とベッシーは言った。肌の赤みが引いてもとの状態に戻りつつあった。炎もほとんど消えかけていた。ふたりの身体が炎を保持していられるのは、どうやら比較的短時間のようだった。着ていたTシャツはぼろぼろに焼け焦げ、ほぼ灰と化していた。

「それとも、あたしと一緒にいることにする? あたしは話がわかるよ。これから先もずっとそうだよ。あたしと一緒にいたら、きっと愉しいと思うよ」相手の返事も待たずに、わたしは続けた。「ここであの人たちと一緒にいたら、あんなくそ爺やくそ婆といたら、食べるもんだってろくに食べさせてもらえないし、洗ってもらえないシーツにくるまれてダニに刺されまくって、刺された痕をぽりぽりかきむしることになるよ。そのほうがいいの? それでいいわけ?」

「やだ。そんなのいや」ベッシーは言った。息を切らしているのは、べそをかいているからではなく、腹を立てているからだった。

「だったら、あたしと一緒に来る？　あたしなら、ちゃんとあんたたちの面倒を見るよ。新しい服を買ってあげられるし、好きなものを食べたり飲んだりさせてあげられる。一緒にゲームをして、一緒に映画を観て、一緒にプールで泳いで、夜になって寝るときにはそばにいて、おやすみのキスをして、子守歌を歌って、朝になったら起こして、アニメを観せてあげられるんだよ」

「そっち」ベッシーは歯をかちかちさせながら言った。「そっちがいい」

「そう、わかった。だったら聞いて」とわたしは言った。「だったら、あたしがあんたたちのことをきちんと面倒見るつもりだって信じなきゃだめ。おかしなことだとは思うよ。腹の立つことだって出てくるかもしれない。それでも、あたしはあんたたちの世話をする。あたしはそのつもりだから」

そのときにはもう、カールがプールから引きあげたローランドをそのまま抱きかかえて、わたしたちのところまで連れてきていた。ベッシーとわたしのやりとりに、ローランドはじっと耳を傾けていた。

そして「あんたって、ぼくたちの継母？」と訊いてきた。

「まさか――まいったな。ちがうよ、あたしはあんたたちの継母じゃないよ。ただの――」

「この人は、ずっとそばにいるベビーシッターみたいなもんだ」とカールがいきなり口を挟んだ。

「ずっと？」ベッシーとローランドが同時にそう言うのを聞いたとき、わたしの立場は、ことと次第によってあっという間に悪化する可能性があることに思い至った。

「ずっとだよ」とわたしは言って、にっこりしてみせた。ベッシーの顎に、わたしに嚙みついたときの血がまだ少しだけついていた。

「あたしたち、燃えるんだよ」とベッシーが言った。

「知ってる」とわたしは言った。「かまわないよ」

「一緒に行けばいいの？」と訊かれたので、わたしはうなずいた。もうへとへとだった。

ベッシーはローランドに眼を向け、じっと見つめた。ローランドは黙って小さくうなずいて同意を示した。「一緒に行く」とふたりは同時に言った。

「荷物はまとめておいた」とカールがふたりに言った。

ローランドは肩をすくめた。そしてわたしたちに向かって「持ってかなきゃならない荷物なんて、大してないよ」と宣言した。ローランドは髪をごくごく短く刈り込んでいた。左右の耳の上あたりにそれぞれ何本か、剃り込みの線が入っていた。ふたりとも髪が焼け焦げていないことに気づいて、わたしは衝撃を受けた。どうしてそんなふうに思ったのか、理由はわからない。だけど、この悪魔の申し子たちについては、わたしの眼のまえであんなふうにぼっと燃えあがったことよりも、ふたりのその信じられないぐらいダサい髪型が、なんのダメージも受けずにそのまま残っていることこそ、まさに驚嘆すべき魔法のように思えたのだ。でも、そういうものかもしれない、とも思う。そう、大枠となるものがあまりにぶっ飛びすぎている場合、人は得てして小さな奇跡にしか眼がいかなくなるものなのだ。

4

カールが言った。

「〈クールエイド〉があるぞ」陽気で愉しげに聞こえるよう努力していることがうかがえる口調で、
子供たちはにっこりしたが、わたしは首を横に振って「〈クールエイド〉はだめ」と申し渡した。ふたりに薬物を摂取させたくなかったし、これ以上出だしでつまずきたくもなかったからだ。

ベッシーがふくれっ面になって「なんでも好きなもんを食べたり飲んだりさせてくれるって言ってたくせに」と言った。ベッシーの顔がうっすら赤らみはじめたことに気づいて、わたしはすぐさまトラウマ対策的なことをしなければ、と考えた……んだと思う。

「途中のガソリンスタンドで炭酸入りのジュースを買ってあげるから」と言うと、カールも黙ってうなずいた。彼もたぶん、わたしと同じぐらいくたびれていたのかもしれない。

「やったね」とローランドが言った。「〈サンドロップ〉でもいい？」

「いいよ」とわたしは言った。

「手、めちゃくちゃ痛そうなことになってるよ」

ローランドにそう言われて、わたしはようやく自分の手に眼をやった。忘れていられる程度の痛みだった。痛みというよりも、鼓動に合わせて右腕全体がずきんずきんと鈍く脈打っている感じだった。手首から先は歯型だらけだった。どれもけっこうがぶりとやられていて、紫がかった傷口からじゅくじゅくと血がにじみだしていた。いちばんの深手が人差し指と中指にくらったやつで、その二本の指はほとんど曲がらなくなっていた。

「顔も引っ掻いちゃった」ベッシーがおずおずと言った。

「ごめん、その膝」とわたしも言った。ベッシーは〝気にしてないから〟というふうに小さく手を振った。

「ヴァンに救急箱がある」とカールが言った。「あんたは子供たちに着替えをさせてやっててくれ。ちょっとひとっ走り行って取ってくるから」

わたしはふたりを連れて、彼らの祖父母のまえを通り過ぎた。カニンガム氏の虎の子のステーキは、炭焼きグリルの上で焼け焦げて真っ黒になっていた。子供たちは、祖父母には眼もくれなかった。存在していないもの扱い、と言うほうが正しいかもしれない。

バスルームに入り、どのタオルもどことなく湿っていたが、それしかないので仕方なくそれで子供たちを拭いた。わたしは子供の扱いには慣れていなかったし、正直言ってそれまで、子供というものをできるだけ避けてきた人間だった。ベッシーもローランドも焼け焦げた衣類の残骸を身体からひっぺがし、あっという間に裸になった。おかげで、わたしのほうもまごついている暇はほとんどなかった。いくらか努力の要ることではあったが、一人前の大人として〝ああ、はいはい、裸んぼになったのね〟的態度で受け入れた。そんなこんなはあったものの、ふたりは無事に着替えをすませ、グレートスモーキー山脈の安っぽいお土産Tシャツにだぼっとしたハーフパンツという恰好になった。足元は滑りやすそうなビーチサンダル。

バスルームの鏡で、自分の顔を見てみた。右眼のまわりがぷっくりと腫れあがっていた。それがいちばん目立った。右の頬骨のあたりから顎に向かって斜め方向に、ぎざぎざの引っ掻き傷が走っていて、ところどころ表皮がめくれていた。昔々のB級映画に登場する古代ローマの剣闘士っぽかった。鏡の脇のキャビネットに、ほぼ空っぽ状態の抗生物質軟膏のチューブがあったので、なけなしを絞りだして、お肌のお手入れ用クリームみたいに顔じゅうに塗りたくった。

「着替えはないの？」とベッシーに訊かれて、自分もずぶ濡れだったことを思い出した。靴もプールの水をたっぷりと吸って、床を踏むたびにキュッキュッと音を立てていた。

「ないよ」と言ったところに、カールが救急箱を抱えて戻ってきた。カールはムームーも持っていた。緑と黄色の渦巻きに紫っぽい色の混じった代物だった。

「なに、それ？」とわたしは訊いた。

「カニンガム夫人のクロゼットから拝借してきた」とカールは言った。「着替えが必要だろうと思って」

「いいよ、このままで。濡れてるけど」とわたしは言った。

「つまらない意地を張るもんじゃない」とカールは言った。「さっさと着替えろ」

「だって、それ、ムームーだよ」とわたしは言った。

「ばあばは、お茶会用ドレスって言ってる」とベッシーがとりなすように言った。その瞬間、わたしはベッシーのことがまあまあ好きになった。あやうく右手の人差し指と中指を食いちぎられそうになったとはいえ。

カールと子供たちがバスルームからぞろぞろ出ていくのを待って、問題のムームーに着替えた。

着心地は悪くなかった。予想していたほど膨らんでも見えなかった。もっとも、顔は引っ掻き傷だらけ、手はずたぼろの状態で見た目を気にするのは無意味というものだったけど。濡れた服はひとまとめにしてタオルでくるんだ。ドアを開けると、カールが救急箱を抱えて入ってきた。

「女の子の膝には絆創膏を貼っといた。さて、念のため、最初に断っとくが、この救急キットには必要最小限のものしか入ってない」カールはそう言ったうえで、洗面台のキャビネットをあさってオキシドールと思われるものを取り出し、救急箱に入れてあった綿球を使って、傷口の消毒に取りかかった。死ぬほど痛かった。消毒液が泡立ち、ピンク色に染まった。充分に殺菌できたことを確認してから、カールはガーゼを取り出し、傷ついた皮膚をそっと覆った。

「おれを待ってりゃよかったのに」なんぞと言うもんだから、猛烈に腹が立った。とんでもないへまをやらかした自覚があるときに、反論するのは難しいからだ。

「あたしのこと、好きになってもらいたかったから」とわたしは言った。「あたしひとりで会いたかったんだよね」

「そういうことは時間がかかる」とカールは言った。「仮にうまくいったとしても。あのふたりはこれまでさんざんな目に遭ってきた。言ってみれば、傷物なんだから――」

「ちょっと、カール、声が大きいって」と慌てて言った。「ドアは閉まってるかもしれないけど、ふたりとも、すぐそこにいるんだからね」

「ともかく、これだけは言っとく。あのふたりのまえでは気を緩めるな。われわれの任務は、これからの数か月間、あのふたりに危険が及ばないよう守りを固め、同時にあのふたりに起因する大惨事を未然に防ぐことにある。被害を最小限に抑えるための対策、いわゆるダメージ・コントロールだ。わかるな、リリアン？」

「気をつけるよ」とわたしは言った。カールがガーゼの上から白いテープをぐるぐる巻きつけてくれちゃったもんだから、わたしの右手は海生哺乳類の鰭脚もどきになった。

「今の時点ではこの程度の手当てしかできない。感染症の心配がないわけじゃないから、しばらくは様子を見ないとならないが、縫合したりなんだりの必要はない。どこの骨も折れてないようだし」

「狂犬病は？」とわたしは訊いた。ばかげた質問だったとしたら、カールがジョークだと思ってくれることを願いながら。

「いや」とカールは言った。それから、少しのあいだその可能性について考えている顔になり、ドアのほうに眼をやった。そのまえで待っている子供たちのことを気にしたのかもしれなかった。

「それはないと思う」

ドアを開けると、果たせるかな、子供たちはバスルームのまんまえに突っ立っていた。ゾンビのように。年齢は十歳ということだったけど、実際の年齢より幼く見えるのは、ある種の発育不全が疑われた。それまで、この子たちの世話をするといっても具体的にどんなことをするのか、それほど突っ込んで考えてはいなかった。基本路線は、この夏が終わるまで、ともかくふたりに寄り添い、ふたりが正しい道に進んでいけるよう、折に触れて優しく導く。つまりはあのゲストハウスのビーズソファにおさまったわたしに、子供たちが両脇からもたれかかって雑誌かなんかを読んでいる図をイメージしていた。

事ここに及んで、わたしはそれがいかに甘かったかを思い知った。わたしに任された仕事が、どれほど過酷なものかを痛感した。わたしは、眼のまえにいるこの子供たちをあの手この手で曲げたり撓めたり縮めたりして矯正し、フランクリンにあるあのスーパーリッチでゴージャスなお屋敷でつつがなく暮らしていけるお子さまに仕立てあげなくてはならないのだ。それは、野生のアライグマにちっちゃなスーツを着せてピアノを弾かせる、という芸を仕込むのと大差ないものになりそうだった。つまり、わたしは毎日血を流し、痣をこしらえることになるわけだ。それでも、この子たちを抱きかかえたまま炎に包まれ、そのうち歯の詰め物が一か所残らず溶けはじめる、なんて事態になるよりは、はるかに好ましい、と思わねばならないのだ。

子供たちからじっと見つめられているうちに、自分がこのふたりに対して不当なまでに自己を投影することになるだろうとわかった。愛されず、顧みられず、さんざっぱらまわりに振りまわされてきたこのふたりは、わたしだった。この子たちが必要とするものは、それがなんであれ、すべて必ず手に入れさせるつもりだった。ふたりからは引っ掻かれたり蹴られたりするだろうけど、この子たちに手出しをしようとする者どもはわたしが引っ掻いて、蹴とばしてやるつもりだった。ふたりのことを愛しているわけではなかった。わたしはなんせ身勝手な人間だったし、自分以外の人のことをそれほど深く理解できているわけでもなかったし、ましてや愛などという込み入った感情を本当の意味で感じたこともなかった。それでも、このふたりに対してはこのふたりに対しては柔らかくて温かい気持ちが生まれていた。それは、わたしのちっぽけな心には、一種の進歩であるように思われた。

「準備はできた？」とわたしは子供たちに訊いた。ふたりともこくんとうなずいた。

「滑り台はふたつ？」とベッシーに訊かれて、なにを言われたのか理解するまでにいくらか時間がかかった。

「滑り台のことは嘘ついた」とわたしは白状した。ベッシーはうなずいた。そんなことだろうと思っていた、とでもいうように。それからローランドと一瞬、顔を見あわせて、仕方ないじゃないとでも言いたげに肩をすくめると、ふたりしてわたしとカールのまえに立ち、ヴァンに向かって、これから自分たちを家に運んでいく乗り物に向かって、ずんずん歩きだした。

ヴァンがお屋敷の母屋まで延びているドライヴウェイに入ったタイミングで、わたしは座席の背もたれのあいだを這い進み、ヴァンの後部に移動した。ローランドもベッシーもエアマットレスの上で眠っていた。ときどき身体がぴくっぴくっと痙攣(けいれん)するように動いた。夢と現実の境目の、細い線の上にいるのだ。この子たちはこれまで、どんな夢を見なくてはならなかったのだろうかと考え、このちっちゃな頭のなかにどれほどの混乱を抱え込んでいるのだろうかと考えた。もう一度嚙みつかれたくはなかったし、燃えだされたくもなかったし、眼を開けたとたん顔をしかめられ、ママじゃないといって腹を立てられることさえ、いやだった。そこで、小さくしーっと言ってみた。なかなかおしっこが出ない子供を励ますときの要領で。効果はなかった。そこで、ふたりのうちでは、どちらかといえば暴力衝動が若干弱めと思われるローランドのほうに手を伸ばし、そっと身体を揺さぶった。ローランドは身じろぎをした。ほんの少しだけ、たぶん体温にしたらわずか一度ぐらい、身体が熱くなり、それでローランドがもそもそと姿勢を変えたことで、ベッシーがぱっちりと眼を覚ました。ふたりとも、自分たちが今どこにいて、どうしてそうなったかを思い出すのに、少しかかった。それから、ふたりしてわたしに眼を向けてきた。にっこりしてはくれなかったけど、わたしがすぐそばにいて、のしかからんばかりに身を乗り出してきているのを、いやがっている素振りはなさそうだった。

「家に着いたよ」とわたしは言った。歓迎の気持ちが伝わる、真心のこもった口調に聞こえることを願いながら。

「家って?」とベッシーが言った。

「あんたたちの家」とわたしは答えた。

「ここって……どこ?」とベッシーは言った。ふたりとも窓のそとの広大な敷地を眺めていた。

「覚えてない? 以前(まえ)に住んでた——」と言いながら、ヴァンの運転席のほうを振り向いてカールに確認を求めた。「この子たち、ここに住んでたんだよね?」カールはルームミラー越しにわたしの視線をとらえ、黙ってうなずいた。

「こんな場所は生まれてから一度も見たことがない」ロボットみたいなしゃべり方で、ベッシーが言った。

母親に連れられてお屋敷を出ていくことになったとき、ふたりは四歳か五歳ぐらいだったはずだ。子供の記憶というものは、だいたい何歳ぐらいから始まるものなんだろうか? と思って自分の過去を手繰ってみた。二歳ごろのことまで思い出すことができた。いい思い出ではなかったが、覚えてはいた。ベッシーはもしかすると、わたしのことをおちょくっているのかもしれなかった。

「住んでたでしょ、ここに」とわたしは言った。「この——」

「おいおい、リリアン」とカールが言った。「そんなふうに追及しなくちゃならないことか?」

「覚えてないの?」とわたしは子供たちに訊いた。

ベッシーもローランドも揃ってうなずいた。「あの家、すんごくでっかいね」とローランドが言った。「ぼくたち、あそこに住むの？」

「うーんと、まあ、そんなようなもんだね」とわたしは言った。「あの家の裏っ側にある家で、あんたたちとあたしが暮らすんだけどね」

「きっと、しょぼい家だよ」とベッシーが言った。

「ううん、とってもかわいい家だよ」とわたしは言った。これは本音だった。

「よし、到着だ」カールは宣言したものの、エンジンは切らなかった。それも危機管理の一環で、子供たちがたった一度でも不適切な行動を取ろうものなら、その場でひっ捕らえてヴァンに放り込み、すぐさまアクセルを踏み込んで最寄りの病院なり軍の実験施設なりに送り届けるため？　と、うっすらだけど勘繰りたくなった。

玄関まえのポーチには、マディソンひとりが迎えに出ていた。テディベアをふたつ抱えていたけど、なんだか武器を構えているみたいだった。ううん、それは言いすぎかな。ええと……まるで盾のように構えていた。そうしていれば一時的とはいえ危険から身を守れるだろう、というように。

「誰、あの人？」とベッシーが言った。マディソンの美しさに眼を奪われ、明らかに興味津々の様子だった。

「あの人はマディソン」とわたしは言った。

わたしの口からその名前が出た瞬間、ベッシーもローランドも身を固くした。ふたりの身体が、ぱちぱちと爆ぜるような音を立てはじめた。ふたりとも、その名前を知っている、ということだった。母親が口にするのを、もしくは悔しまぎれに叫んだり、怒りを込めて囁いたりするのを聞いたことがあるにちがいなかった。

カールがヴァンから降り、後部席のほうにまわってきてドアを開けた。そとの光がさっと車内に射し込んできた。子供たちは警戒したのかもしれない。カールから距離を取るようにお尻で後ずさりして、わたしの隣に這い寄ってきた。わたしはふたりを抱き寄せなかった。それでも、わたしはこんなふうにあなたたちと一緒にいて、そばを離れたりしないよ、ということは伝わったと思う。ベッシーがこちらを見あげた。自分たちには選択肢がないとわかっている顔だった。ベッシーはローランドの手をつかみ、ふたりして這うようにしてヴァンから降りた。わたしは、いくらかビビっていたので、そのまましばらく車内に残った。カールは早くもポーチに向かって歩きだしていた。指を小刻みに動かしていた。投げ縄で仔牛を捕らえて、ふん縛ろうとしているカウボーイみたいに。わたしはヴァンから飛び降りた。ムームーの裾が派手にめくれあがった。マディソンが子供たちのほうにずんずん歩いてくるのが見えた。

「ようこそ、ベッシー」とマディソンは言った。「ようこそ、ローランド」ふたりからじっと見つめられても、たじろぎもしなかった。「これはあなたたちへのプレゼントよ」と言って、テディベアをそれぞれに一体ずつ手渡した。子供たちは少々面食らった様子で受け取った。ふたりはヴァンの車内でもぬいぐるみを渡されていたから、このいつまでも続くかに思えるもこもこパレードはある種のよくわからない儀式のようなものに思えたかもしれない。ローランドは受け取ったぬいぐるみにさっそく顔を埋めてすりすりしていた。ベッシーのほうはテディベアの腕を、混みあうショッピングモールで幼い子供と手をつなぐ母親スタイルでぎゅっとつかんでいた。

「あなたはあたしたちのママ?」とベッシーがマディソンに尋ねた。

マディソンはわたしの視線をとらえると、両方の眉をくいっとあげた。なにが問題なわけ?　とわたしは声に出さずにつぶやいた。今やあんたがこの子たちの母親なんじゃないの？　少なくとも法律上はそうなるよね。次いでほんの一瞬、〝えっ、ひょっとしてもしかして、あたしがこの子たちを養子にしたんだっけ？　あたし、この子たちの母親だっけ？〟的な心理状態に陥った。

「わたしがあなたたちのママの代わりになることはできないわ」しばらくしてマディソンが言った。

「わたしはあなたたちの継母よ」

「継母のことは本で読んだ」とベッシーが言った。「おとぎ話にたくさん出てくるから」

「でも、これは現実の世界よ」マディソンは笑みを浮かべたまま言った。で、わたしは胸のうちでつぶやいた――現実の世界？　この子たちにとって、これが現実の世界なわけ？

「パパは？」とローランドが言った。なんとまあ、あのろくでもないくそテディベアに飽きもせずせっせとすりすりしているものだから、鼻の頭が真っ赤になっているじゃないの。

「もうすぐ来るわ」とマディソンは言った。ほんの一瞬だけ顔が曇ったのが、わたしにはわかったけど、子供たちに悟られるほどの変化ではなかったと思う。「あなたたちとようやく再会できることになって、胸がいっぱいになっているの。気持ちを落ち着かせるのにちょっと時間が必要なだけ」

　ひょっとして、それも含めてなにもかも、マディソンが調整に調整を重ねて練りあげた計画だったりするんだろうか、とわたしは考えるともなく考えた。この子たちを新しい環境と新しい生活になじませるために、ひとつひとつゆっくりと順を追って進めていく、という計画なんだろうか？　それとも、ジャスパー・ロバーツはただのダメおやじで、自分がこの世に送り出し、挙句の果てに自分では捨て去ったと思い込んでいた者たちに合わせる顔がなくて、あのビリヤード室にうじうじ隠れているだけなのか？

　そのときになってマディソンはようやく、そこにわたしがいることに本当の意味で気づいたようだった。わたしがそこにいる、という事実になんだか困惑しているように見えた。わたしのことをしげしげと見つめ、それからどうしても訊かずにはいられないといわんばかりに言った。「あなたの着てるそれ、なに？」

　わたしはカニンガム夫人のムームーを見おろした。この代物、着心地が抜群によかった。これを着ていると、春のそよ風かなんかになった気分で、タンポポが眼にとまるたびに、腰のひと振りで自由自在に綿毛をふわあっと散らすことができそうな気がした。「これは、まあ、ワンピース的なものなんだけど——」わたしの説明の途中でカールが口を挟んできた。

「じつはカニンガム邸でちょっとした手違いが生じたもので」言いたくないことを白状する口調だった。その口調から、カールにとっては、それがほんの些細なものであっても、ともかくミスというものを認めるのが苦痛なのだとわかった。

「それに、その手はどうしたの？」とマディソンが尋ねた。「待って、ちょっとやだ、顔もじゃないの」

　わたしはなけなしの気力が底を突きかけていたので、説明は引き続きカールに任せることにした。

「それもそのちょっとした手違いの一部で」

「あらそう」とマディソンは言った。そして笑みを浮かべた。「でも、けっこう似合ってるわよ、そのワンピース」とわたしに向かって言った。自分でもそれはわかっていた。

「この人はね、ぼくたちのベビーシッターなんだよ」とローランドが言った。

「家庭教師、という言い方でもいいのよ」とマディソンは言った。ローランドの考えを正すように……というか、正されているのは、わたしの考えかもしれなかった。

「ここでなにすんの、あたしたち？」しばらく黙っていたベッシーが言った。それまでずっとそのことを考えていたようでもあった。

「なんでも好きなことをすればいいのよ」とマディソンは言った。「ゆっくり休んで、リラックスして。ここはもうあなたたちの家なんだから。あなたたちにはともかく幸せでいてほしいの」

「幸せ？」とベッシーは言った。まるで、そんなことばはこれまで一度も聞いたことがないからどういう意味かもわからない、もしくは、本の文章のなかに出てくるのなら見たことがあるけど、人が声に出して言うのは聞いたことがない、とでもいうように。

「そうよ、スウィーティ、もちろん」とマディソンは言った。その先を続けようとしたところに、ジャスパー・ロバーツが、リネンのスーツ姿で登場してきた。〈デイトナ五〇〇〉（フロリダ州で毎年行われるカーレース）のスタートフラッグが振りおろされるのに先立って、主の祈りを唱えに出てきた牧師みたいだった。

「子供たち」とジャスパーは言った。声が少しうわずっていた。「どれだけ会いたかったことか」

「パパ？」とローランドが尻上がりに言ったところで、ベッシーが弟の手をつかんでぎゅっと握りしめた。その場から動けないように、それ以上なにも言えないように。ふたりともお屋敷までの道中、ヴァンのなかでは忘れたふりをしていたのかもしれないし、でなければ父親が現れたこの瞬間に、すべてを思い出したのかもしれない。いずれにしても、そのときわたしにもはっきりわかった――ふたりは覚えていたのだ、ということが。ふたりともこのお屋敷のことを覚えていた。今の暮らし以前の暮らしのことを。

「わが愛しの子供たち」とジャスパーは言った。眼にうっすら涙を浮かべていたけど、わたしにはどうも理解できなかった。どうして泣いているのかも、なんのための涙かも。

「上院議員」とカールが言った次の瞬間、ベッシーもローランドも燃えだした。ふたりが発火する直前、一瞬だけうっすらときな臭いにおいがした。そのことをわたしはしっかり記憶に刻みつけた。次いで、ふたりの肌にぱあっと蕁麻疹のような発疹が拡がり、熟したイチゴみたいになったかと思う間もなく、ふたりとも腕にも、手にも、ぱっぱっぱっぱっぱっぱっぱーっと炎が花を咲かせはじめた。今回はカニンガム邸で目撃したような惑星大爆発にはならなかったけど、それでもふたりはまちがいなく燃えていた。

「さがって！」カールがひと声叫び、子供たちのまえに飛び出し、ジャスパーとマディソンをかばって立ちはだかった。そのときにはベッシーとローランドの身体から煙があがり、ふたりの着ていた安っぽい服が焦げはじめていた。

マディソンは「わあ」とも「きゃあ」とも「おお」ともつかない、悲鳴を呑み込んだような声をあげた。誰もがその場に突っ立ったまま、なにもできずにいた。そのあいだに双子たちは身体のなかの炎の勢いをぐんぐん強めていっていた。なんだかそんなふうに見えたのだ、ふたりとも身体のなかに火種を持っているように。どちらの子供も炎でできているように。このまま火を鎮めるきっかけがなければ、もっとひどいことになる、とわたしにはわかった。マディソンとジャスパーはただ呆然としているだけみたいだったし、カールの関心はひとえにジャスパーに火傷を負わせないことにしかなさそうだったし。

わたしはムームーを脱いで——ちなみに、めちゃくちゃ脱ぎやすかった——それを両手にかぶせてから子供たちの肩をそっとつかんで、ゆっくりゆっくり姿勢を低くさせ、地面にしゃがみ込ませた。

「ベッシー、ねえ、ベッシー、聞こえる？　もう落ち着こう、ね？」ベッシーは身体をこわばらせていた。ローランドも同様だった。それでもいつの間にか、炎はふたりの身体の表面を、黄色と赤の小さな球体になって、まるでその二色しかないクレヨンで描いた火の玉みたいに、転がるだけになっていた。

「火を消すことはできる？」とわたしはうんと声を落として囁き声で訊いてみた。ふたりには聞こえていないようだった。そこでムームーを使って燃焼を抑え込むことにした。ムームーはくすぶり、火花も散ったけど、わたしはふたりの腕といわず、背中といわず、小さな頭といわず、ともかく全身をぽんぽん叩いた。ぽんぽんぽんぽんぽんぽんぽんぽん叩きながら、「大丈夫だよ、大丈夫、大丈夫だからね」と囁きつづけた。

熱が伝わってきて熱かったけど、ともかく手を止めずに叩きつづけるうちに、炎の勢いが弱まってきて、どうにかこうにか鎮火にこぎつけたようだった。それまでずっと息を止めていたかのように、ベッシーもローランドも深呼吸の要領で深々と息を吸い込み、その息を吐き出し、それから急に眠そうな顔になった。ふたりに身体を近づけると、ぐったりともたれかかってきた。そこでようやくカールが駆け寄ってきて、片腕にひとりずつ抱きあげてヴァンの後部席に運び、静かにドアを閉めた。

わたしは混乱したまま立ちあがった。ブラジャーとショーツしか身に着けていないことに気づいたけど、その場に居合わせた全員が礼儀をわきまえていたからなのか、もしくは燃える子供たちがその秘められた能力を遺憾なく発揮するさまを目の当たりにしたばかりでそれどころではなかったのか、誰もなにも言わなかった。カールとわたしには実際に目撃した経験があるので、たった今起こった出来事が現実だと理解できたし、その分、ふたりともロバーツ夫妻よりも立ち直りが早かった。

「なんてこと」マディソンがようやくことばを口にした。そして、ジャスパーをぎゅっと抱き締めた。〝あなたの言っていたことを信じられなかったけど、ほんとのことだったのね、疑っていてごめんなさい〟的な抱擁に見受けられた。わたしは眼をそらしてうつむいた。ドライヴウェイにテディベアがふたつ、転がっていた。表面の毛皮の部分が黒焦げになっていた。

「上院議員」とカールが言った。「上院議員の真摯なご努力には敬意を表します。ですが、もう充分手は尽くされたと考えます。本件の抜本的な解決方法について考えるべきときに差しかかっているのではないでしょうか。いくつかご提案できることがあります」

「はあっ、なに言ってんの？」とわたしは言った。「今のは事故みたいなもんだよ。ふたりにはわかってなかったんだよ、自分たちがこれからどうなるのかが。だって、見てみて、このお屋敷。こんなどでかいんだからね。ねえ、マディソン、だよね？　こんなの見ちゃったら、誰だってビビるよね？」

「あの子たち、燃えてた」とマディソンは言った。

「すまない、まさかこんなことになろうとは」とジャスパーが言った。

「上院議員？」とカールは声をかけ、ジャスパーの指示を待った。ヴァンのキーをじゃらじゃらいわせながら。

この場で正気を保っているのは、わたししかいないという気がした。といっても、下着姿だし、お昼寝中の老婦人から無断借用してきたムームーの残骸を抱え込んでいる、というありさまだったけど。「あんまりじゃない、そんなの？」わたしはなおも訴えた。「あの子たちにチャンスってもんをあげるべきじゃない？　あたしも手伝うから、ね？　あたしならなんとかできるから。そんな大騒ぎしなくちゃならないようなことじゃないよ。はっきり言って。対処法も、なんとなくだけど、わかってきた気がするし」

「リリアン、あのなあ」とカールが言った。

「でも、リリアンの言うとおりよ」とマディソンが言った。「ジャスパー、リリアンの言うとおりだわ。あの子たちにはここになじむ時間をあげなきゃ。わたしたちに慣れる時間をあげなきゃ」

「わたしとしては、きみやティモシーの身になにかあってほしくないんだ」とジャスパーは言った。それからようやくヴァンに乗せられている子供たちのことも思い出したように、「それに、あの子たちの身にも」と付け加えた。

「でも、あの子たちのためにあの家を用意したんでしょ？　あの奴隷小屋……じゃなくてゲストハウスを。だよね？　上院議員は自分の家にあの子たちの居場所をこしらえた。だったら、あとはあたしがあの子たちの力になるから」

「しかし、上院議員、この人はなんの研修も受けていないうえに――」

「心肺蘇生法(CPR)は受講済みだって、カール、忘れちゃった？」とわたしは言った。「CPRとあとほかにも……いろいろできるし」

「あの子たちを受け入れよう」とジャスパーが言った。「あの子たちはこれからはここで暮らす。

ふたりともわたしの子供なんだから。わたしの血を分けた息子と娘なんだから」

「そうよ、それが最善の道よ」マディソンは囁きながら、ジャスパーの背中をさすっていた。ジャスパーは盛大に汗をかいていた。リネンのスーツを着ているというのに。リネンの通気性もへったくれもなかった。「家族という価値観を大事にするってことよ、でしょ？　個人としての責任を果たすことでもある、そうよね？　わが子にはよりよい未来をってことにもなるじゃない？」マディソンの言っていることは、道路沿いにぶっ立ててある巨大な看板かなんかに書いてありそうなことだった。ひょっとすると、選挙キャンペーン用のスローガンの候補を挙げてみているのかもしれなかった。

「カール、あの子たちはここで暮らす」それで決まりだ、という口ぶりできっぱりとジャスパーは言った。その瞬間、いかにも上院議員らしい、背筋のすっくと伸びた立ち姿になった。大統領らしい、とまで言っては言いすぎだけど、まあ、副大統領らしい、ぐらいまでなら通用しそうだった。

「承知しました、上院議員」とカールは改まった口調で答えると、ヴァンの後部席に近づき、勢いよくドアを開けた。わたしはカールのまえに割り込み、正直に言えばカールをぐいぐい押しのけて車内をのぞき込んだ。子供たちは座席に腰かけたまま、ちょっと酔っぱらっている人みたいに、半分眼をつむりかけた、とろんとした顔をしていた。

「ぼくたちのせいで、着てるもんがいっつもだめになっちゃうね」とローランドが言った。わたしのことをじろじろ眺めていたけれど、その場の状況があまりにも現実離れしていたもんだから、そんなことを気にかけている余裕がなかった。

「問題ないよ。そんなの、まったく問題ない」とわたしはふたりに言った。

「あたしたち、聞いてたよ」とベッシーが言った。「あなたが言ってたこと……それといろいろ全部」

「そっか」大人たちのあいだでどんな話が交わされていたんだったか、はっきりとは思い出せなかったけど、とりあえずそれ以外に答えようがなかった。

「あたしたち、ここで暮らすの?」とベッシーが言った。その答えがイエスであってほしいと心から願っていることが、はっきりわかる口ぶりだった。

「うん、そうだよ」とわたしは言った。

「で、あたしたちと一緒に暮らしてくれるんだよね?」

「うん、そうだよ」

「それじゃ……ここが家なの?」とローランドが言った。頭のなかが、くそこんがらがっているようだ。子供たちはこちらを見ていた。大きな眼でわたしのことをじっと見つめていた。

「そう、ここが家だよ」とわたしは言った。わたしの家ではないし、子供たちの家でもなかった。それは承知のうえだった。でも、盗んでしまえばいい。ひと夏かけてこの家を乗っ取り、わたしたちの家にしてしまえばいいだけのことだった。だって、誰に止められる? 悪いけど、わたしたちには炎という武器があるんだからね。

5

それから子供たちをゲストハウスに連れていった。ローランドが「これテレビみたいだね」と言ったので、訊き返した。「テレビ番組のセットみたいだってこと？　子供向けの番組とかの？」「テレビはなかったんだ、うちには」とベッシーが言った。「ママが観せてくれなかったの」「けど、これからは観てもいいんだよね？」そのことにはたと気づいた、という口調でローランドが言った。

「うん、そうだよ」とわたしは言った。子供たちの世話をすることになったら、テレビをうんとたくさん観ることになるだろうと思った……というか、子供たちに実際に会うまでは、そんなふうに思っていた。今となっては、バッグス・バニーがダフィー・ダックをハンマーで殴ったりしようものなら、ベッシーもローランドもテレビのまえで燃えだすんじゃないか、という不安を拭えなくなっていた。「ただし、ルールはあるからね」といちおう釘を刺しておくことにした。「一日にこれだけって決めた時間だけだよ」

子供たちはふたりとも、すぐには屋内に入ろうとしなかった。ドアは開けてあるのに、招かれない限りは入れない、なぜならあたしたちはヴァンパイアだから、とでもいうように。でなければ、ひょっとして、自分たちのために用意された家が、あまりにもピカピカで、ものすごくカラフルなもんだから、自分たちの身体に秘められた例のパワーのせいで、あっという間にだいなしにしてしまうのを恐れていたのかもしれない。

「なにか心配なことでもあるの？」と訊いてみた。

「ちがうよ」とベッシーは苛立った口調で言った。「ちょっと考えてただけ」

「なにを？」とわたしは言った。母親のことだろうと思った。父親のことという可能性もあった。

「関係ないでしょ、あなたには」とベッシーは言った。考えていたのは、母親のことだろう、たぶん。

その人について、もっと知りたかった。マディソンの話にときどき登場する曖昧なエピソードから知るのではなく、生身のその人に実際に育てられた子供たちの話を聞くことで。と思うのと同時に、その人については一切知りたくないとも思った。子供たちがベッドのシーツに火をつけるたびに、その人と自分とを比べてしまうことになるだろう、とわかっていたから。

しばらくしてとうとう、ベッシーもローランドも戸口を抜けて、家に足を踏み入れた。「うわあっ」とローランドが歓声をあげた。床の弾力を確認するように足踏みしながら。「すごいね、これ」

「でしょ？」床にふんわりと足が吸い込まれていくのを感じながら、わたしは言った。

「それに、見て、あれ。シリアルがあんなにあるよ、ベッシー」砂糖をまぶしたシリアルを個包装にした小箱が、ピラミッド型に積みあげてあるのを指さして、ローランドは言った。その興奮ぶりは、わたしにも充分理解できた。なにを隠そう、シリアルといえば、巨大なビニール袋に詰めてあるノーブランド品で、中身の二十パーセントが粉々になったトウモロコシもしくは小麦からなるフレーク、という代物が出てくる家庭で育った人間だから。ところが、ベッシーはシリアルには眼もくれず、背の高い本棚に惹きよせられていた。本棚には〈ナンシー・ドルー〉と〈ハーディー・ボーイズ〉（それぞれ少女探偵、少年探偵が主人公のミステリーシリーズ）の今出ているシリーズ全巻がずらりと並び、ジュディ・ブルーム（一九三八年生まれ、アメリカの児童文学作家）やらマーク・トウェインやらの子供向けの作品の数々がひしめき、世界じゅうのありとあらゆるおとぎ話が取り揃えられていた。

「これ、あたしたちの？」とベッシーは言った。

「そうだよ」とわたしは言った。「どれでも好きなのを読んであげるよ」

「ふたりとも、ちゃんと自分で読めるよ」と言ったベッシーは、顔を真っ赤にしていた。自分では読めないんじゃないか、と言われたように思ったのだ。「あたしもローランドも、本ばっかり読んでたんだから」

「っていうか、本しか読んでなかったんだ」とローランドが言った。「けど、じいじとばあばのとこには、子供向けの本は一冊もなかったんだよね。すっごくつまんなかったよ」

「どんな本があったの？」

「第二次世界大戦の本」とベッシーが答えた。「ヒトラーに関する本が二冊……あ、待って、四冊だった。ヒトラーの本は四冊。それと、ナチスについての本とか。あとはスターリンとかパットンとか、そういう人たちの本」

「ひどいね、それは」とわたしは言った。

「めっちゃ最悪だった」とベッシーは言った。

「でも、これからはここの本が読み放題だからね」とわたしはベッシーに言い聞かせた。

「読んだことある本がけっこう多いな」並んでいる本の背表紙を検めながら、ベッシーが言った。

「けど、けっこうおもしろそうなのもあるね、何冊か」

「なら、よかった。それと、ここにある本以外にも読めるよ。図書館に行ってなんでも読みたいものを借りてくればいいんだから」

「そっか」それならいいや、というようにベッシーはこくんとうなずいた。そして、わたしを見て言った。「あと、夜なら本を読んでくれてもいいよ。そうしたいんなら、あたしたちが寝るときに読み聞かせとかするだけなら、別にいいからね」

「なら、よかった」とわたしは言った。こんなふうに日課が決まることで、子供たちとわたしの日常生活が築かれつつあるのを感じた。

「なにか着なくていいの？」とベッシーに訊かれて、自分がまだ下着姿だったことに気づいた。

「わっ、やべっ――じゃなくて、やっちゃった。そうだね。なんか着たほうがいいね」とは言ったものの、わたしが着替えているあいだ、子供たちをふたりだけにしておくのが不安だった。そんなわたしの考えを読んだように、ベッシーが言った。「いいよ、着替えてきて。あたしたちのことなら心配ないから。今だったら、ほんとのほんとにだいじょぶだから」わたしはうなずき、二階に駆けあがった。頭のなかで秒数をカウントしながら。数分以内に戻らなければ、ふたりは自由を求めてトンネルを掘りだしてしまうかもしれないんだから。焦りに焦ってジーンズに足を突っ込み、Tシャツを頭からひっかぶって階段を駆けおり、四十五秒弱で階下に戻った。ふたりはちゃんとそこにいた。ベッシーは読みたい本を本棚から抜き出して高々と積みあげていた。ローランドのほうはカウンターの天板に腰かけ、〈アップル・ジャックス〉の小箱に片手を、手首のところまですっぽり突っ込んでいるところだった。ベッシーは積みあげたなかの一冊を開き、その真新しい本のにおいを嗅いだ。ローランドはわたしに向かって笑みを浮かべた。口がいっぱいでしゃべれる状況ではないのだ。にっこりとほころんだ口元から、粉々に嚙み砕いたシリアルがラメのように歯にへばりついているのがのぞいていた。

そのとき、ようやくわかった。こういうことなのだ、子供を育てるということは。子供たちのために、どんな危険も寄せつけない家を用意したら、そのあとは彼らが望むものを、それがどんなものであっても、どれほどの困難を伴うものであっても、ひとつ残らず与えること。夜になって寝るときには本を読んで聞かせること。こんなことが、どうしてみんな、わからないんだろう？

そう思ったところで、ふたりがさっき、ドライヴウェイで発火したときに焼け焦げた服をまだ着たままだったことに気づき、自分のいい加減さと至らなさとお調子者加減を思い知らされた。どうすればこのふたりを死なせないですむのか、そもそもわたしはそれすらわかっていないのだ。これが子育てにおける気分の〝波〟というものかもしれなかった。急激に高まったかと思えば、すとんと落ちる、乱高下というやつだ。それで以前、母さんが言っていたことを思い出した。母親業というのは〝後悔することと、ときどきその後悔を忘れてしまうこと〟でできあがっている、と言っていたことを。でも、大丈夫、わたしは母さんのようになるつもりはない、と自分で自分に言い聞かせた。ちなみに、それはこれまでにも数えきれないぐらい何度も何度も、無駄に自分に言い聞かせてきたことだった。母親になる予定なんて皆無だったというのに。わたしとこのふたりの燃える子供たちについて言うなら、後悔することはひとつもなかった。さしあたって、今のところは。

こちらに注意を向けさせるため、わたしは口笛を吹いた。ふたりはゆっくりとわたしのほうに顔を向けた。「ふたりとも着替えて」とわたしは言った。「それから、ちょっと話しとかなくちゃならないことがあるんだ」

「悲しいこと？」とローランドが言った。ふたりの年齢は同じだけど、ローランドのほうが幼いという印象を受けた。それは弟を守るためとあらば他人の手に思い切りがぶりと嚙みつくことも辞さない、頼れる姉の存在があるからだと思われた。

「ううん、ちがうよ」いくらか面食らいながら、わたしは言った。「悲しいことじゃないよ。毎日の生活について話しときたいの。これからはいつもこの三人で過ごすわけだから。まあ、いろいろ話しあっといたほうがいいじゃない？」

「そっか」とローランドは言った。見ると、グローヴのように片手にはまっていたシリアルの小箱が、いつの間にか〈アップル・ジャックス〉から〈ココア・クリスピーズ〉に代わっていた。

「シリアルはほどほどにね、ローランド、いい？」とわたしは言った。お願い半分、命令半分の口調になっていた。そんなことではいけないのだ、もっと自信を持って堂々としていないと。

　ローランドはシリアルを最後にもうひとつかみ分口に押し込むと、カウンターの天板も床もシリアルの粉だらけにしながら、小箱に突っ込んでいた手を抜き、口のなかのものをもぐもぐやりながらカウンターから飛び降り、わたしめがけて走ってきた。ベッシーも立ちあがったので、みんな揃って二階のふたりのために用意された部屋に移動した。ふたりのための部屋は、見たところ、〝バルーン〟がテーマになっているようだった。熱気球（ホット・エア・バルーン）のポスターが何枚も、額に入れて飾ってあって、カラフルというかなんというか、なんだか架空の国の国旗をつないだ万国旗のように色があふれかえっていた。ベッドの四隅の支柱の頭の部分は、赤い風船（バルーン）を模したものらしい。

「色だらけだね」とベッシーが言った。「こういうの、過剰って言うんだよ」

「うん、過剰だね」とわたしは言った。「でも、そのうち慣れるよ」ベッシーが黙ってわたしのほうを見た。その眼の意味するところは――〝なに当たり前なこと言ってんの？〟。このふたりは発火する子供たちであり、母親を亡くしたばかりでもある。どんなおかしなことにだって適応する術を心得ていないわけがないのだ。

着替えに関して、選択肢は山ほどあったが、ふたりは揃って黒地に金をあしらったヴァンダービルト大学コモドアズのTシャツに黒いコットンのハーフパンツを選んだ。わたしはふたりがそれまで着ていたものをまとめて、ゴミ箱に押し込んだ。この子たちはこれまで、いったい何着の服をゴミ箱行きにしてきたんだろうか、と考えるともなく考え、いっそのこと、この家のなかでは素っ裸で駆けまわらせておくほうがよかったりする？　と極端なことも考えた。

「よし、それじゃ、話をしよう」とわたしは言った。ふたりはめいめいのベッドに腰かけた。わたしは床に腰をおろして立てた膝を引き寄せ、膝小僧に顎を載せて、どんなふうに切り出し、どんなふうに話を進めたものか、考え込んだ。このときのために準備をしておく時間はたっぷりあった。にもかかわらず、わたしはバスケットボールにうつつを抜かし、ベッドに寝転がったままベーコンサンドウィッチにかぶりつくことで、その時間を浪費してしまったのだ。子供たちを診察した、なんたらという開業医の診察結果がフォルダーにまとめてあったけど、内容はおもしろくないし、結局のところなにひとつ解明されてはいないので、一度だけざっと眼を通してそれでおしまいにしていた。こういうときこそカールに同席していてほしかった。カールなら、いついかなるときでも事前に考え抜いた計画を用意しているはずだから。そして、そんなことを考えた自分が無性にいやになった。

「じゃあ、まずは火のことだけど」とわたしは言った。ふたりはとたんに、〝あーあ、なんだ、またそのこと？〟の顔になった。

「ふたりとも身体が燃えだすわけだよね」とわたしは言った。「それって、ほら、問題でしょ。あんたたちが悪いわけじゃないのはわかってるけど、なんとかしないといけないことだよね。だから、解決法っていうか対処法っていうか、なんかそういうものを考えてみてもいいんじゃないかな、と思って」

「治す方法なんてないよ」とベッシーが言った。

「誰に言われたの、そんなこと？」と訊き返した。

「わかるんだ、ぼくたちには」とローランドが言った。「ずっとこのままだよ、ぼくたち。ママもそう言ってたし」

「そっか、うん、わかった」と言いながら、この子たちの今は亡きママの、そのあまりにも悲観的な見解に、ちょびっと苛立ちを覚えた。「だったら、わかってることを教えて。どんなふうにして起こるのかな？」

「ただ起こるの、たまにだけど」とベッシーが言った。「くしゃみみたいな感じ。なんかむずむずするような感じが強くなったかと思うと弱くなって、また強くなって、みたいな」

「でも、それって動揺しちゃったときに起こるんだよね？　それとも、退屈してるときにも起こるもの？」この場にノートも白衣もないことが残念だった。それらしき小道具があれば、もっとオフィシャルな雰囲気に、たとえばなんかの聞き取り調査とか学術研究とか、なんかそんな雰囲気になっただろうに。

「動揺しちゃったり、怖くなったり、なにかよくないことが起こったりしたとき」とローランドが言った。「そういうときに燃えるんだ、ぼくたち」

「あと、いやな夢を見たときとかも」とベッシーが付け加えた。「ものすごーーーくいやな夢だけど」

「えっ、待って。寝てるときにも起こっちゃうってこと？」確認のため、わたしは尋ねた。お尻の下の床がちょっと沈み込んだような気がした。これはわたしが想像していた以上に厄介な事態なのかもしれない、と気づいたせいだった。ふたりは揃ってうなずいた。「だけど、ほんとにものすごーーーくいやな夢を見たときだけだよ」とローランドが言った。わたしを安心させようとしたのかもしれなかった。

「だけど、たいていは動揺しちゃったときなんだよね？」と確認すると、ふたりは今度もまた揃ってうなずいた。一歩前進と言えるかどうかはわからなかったが、ふたりはとりあえずわたしのことばに耳を傾けていた。燃えだしてもいなかった。わたしたちは三人一緒に家のなかにいて、家のそとにいる人たちは誰も彼も、わたしたちがなんらかの解決法なり対処法なりをひねり出すのを、今か今かと待っている……にちがいなかった。

「ってことはさ、落ち着いてれば大丈夫ってことだよね」とわたしはふたりに言ってみた。「一緒に本を読んで、プールで泳いで、散歩をして、ともかく落ち着いてればいいんだよね」

「それでも燃えちゃうよ」とベッシーが言った。ものすごく悲しそうな顔で。

「でも、そんなに頻繁に燃えちゃうわけじゃない、よね？　今日みたいなことはあんまりないよね？　いつも燃えちゃうわけじゃないでしょ？」わたしは立てつづけに尋ねた。

「うん、そうでもない。そんなに頻繁に燃えちゃうわけじゃない。ママが死んでからは回数が増えてるけど」とベッシーが情報を提供した。

「燃えないようにするのに、お母さんだったらどうするかな?」と訊いてみた。

「シャワーの下に立たせる」とベッシーが言った。そうされることは不当な仕打ちだと思っているようだった。だって、びしょ濡れの下着に水浸しの靴だよ、と訴えたげな口ぶりだった。

「めちゃくちゃ早起きさせられてたよ、ぼくたち。毎朝、どんなことがあっても起こされるんだ」とローランドが言った。「ぼくたちはちょっと疲れてるぐらいのほうがいいんだって。ママが言ってた。だから、お手伝いをものすごくいっぱいさせられた。あと勉強も。鉛筆を使って紙に書くやつばっかり。あとはね、ママがよくやってたのはバスタブに水をどっさり入れて冷たい水を入れるの。ぼくたち、そこに浸かるんだよ」

「家のなかもうんと涼しくしてた」とベッシーが言った。「冬でもね。だけど——」そこまで言うと、きまり悪そうに眼をそらした。

「だけど、なに?」とわたしは言った。

「だけど、あんまり効果はなかったと思う」とベッシーはようやく言った。しゃべりながらずっと、ふたりのあいだには共通の秘密があるとでもいうように、ローランドと眼を見あわせていた。「暑いとか寒いとかは関係ないの。いろんなことがうまくいってる限りは、だいじょぶなんだよね。火のそばにいたりするのも、コンロの上に屈(かが)みこんだりしてても、そういうこととは関係ないの。だけど、ママはそうじゃないと思ってた。火のそばにいればいやでも火のことを考える、だから燃えだすんだって。でも、そうじゃないの。そういうことじゃないの。そういうのは関係ないんだよ、燃えはじめるときは」

「それじゃ、自分で火を消すこともできるの？」と訊いてみた。

「たまに、だけどね」とベッシーが言った。「ママがそばにいるときに燃えだすと、ママはものすごく怖がっちゃって、あたしたちになんとか火を消させようとして大騒ぎになるんだけど、それだともっと火の勢いが激しくなるだけなの。だけど、ローランドとふたりだけのときに、ああ、燃えはじめたなって感じた場合は、いつもできるわけじゃないけど、頭のなかを空っぽにすると、そのまま火が消えたりする。たまにだけど」

「そっか、なるほど」とわたしは言った。〝よし、これでスパイの暗号を少しは解読できたんだから、賞金百万ドルまであとちょっと〟な気分で。「ってことは、燃えはじめを見逃さないようにして、ともかくあんたたちが気持ちを落ち着かせるのを手伝えばいいってことだね」

「あれってなに？」ローランドが、天井のスプリンクラー装置を指さして訊いてきたことで、わたしは現実に引き戻された。

「火事になったとき用だよ」とわたしはローランドに説明した。「緊急事態に備えて取りつけてあるの」

「ママははずしちゃってたよ、煙感知器」とローランドは言った。「鳴ってばかりだったから」

「うーんと、そうだな」忙（せわ）しなく考えをめぐらせながら、わたしは言った。「天井にスプリンクラーが取りつけてあるのは、あたしたちの身を危険から守るためだよ」

「あたしたちは燃えてても平気だけど」とベッシーが言った。

なるほど、そうか、とそのとき気づいた――あれはわたしの身を守るためのものなのだ。この家を守るためであり、マディソンとジャスパーとティモシーが暮らしている場所を守るためのものなのだ。想像してみた。ごく少量の煙が発生しただけでスプリンクラーが作動し、家のなかのありとあらゆるものがびしょ濡れになり、電化製品も本もだめになるところを。そういう事態が一日に一度ならず二度も起こるところを。

「カールに頼んで、電源を切ってもらおうか」と提案してみた。子供たちは〝そのほうが嬉しい〟の顔になった……ように思えた。

ちょうどそのとき、まるで魔法で呼び出されたかのように、というよりは、不断の積極的介入による監視の一環として、と表現したほうが正しいような気もするけど、当のカールの声が家じゅうに響き渡った。「おーい、いるか?」カールが階下に来ていた。わたしの頭に浮かんだのは、B級映画に出てくるヒーローのように消火器を構えている姿だった。

「カールが来た」と言うと、子供たちはうなずいた。

「がちがちに堅苦しい人だよね、あの人」とベッシーが言った。わたしはベッシーのことを思わずぎゅっと抱き締めたくなった。

「あの人ってなんなの?」とローランドが言った。「ボーイフレンド?」

「まさか、ちがうよ」わたしは思わず吹き出しそうになりながら言った。「あたしのボスみたいなもんかな……あ、でも、ちょっとちがうか。担当する業務の内容がまったくちがう同僚みたいなもんかな。でなければ――」

「リリアン?」カールの呼び声は、怒鳴り声レベルまでボリュームアップしていた。おかげで、わたしはカールが階下に来ていることをうっかり忘れかけていたことに気づいた。

「なーにー？」わたしも怒鳴り返した。

「困ってることはないか？」

「別にないよ」

「ちょっと階下に降りてきてくれないか？」

「ぼくたちも？」とローランドが声を張りあげた。

「いや、来なくていい！」カールはぴしゃりと言ったが、すぐに自分の過ちに気づいて言い直した。「少しのあいだ、ふたりとも二階で待っていてくれないか？　リリアンと話が終わるまで」

「一緒に行こうか？」とベッシーが付き添いを申し出た。なかなか努力の要ることではあったが、わたしはベッシーの身体からちろちろ揺らめきだした炎には可能な限り眼をやらず、ベッシー当人を見つめるようにして、ただ首を横に振った。そして「大丈夫だから」と言った。部屋を出たところで、くるっと振り向き、戸口から首だけ突っ込んで言った。「燃えそうになったら、バスルームに飛び込んでシャワーを浴びるんだよ、いい？」ふたりはうなずいた。これは一種の試験みたいなものかもしれない、とわたしは思った。ふたりを眼の届かないところに残していっても、二階にいるふたりの存在を感じ取ることができるか、ふたりの息遣いを聞き取ることができるか、試されているような気がした。

　階下に降りると、カールは床に膝をついて、ちっちゃなかわいらしい箒とちりとりを使って、シリアルの食べこぼしを掃き集めているところだった。掃除の手を止めて、カールはこちらに顔を向けて言った。「落ち着きつつあるようだな、子供たち」それで今度はなんだか審査されている気分になった。

「あれからは燃えてないよ」いくらか誇らしげに、わたしはそう報告した。

「はたしていつまでもつか、だな」とカールは言った。

「けど、ジャスパーが言ってたでしょ？　聞いてたよね」とわたしは言った。「これはもう決まったことなの。あの子たちはこのままここで暮らすの。追い出すことなんてできないの」

「で、だから？」とカールが言った。

「だから手伝って。いい？」

「そりゃ、手伝うさ、リリアン」とカールは言った。「ばっちり手伝うよ、あんたがまちがった選択をしないように」

「それじゃ、さっそくだけど」カールのそこはかとない厭味と当てこすりは無視して、わたしは〝手伝ってもらいたいことその一〟を伝えた。「あのスプリンクラー装置の電源を切ってもらわないと」

「設置費用だけで二千ドルだぞ」とカールは言った。そのくそいまいましい二千ドルは自分の財布を痛めたものだ、とでも言わんばかりに。もしくは、おいおい、ティモシーのぬいぐるみの購入費用だってその四倍にはなってないんだぞ、とでも言わんばかりに。

「だったら、ここの電化製品を揃えるのに全部でいくらかかってる？」とわたしは尋ねた。「本とか、着るものとか、寝具とかも含めたらいくらになる？　あの子たちは今日一日で二度も発火したんだよ。その眼で見たでしょ？　スプリンクラーの電源を切ってくれないと、この家は連日、豪雨にさらされることになるかもしれないんだからね」

「電源を切ったとしよう」とカールが言った。「その状態で、あの子たちが発火したらどうなると思う?」

「カール、ちょっと待ってよ。そういう言い方はないんじゃない? そういう場合はあたしが消します、はい、このあたしが」

「二十四時間、見てられんのか? 眠ってるあいだは?」

「大丈夫、二十四時間、一日も欠かさず、眼を光らせてるから。眠りは浅いほうだしね。対策も考えてあるし。ね?」

「わかった、いいだろう」とカールは言った。たぶん、その時点でようやく、わたしがどれほどのパワーを秘めているか、なんとなく理解したんじゃないかと思う。あの子供たちはわたしが独占していた。わたしのものだった。そのことによって、カールにはないなにかがわたしに与えられていた。「電源は切ろう。だが、そのことは他言無用だからな。ロバーツ上院議員には、安全対策は万全の状態にあると思ってもらう必要がある」

「ジャスパーに言うつもりはないよ。っていうか、なにそれ? あたしがジャスパーに告げ口するって思ってるわけ?」

カールは、わたしに眼を向けた。ほんのちょっぴりだけ誠意らしきものがうかがえる眼だった。姿勢を変えたひょうしに、肩の力がいくらか抜けたように見えた。「正直なところを言おうか、リリアン。あんたがどういうやつで、なにをして、なにをしないか、おれにわかるわけがない。だが、今やお互いの生息圏がところによってはかぶってる状態だ。だったら、お互い協力しあうほうが得策だ。ちがうか?」

「ちがわない。カール、それって名案だよ」とわたしは言った。半分は本気で、半分はおちょくるつもりで。「賛成する、あたしも」

「よし、それでは本来の用件に戻る。ここに来たのはロバーツ夫人から伝言を頼まれたからだ。家族揃っての夕食は子供たちには精神的な負担になるんじゃないか、と言うんだよ。ローランドとベッシーだけではなく、ティモシーにとっても」

「そっか」とわたしは言った。つまりは、そういうやり方をする、ということだった。あちらとこちらとのあいだに、きっちり境界線を引く、ということだ。ジャスパーはこの先、改めてあの子たちに会う機会を設けようとするだろうか、と考えた。それから、マディソンはこれからもわたしと一緒に過ごそうとするだろうか、と考えた。一緒に過ごすことは、たぶんあるだろうと思った。だけど、これまでとはちがった過ごし方になりそうな気がした。

「その場合、子供たちの夕食は、あんたがここで作ることになるが、任せてもかまわないか?」とカールが言った。

「うん、いいよ、ノープロブレム」とは言ったものの、料理というもののメカニズムを充分に把握できているとは言いがたかった。わたしの場合、電子レンジで温めたものをゴミ箱の上に顔を突き出してかっ込む、という食生活だったし、先週からの一週間ちょっとは、メアリーのこしらえる、身悶えしちゃうぐらいおいしくて、フォークやスプーンを持つ手が文字どおり止まらなくなる料理にすっかり慣れてしまっていた。このゲストハウスに島流しにされた状況下、メアリーのこしらえる料理がものすごく恋しくなるに決まっていたし、わたしとしては、子供たちにもメアリーの料理を食べさせたかった。

「よし、だったら、大丈夫そうだな」とカールは言ってこちらに背を向けたが、そこでまた急にくるりと向きなおった。そして「あそこに電話があるだろ?」と言いながら、冷蔵庫の横の壁に取りつけられている電話機を指さした。「おれを呼ぶ必要が生じた場合は、何時だろうと、どんな用件だろうとかまわない。あの受話器を持ちあげて、プッシュボタンの1を四回押せ。1、1、1、1だ。いいな?」

「1、1、1、1だね」わたしは教えられた番号を復唱した。「そしたら来てくれるんだね?」

「そうだ」とカールは言った。そう言わざるをえないことが、なんだか辛そうに見えた。

「おやすみ、カール」

「おやすみ、リリアン」カールはそう言うと、またもやこちらにくるりと背を向けて、今度こそ戸口の向こうの暗がりに消えていった。

わたしは階段のほうに足を向けた。階段のてっぺんにローランドとベッシーが並んで腰かけていた。盗み聞きをしていたことをこれっぽっちも隠そうともしないところは、断然わたし好みだった。

「ご感想は?」と訊いてみた。

「スプリンクラー、止めるって言わせちゃったね」とローランドが言った。「すごいじゃん」

「でしょ」とわたしは言った。「あたし、やると言ったことはやるからね」

「だね」とベッシーが言った。初めてわたしに会ったときから考えつづけてきたことに、思い切って結論を出したような口ぶりだった。

「おふたりさん、ピッツァ食べる?」と訊いてみたところ、ふたりとも勢い込んで熱心にうなずいたので、三人で階下のキッチンに向かった。わたしはオーヴンのスウィッチを入れ、そこに冷凍のピッツァを放り込んだ。おとぎ話にでも出てきそうな真っ赤でつやつやのリンゴを何個か、適当に切って出すと、ふたりしてあっという間にたいらげたので、もう二個ばかり切って出した。わたしはバナナを食べた。冷蔵庫の中身をもう一度点検して、ビールがないことに気づいた。思わず、壁の電話機の受話器を持ちあげ、1、1、1にかけようかと思ったけど、大人の責任感を優先させることにした。明日になったらお屋敷からビールを何本かくすねてくるつもりだった。それか、ジャスパーの高級バーボンとか。その日のその時点までのわたしの仕事量と働きぶりからして、そのぐらいは当然の報酬というものだろう。気がつくと、手がずきずきいっていた。そのせいで誇らしい気持ちが少しだけしぼんでしまったので、鎮痛剤（アスピリン）を服（の）んだ。そうこうしているうちに、ピッツァが焼きあがった。

食べはじめるまえに、わたしはふたりに向かって言った。「あんたたちと一緒にいられて嬉しいよ」

ふたりは呆気にとられたように、ただじっとわたしの顔を見つめてきた。「食べていい？」とベッシーが言った。

「あのさ」とわたしは改めて言った。「一緒にいられて嬉しいって言ったんだけど」

「うん、よかったね」ローランドはそう言うと、ピッツァをひと切れつまみあげて、三口で食べた。まだ焼きたてで、めちゃくちゃ熱いのに。

夕食後、わたしは使ったお皿を洗い、そのあいだに子供たちは読み聞かせ用の本を選んだ。

「シャワー浴びなくてもいい？」とローランドが言った。

「あと、歯磨きしなくてもいい？」とベッシーが言った。

「ふたりとも、今日の午後はプールで遊んで塩素まみれになったんでしょ」わたしはふたりに言って聞かせた。「それに、ほら、あんなふうに燃えたわけだし。だから、やっぱりシャワーは浴びたほうがいいと思うよ。それから、歯は磨かなきゃだめ」

「え〜、そんなあ」とローランドには言われたけど、わたしは一歩も譲らなかった。それで、ふたりはわたしに対して尊敬の念を抱いたようだった。でなければ、今はとりあえずそうやって相手を油断させておいて、しかるべきタイミングでこちらにひと泡吹かせてやろうと思っているのかもしれなかった。

ふたりが交代でシャワーを浴びているあいだ、わたしはバスルームのそとで待った。ふたりは十歳だ。十歳の子供の場合、プライバシーの境界線がどのあたりにあるものなのか、わたしにはわからなかったが、照れもてらいもなくあっけらかんと裸体をさらせる年齢は過ぎているような気がしたからだった。もちろん、発火がらみの場合はそうも言っていられないけど。それは、わたしの決めた今後の方針でもあった。つまり、ふたりが自分たちだけではどうにもならなくなるまでは、基本的に自分たちでなんとかしてもらう、ということだ。わたし自身が悪魔の申し子だったら、たぶん、そういう対応をしてほしいと思うだろう、というのもあった。

わたしは子供たち用のふたつのベッドのあいだの床に腰をおろした。ベッシーもローランドもこざっぱりとパジャマに着替えて、洗いたてのつやつやぴかぴかの顔をしていた。髪の毛のほうはふた目と見られないありさまで、濡れたまま撫でつけることで、かろうじて爆発を抑えている状態だった。

ベッシーから手渡されたのは『ペニー・ニコルズと黒い小鬼』という本だった。「どれどれ？」とわたしは言った。色褪(いろあ)せた赤い表紙に女の子の横顔がシルエットで描かれた、ハードカヴァーの本だった。もう一度、タイトルに眼を向けた。なんなの、この黒い小鬼って？　と胸のうちでつぶやいた。奥付を確認すると、一九三〇年代の作品だった。人種差別主義者が出てきたりするんだろうか？

「ねえ、おふたりさん、よければ別の本にしない？　階下（した）には、ほら、あんなにどっさり本があるんだし。たとえば、そうだな、ジュディ・ブルームの『スーパーファッジ』とか、そういうのはどう？」

「これって、ナンシー・ドルーっぽいやつだよ。ナンシー・ドルーをもっとへんてこにした感じ」とベッシーが説明役をかって出た。

「読んだことあるの？」

ベッシーはうなずいたけど、ローランドは「ぼくは読んだことない」と言った。

「黒い小鬼ってなに？」

「それも謎の一部なの」とベッシーが言った。

最初のページにざっと眼を通してみた。物語は、〝少しばかりがたのきたオープンカー〟が家のまえに停まるところから始まっていた。登場人物のひとりは「〜しませんこと？」というじつになんとも古風なことば遣いをしていた。

「そういう像が出てくるの」ベッシーが、わたしがためらっているのを見て取って意を決したように言った。「ただの粘土の像。悪魔とかそういうんじゃないから」

「ふーん、そうなんだ」とわたしは言った。「それじゃ、まあ、ご希望どおりにいたしましょうかね」そして、ペニーことペネロペ・ニコルズという少女探偵の物語を読み聞かせた。この少女探偵が一風変わっていて、その異端児っぷりにはなかなか興味深いものがあった。読み聞かせは愉しかった。生まれて初めて、わたしは朗読が好きなんだ、と気づいた。人物に合わせて声を変えて演じわけることまでしてみた。子供たちからは、さしたる反応もなかったけれども。わたしはさらに読み進め、もっと読み進めた。読むほどに声がだんだん低くなり。子供たちのほうも眠そうな顔になり、それからしばらくして寝る時間になった。

「おやすみ、きみたち」とわたしはペニー・ニコルズ風に言った。

「どこ行くの？」とローランドが言った。

「自分の部屋だよ」わたしは戸惑いながら答えた。「あたしのプライベートな部屋。プライバシーが必要だからね」

「今晩はぼくたちと一緒に寝てくれない？」

「ううん、それは無理」とわたしは答えた。

「どうして？」とベッシーまで急に熱心に訊いてきた。

「だって寝る場所がないでしょ」とわたしは言った。

「あたしたちのベッドをくっつけちゃえばいいよ」とベッシーは言ったけど、そううまくはいかないことを説明した。二台のベッドをくっつけた境目のところで寝ているうちに、隙間がどんどん拡がっていってそこに身体が沈み込んでいくところを想像すると、正直言ってぞっとしなかった。

「じゃあ、みんなしてそっちの部屋で寝るのは？」とベッシーが言いだした。「さっきのぞいてみたけど、ベッドもおっきかったし」

「だめ」

「今晩だけでも？」とローランドが言った。

このふたりは、こんな子供番組のセットみたいな家にベビーシッターもどきのわたしと一緒に押し込められているのだ。わたしはそのことを考えた。このふたりが母親を亡くしたことを考え、あのリネンのスーツを着込んだ父親のことを考え、どんなおとぎ話にももれなく出てくる善い魔女みたいなマディソンのことを考えた。それから、子供たちがふたりだけになったこの部屋でめらめらと燃えあがるところを思い描いた。

「いいよ、わかったよ」とわたしは言った。「ここに慣れるまでのあいだだけだからね。ほら、行くよ」

ふたりは歓声をあげると、わたしの寝室に駆け込んでいってベッドの上掛けの奥にもぐり込んだ。わたしは扇風機のスウィッチを入れた。時刻は午後九時をまわったところだった。これまでは午前零時を過ぎても雑誌に読みふけり、メアリーが冷蔵庫に入れておいてくれる残り物を食べあさっていた。でも、まあ、マディソンにお手当を貰ってるのはこのためなんだし、とわたしは声に出さずにつぶやいた。

「ほらほら、おふたりさん、ちょっと脇に寄って」海を割ったモーゼの要領でわたしは言った。「そしたら、あいだに入れるから」ふたりは脇に寄り、わたしはベッドに這いあがった。ふたりともすり寄ってはこなかったけれど、なんとなくもぞもぞしながら、いつの間にかもう少しでわたしの身体に触れそうなところまで近づいてきていた。

「おやすみ」とわたしは言った。この子たちが眠ったら、ベッドを抜け出し、階下におりて好きなことをして過ごせるかもしれない、と思いながら。

それから、今日一日の出来事を振り返った。ベッシーに噛みつかれて手が傷だらけになり、プールに落ちてずぶ濡れになり、ふたりが燃えるところを目撃し、もう一度燃えあがるところも目撃し、またまた燃えあがるかもしれないからこうして待機していることを。そして、自分がくたくたに疲れていることに気づいた。手を顔に持っていって、ベッシーに引っ掻かれた傷痕をひとつずつ指先でたどった。なんとなく胸苦しかった。すぐそばにいる子供たちの燃焼作用で、まわりの酸素が使いつくされてしまったような気がした。息を吸い込もうとして、あえぐような声がもれた。ベッシーが「だいじょぶ?」と訊いてきた。「いいから眠って」とわたしは言って、自分も眼をつむり、なにもかもがうまくいっている世界を思い描こうとした。

そのうち本当に寝入ってしまった。ぐっすりと、死んだように。時間にして、たぶん、十分ぐらいのことだったと思う。そのうち、子供たちが話しているのが聞こえてきた。

「この人、眠ってる?」とローランドが訊いていた。

「たぶんね」とベッシーが答えた。わたしは眼をつむったまま、規則的な呼吸をくりかえした。

「どう思う?」とローランドが言った。

「悪い人じゃないって、なんかそんな気がする」とベッシーが言った。

「パパのことは?」とローランドが重ねて尋ねた。

「なんなの、あの人」とベッシーは言った。「ばかっぽいよ。ママが言ってたとおりだった」

「でも、ここはちょっと気に入ったかも」とローランドが言った。

そこで短い沈黙が挟まり、それからベッシーが弟の発言に応じるように言った。「悪くないかもね。しばらく暮らすぐらいだったら」

「いい人だね、この人」とローランドが言うのが聞こえた。

「かもね」とベッシーが言った。「変わった人だよ」

「で、どうする？」とローランドが言った。

「ひとまず様子を見てみよう」とベッシーが言った。

「それで、もし、合わなかったら？」とローランドが言った。「じいじとばあばのところにいたときみたいだったら？」

「燃やしちゃえばいいじゃん」とベッシーが言った。「なにもかも、誰も彼も、ぜーんぶまとめて。火をつけちゃおう」

「わかった」とローランドが言った。

「おやすみ、ローランド」とベッシーが言った。

「おやすみ、ベッシー」とローランドが言った。

ふたりはおさまりのいい場所を見つけて寝る体勢になった。ふたりの身体から力が抜けていくのがわかった。部屋のなかは真っ暗だった。ふたりの息遣いが聞こえた。しばらくして、たぶん十分ぐらいして、ベッシーがこう言った。「おやすみ、リリアン」

暗闇に包まれて、わたしは横になっていた。両隣を子供たちに挟まれて。子供たちのすぐそばに。

「おやすみ、ベッシー」とわたしは最後に言った。

それから、三人とも眠った。その家で、わたしたちの新しい家で。

6

子供たちの発火癖に対する解決策というか対応策を考えながら、それからの三日間、わたしは子供たちと一緒にプールで過ごした。これは誇張でもことばの綾（あや）でもなんでもなくて、文字どおりの意味で。毎朝、ベッドで眼が覚めた直後のふたりは、夜のあいだわたしにへばりつくようにして寝ているもんだから、身体がほんわりと心地いい感じにぬくもっている。わたしは、そんなふたりをベッドから引き剝がして、おそろしく大量の陽灼け止めクリームを塗りたくる。ふたりの皮膚に陽光が害を及ぼすとはおよそ思えないとはいえ。それから、三人してプールまで走っていって、その勢いでざぶんと水に飛び込む。それから何時間も、三人の指先がしわしわになって回復不可能なダメージを受けてしまったんじゃないか、というぐらい長いこと延々と、眼隠し鬼（マルコ・ポーロ）をして遊ぶのだ。正午（ひる）近くなると、わたしはいったん休憩を取り、そのあいだにボローニャ・サンドウィッチをこしらえ、子供たちはプールの縁に腰かけたまま、それを食べる。パンはしにゃしにゃにふやけちゃうし、ふたりの手はものの見事にマスタードまみれになるけれど、ふたりともあっさりと手を水のなかに突っ込む、という簡単明瞭な方法でそれを解決する。子供たちが泳ぎ疲れてきたら、三人してプールサイドのパラソルの下でごろごろして、そのまま昼寝タイムに突入する。消毒用の塩素がしみて眼が痛くなるけど、ほかになにができる？　というわけだった。

ちなみに、誰もわたしたちにかまわなかった。マディソンが姿を見せることもなかったし、ジャスパーについても以下同文。常にわたしたちの近くをうろうろするのが身上のカールまでもが現れなかった。お屋敷の庭師やメイドたちも、わたしたちの生活スペースのあたりでは見かけなかった。言ってみれば、わたしたちだけの世界だった。もちろん、それはあくまでも一時的な仮の生活にすぎないと、わたしにもわかってはいた。最終的には、なんらかの手立てを考えだすなり工夫するなりして、子供たちを現実の世界に溶け込ませなければならないのだ。ふたりがお屋敷のあのひたすら巨大なダイニングテーブルについて、エッグベネディクトだかなんだかこむずかしい名前のついた代物を食べているまえで、ふたりの父親であるジャスパーが新聞に眼を通し、前日のアトランタ・ブレーブスの試合結果をふたりに伝えている場面を想像してみた。それから、ふたりが町の図書館に出かけ、書架のあいだを歩いて目当ての本を選び出し、万が一にもその本を燃やしてしまって利用者カードを取りあげられる羽目になることなどこれっぽっちも心配せずに、自信を持って借り出す場面を想像してみた。それから、ふたりがお屋敷の母屋に住み、学校に通い、家に帰ってくるところを想像してみた。ふたりが、わたしのではないベッドで眠っているところを想像してみた。そのとき、わたしはどこにいるのだろう？　遠く離れた場所……ってことになるよね？　だって、ふたりをそこまで普通の状態に順応させることができたとしたら、わたしはもう必要なくなるだろうから。それが歓ぶべきことなのか悲しむべきことなのか、わたしにもよくわからなかった。と、そこではっと、自分のおめでたさ加減に気づいた。ベビーシッターの仕事をつつがなくやり遂げることを前提に未来を考えて、今からせっせと気を揉んでいるなんて……そう、おめでたいにもほどがある。なんせ、わたしが預かっているのは発火する子供たちなのだ。ということは、わたしが想像したような輝かしき未来は、ほぼ百パーセント実現しないに決まっていた。それなのにわたしとしたことが、わたしが崩壊させせちゃわない世界を、このわたしが全人類を窮地から救いだす並みの大活躍をしちゃう世界を、いそいそと想像していたのだ。そんな世界にするには、どうしたらいいのだろうか、と頭を悩ませていたわけだ。

子供たちが泳いでいるあいだ、わたしは休憩ということにしてテーブルについて小さなノートを拡げ、〝これはいけるかもしれない〟と思えた対策を思いつくままに書き出していった。リストは以下のとおり。

アスベスト？
カーレーサー用の衣類？
濡れタオル？
禅(ゼン)の瞑想(めいそう)法？
スプレー容器／庭の散水用ホース？
プールで生活する（プールに屋根をつける？）？
消火器（子供の肌に害のないもの？）？
薬物（睡眠導入剤？　抗不安薬？）？
セラピー（極秘で）？
辛い食べ物の除去？
人体自然発火について資料を集める（タイムライフ社刊『未知の謎』シリーズ）？

などなどなどなど。誰かに見られたら、頭がおかしいと思われるにちがいなかった。こいつはいったん誰かを火だるまにしたうえで、大急ぎでその火を消すことを企んでいるらしい、と。それでも、これは科学的なアプローチっぽく思えた。わたしには託された子供たちがいる。その子供たちは発火する。わたしはその子供たちが発火しないようにしなくてはならない。また一方で、人間は理由もなく発火したりはしない。というか、少なくとも、発火をすれば死亡するか大火傷を負ったりするものである。つまり、厳密に言えば、こうしてわたしが考えに考えているのは、存在していない問題の解決法にほかならない、ということになる。さしあたって思いついたのは、これからもふたりのためにせっせとふやけたボローニャ・サンドウィッチをこしらえつづけ、それをふたりが十八歳になるまで、それまでにわたしたち全員が日光浴のしすぎで干からびて消えてしまわない限り、ひたすら続けることぐらいだった。

「見て！」ベッシーの大声で、わたしは顔をあげた。ベッシーはお屋敷の母屋のほうを指さしていた。わたしは身体の向きを変えて、そちらに眼をやった。「ほら、あそこ」とベッシーが言った。二階の窓のひとつから、ティモシーがこちらを眺めていた。なんとまあ、自分専用のだと思われるちっちゃなオペラグラスで、わたしたちのことを見おろしていた。ロンドンの大劇場にでもいるみたいに。ティモシーがぴくりとも動かず、じっと子供たちを眺めているので、そのうちになんだか落ち着かない気分になってきて、わたしはとうとう視線をそらした。ちょうど、ベッシーがティモシーに向かって中指を立てたのが眼に入った。ベッシーは唇をきゅっと引き結んで、いかにも意地の悪そうな顔になっていた。

「ほらほら、興奮しないの！」とわたしは思わず大声を張りあげた。とたんに自分がやたら口うるさい小言屋に思えた。わたしの不安がふたりによくない影響を与えている気がした。ここはひとつ冷静になるべきだった。話がわかるところを示すべきだった。少なくとも、ふたりにそう宣言してしまった手前というものがある。

もう一度母屋のほうに眼をやると、ティモシーの姿は窓辺から消えていた。「中指を立てるのはやめとこうよ、ね？」とベッシーに言った。「あんたたちの弟なんだから」

「腹違いの弟でしょ？」とベッシーは言った。そんなのは大伯父さんの上の上の上のそのまた上の伯父さんと同じようなものだ、と言わんばかりに。

「つんけんするのはよくないと思うよ」とわたしは言った。

「中指を立てたってあの子に意味なんかわかるわけないよ」とベッシーは言い、ローランドは「〝くそくらえ〟って意味だよ」と言った。

「ちがうって」とベッシーはむっとした口調で言い返した。「〝くたばれ〟って意味だから」

「はいはい、おふたりさん」とわたしは言った。「そのへんにしとこうね。紙パックのジュースでも飲む？」

「退屈なんだよね」とローランドが言った。

「んなわけないじゃん、こんなおっきなプールがあるんだし」とわたしは言った「お祖父ちゃんとお祖母ちゃんとこのプールの、ざっと三倍はあるよ」

「なんか愉しいことしたい」とベッシーが言った。

「って、たとえば？」と訊いてみた。

「かくれんぼとか?」とローランドが言った。

「うーん、ものすごく愉しいとは言えないかもしれないね」とわたしは言った。ふたりがこのゲストハウスのなかでもいちばん燃えやすい場所に隠れ、ふたりでぎゅっと身を寄せあって、ただひたすらじっとしたまま、きっかけとなる出来事が起こるのを待ちつづけるところを思い描いた。

「アイスクリームを買いに行くっていうのは?」というのがベッシーの提案だった。

「アイスクリームなら冷凍庫にあるよ」と言って聞かせた。

「ちがうって。お店で買うアイスクリームがいいの。お店の人があのアイスクリームすくうやつですくって、渡してくれるとこが見たいの」

「だけど、あたしたち、ここに慣れようとしてるとこだよね」とわたしは言った。「だったら敷地のなかにいたほうがいいんじゃないかな」

「お屋敷のなかには入れないの?」とローランドが訊いてきた。

「まだ、だめ」とわたしは言った。

「それ、つまらなすぎ」とベッシーが言った。「最低だよ、そんなの」

ベッシーの言うとおりだった。そんなのは最低だった。最低の最低もいいとこだった。ふたりを抱き寄せてこんなふうに言いたくなった——「ふたりとも、そんなのは確かに最低の最低もいいとこだよね。あたしだってうんざりだよ。だから、あたしはもう家に帰ったほうがいいのかもしれない。じゃ、おふたりさん、頑張って」。カールのミアータを強奪して逃走するところを想像してみた。マディソンがこの子たちを育てようとするところを想像してみて、困惑するマディソンの姿を想像したときのささやかな罪悪感を愉しんだ。わたし以外の誰かがマディソンをいやな目に遭わせたりしようものなら、そいつのことはぶっ殺してやるけど、ほかでもないわたしには、マディソンに対してちょっとぐらい意地の悪いことを想像する権利はあるはずだ、という気がした。

とはいえ、まわりのみんなの期待を裏切りつつある感は否めなかった。そう思う反面、これこそがわたしに期待されている役割なのかもしれない、と思うこともあった。別の対処法が見つかるまで、わたしはただともかくひたすら子供たちの相手をすることに徹するだけでいいのかもしれない。ただし、それはわたしにとっては、そして子供たちにとっても、失敗を意味した。わたしはやはり、ふたりをこの新しい環境に溶け込ませ、持ち前の野性味をほんの少しだけ削り、混みあったショッピングモールに連れていってもあたりの建物を残らず全焼させることなく試着をすませられる方法を見つけなくてはならないのだ。それに、もしかしたら――こんなことを言うと自分のことしか考えていない強欲な人間に思われそうだけど、そういうことができるようになれば、ある種の専門家を名乗れるようになる可能性も出てくる。たとえば、アルゼンチンのとある大金持ちの一家に燃える子供がいることが判明した、なんてときに、このわたしが飛行機でひとっ飛びして現地に乗り込み、その家族の問題を見事解決に導いちゃったりするわけだ。講演してまわる、という手もある。自らの体験を本にまとめるのもいいかもしれない……と思ったところで気がついた。このままでは、わたしの書く本はくそおもしろくもないものになりそうだった――〈昔々、わたしが燃える子供たちのベビーシッターをしていたときのことですが、わたしはその子たちを三か月間ずうっとプールで遊ばせっぱなしにしておきましたとさ。おしまい〉。もっと愉しい物語を書けるようにしなくては。あの子たちのためにも、わたしのためにも、まわりのみんなのためにも。

「なにを書いてるんだ?」背後からカールに声をかけられて、わたしは文字どおり飛びあがった。

思わず「っざけんなよ、くそが」ということばが口をついて出ちゃったもんだから、子供たちは声をあげて笑いころげた。カールのことは毛嫌いしているはずなのに。それにしても信じられなかった。気配の〝け〟の字もなく現れるとは。ひょっとするとカールというのは、徹底的に気配を消しておいてここぞというタイミングで登場することに全エネルギーを費やすタイプなのかもしれなかった。なんだかそんな気がした。少なくとも、音を立てずに歩く訓練は日々積んでいるものと思われた。

「なんなんだ、そいつは？」カールはわたしのノートを指さして言った。わたしが書き込んだ項目のひとつに眼をとめ、こんなことをわざわざ書き出すやつの気がしれない、とでも言いたげに、その眼をすうっと細くした。「禅の瞑想法？　まじか？」

「これはプライベートなものなの」とわたしは言って、それ以上読まれるまえにノートを閉じた。けど、まあ、全部読まれちゃっただろうな、と思いながら。

「そいつがあの子供たちに関することなら、おれにも関係がある」とカールは言った。それから、わたしが他人からああしろ、こうしろと指図されるのがなにより嫌いな人間だったことを思い出したのか、ふと口調をやわらげて言った。「リストなら、じつはおれも作った」

「どうせ〝子供たちを寄宿学校に入れる、子供たちを陸軍士官学校に入れる、子供たちをスイスの療養所に入れる、子供たちを炭素冷凍する〟とかいう内容でしょ」と言い返してやった。

「今あんたが挙げた項目は、確かに残らずリストに入ってる」とカールは言った。「だが、ここはひとつ話しあおうじゃないか」

「聞こえてるよ、あたしたちにも」とベッシーが声を張りあげた。

「ことさら隠すつもりはない」とカールは言った。声がいくらか大きくなっていた。

「だったら、あたしも交ぜて」とベッシーは言った。

「だめだ」とカールは言った。じつにこともなげに。そう、カールにとってはそれほどたやすいことなのだ。人の望みを、それがどれほどちっぽけな望みであっても、片っ端から撥ねつけることなんぞ屁とも思っていないのだ。以前のわたしがそうだったように。わたしは他人を拒絶してきた。それが自分のためにはならないときでも、かえって不都合が生じかねないようなときでさえ、拒絶しまくってきた。今の自分がそのころより進歩したことになるのか否か、わたしにはなんとも言えなかった。

「対策を考えないといけないよね」とわたしはカールに言った。

「同感だ」とカールは言った。「子供たちにとって有益なものであり、同時にロバーツ上院議員とロバーツ夫人の身辺の安全対策に適う方法を見つける必要がある」

「じゃあ、最初の案として、セラピーはどう？　もちろん、人目を避けてこっそり受診するんだよ。おたくの立場としては、この件にまつわる一切合切を極秘中の極秘にしておくことを最優先に考えてるってわかってるし」

「ありえない」カールは言下に一蹴した。

「こっそりとだよ？　人目を避けて〝こっそりと〟って言ったんだけど？　カール、あの子たちは母親を亡くしてるんだよ。二か月ものあいだ、あの頭のネジが何本か抜けちゃってるじじばばと暮らしてたんだよ。そういう経験をしてるんだから、誰かに話を聞いてもらうべきだよ」

「あんたが聞いてやればいい」

「そんな訓練、受けてないもん」

「おっ、ようやく認めるべきは認める気になったか」とカールは言った。「いいことだぞ、褒めてやる」

わたしは視線に怒りを込めて、黙ってカールをにらみつけた。

「ロバーツ上院議員はセラピーというもんを信用していない」カールは平然と話を続けた。「だから、自分の子供を精神科医に診せることは許可しないだろう。そもそも精神分析という概念そのものに不信感をお持ちなんだ」

「それはまた、どうしてでございましょうね、カール」

「ともかく、セラピーはなしだ。次の案は？」

「はいはい、わかりました。それでは――」わたしは仕切り直すことにした。気がつくと、いつもとはちがう、わたしらしからぬ口調になっていた。銀行で融資を取りつけようとするときには、たぶん、こういうしゃべり方になりそうな気がする。「これはあたしが観察したことに基づいた考察なんだけど、あれはあの子たちの身体の内側から生じている、だよね？　火のことだけど。ふたりは動揺したときに発火しているんだよね」

「どうやらそのようだな」とカールは言った。わたしの言うことに耳を傾け、最後まで話を聞こうとしているのがうかがえた。

「ということは、この問題に対処するにあたっては、内と外の両方面からアプローチする必要があって……って、この言い方で合ってるかな？　身体の内側と外側ってつもりで言ったんだけど」

「いいから、リリアン、なにをするつもりなのかだけ言ってくれ」とカールは言って、深々と溜め息をついた。

「それじゃ、まず外側から。外側からの対処法としては、まあ、燃えたら消す、だよね」

「消火器だな」とカールは言ってうなずいた。

「あのさ、消火器を実際に使ってみたことある？　そこらじゅう、もう、べっちょべちょになるんだよ、あれって。吸い込んだら危険な化学物質だって入ってるし。消火器なんて要らないよ。あの子たちが発火しそうなときにどんなことを言ったりやったりするのか、身体にどんな作用や変化が起こるのか、その予兆みたいなのをあたしたちがうまく把握できるようになればいいだけ。予兆さえつかめれば、なんなら濡れタオルで充分だよ」

「おい、リリアン、三日もかかってひねり出した案がそれか？　濡れタオルだと？」

「そっか、そうだよね、うん。そんなふうに言われちゃうと、確かに、めちゃくちゃ冴えない、ばか丸出しの案に聞こえる。でも、そう、濡れタオルとか濡れ布巾とかを使ってふたりを冷やすの。小型のクーラーボックスかなにかに入れて持ち運べばいいじゃん」

「勘弁してくれ」とカールが言った。

「で、子供たちの様子がおかしくなってきて、燃えはじめたら、身体を濡れタオルでぽんぽんぽんって感じで叩いて冷やすの。そうすれば、炎が大きくなるのを食い止められる」

「ほかにも案はあるんだろ？　頼むから、あると言ってくれ」

「あのさ、カール、言っちゃなんだけど、おたくだって防火対策の研究で博士号を取得してたりするわけじゃないでしょ？　でも、まあ、はいはい、ほかの案ね、ありますよ、ありますとも。あのさ、カーレーサーが車に乗ってるとき、レースとかに出場してるときって意味だけど、あの人たちって、ほら、事故に備えて燃えない服を着てるでしょ？　炎を防げるのは一分とか、ひょっとすると一分ももたないのかもしれないけど、救急チームが駆けつけるまでの時間は稼げるってやつ」

「〈ノーメックス〉ってやつだ」なんでもご存じのカール博士がおっしゃった。「消防士も使ってる」

「そっか。だったら、それを手に入れようよ。その生地でこしらえた靴下とかシャツとか下着とかをあの子たちに着せたり履かせたりするの」

「しかし、あの生地は人を炎から守るためのものだぞ」とカールが言いだした。「あの子たちの場合、自分たち自身が火なわけだろ？　われわれが考えるべきは、子供たちを火から守ることじゃない。まわりの人間や燃える可能性のあるものをいかにして火から守るか、だ」

「それってさ、同じことにならない？　もしその生地に、燃えにくくなる……えっと、なんて言うんだっけ？」

「難燃性」とカールが言った。

「そうそう、それそれ。その生地にその難燃性ってのがあるんだったら、同じ効果が期待できるんじゃないかな。あの子たちが燃えだしても、炎がそとに出るのをその生地が食い止められるんじゃない？」

「なるほど、それは考えられるな」とカールは言った。たとえるなら、わたしがごくごく簡単な数学の問題に正解したもんだから、簡単な問題とはいえちょっぴり感心した、というような口ぶりで。

「それで時間を稼げるよね。まわりのあたしたちを守ることにもなるし、この家を守ることにもなる。でしょ？」

「まあ、そうなるな」とカールは言って、そこで急に何事か思い出したことがある様子でこんなことを言いだした。「知りあいに、ハリウッドでスタントマンをやってるやつがいる。火が出てくる場面のスタントでは、専用のジェルを使うんだそうだ。水性のジェルで、そいつを身体に塗っとくと火傷しないらしい。そのジェルも同じ用途で使えるってことにならないか？　あの子たちが発火しても、ジェルが炎を抑えてくれていれば、こっちが消火に取りかかるまでの時間が稼げる」

「そっか。よさそうだね、それ。じゃあ、そうだな……百ガロンぐらい買っといてもらえる、そのジェル？　あと、消防服もね。でも、それだけじゃ問題の半分しか解決できない」

「なんなんだ、その残りの半分ってのは？」とカールが言った。

「ふたりがそもそも発火しないようにしなきゃ。それまでだったら当然発火しちゃいそうな状況に置かれたって、なんとか発火せずにいられるようにするの」

「で、禅の瞑想法か」とカールは言って、ご丁寧にも、ぱちんと指まで鳴らしてみせた。ようやく納得がいった……というか、こいつは最初に思っていたほどイカれているわけでもなさそうだ、と思ったのかもしれない。

「まあ、それに類するものだね」とわたしは言った。「うちの母親とつきあってたボーイフレンドのなかに、ヨガをやってた人がいてさ。そばで見てると、なにやってんだかって感じだし、ヨガをやってるあいだはこっちまで静かにしてなきゃならなくて、かなり鬱陶しかったんだけど、その人がもう、あたしが知ってる母さんの男どものなかでは、ダントツで穏やかな人なんだよ。母さんがどんなことをしでかそうと、これっぽっちも動じないわけ。最終的には、その穏やかすぎるってのが理由で、母さんのほうから別れちゃったんだけどね。母さん曰く——」

「リリアン、そこまでで充分だ」と言って、カールはわたしの話を途中でぶった切った。

「いずれにしても、子供たちと毎朝、ヨガをやるの。あの子たちに教えるんだよ。ほら、あの……よくわからないけど、真言（マントラ）って言うの？　ぶつぶつ唱えるやつとか呼吸法とかそういうのを。そしたら、気持ちを鎮めることができるようになるでしょ？」

「だったら、薬物を大量に投与するほうが手っ取り早いし確実じゃないか？　たとえば、双極性障害の躁（そう）状態を抑えるのに使うリチウム塩とか、薬物なら否応なしに落ち着いた状態にもっていけるぞ」

「ジャスパーが子供たちをクスリ漬けにしたがると思う？」

「子供たちをクスリ漬けにしていることを上院議員に伝える必要はないと思うが？」とカールは答えた。

「あの子たちをクスリ漬けにはしないから、いい？」わたしはきっぱりと言った。「呼吸法を練習して、心を落ち着けられるようになるの」

「一種の認知行動療法（ものの受け取り方や考え方、行動のパターンを整えることで、ストレスに対応できる心の状態を作っていく方法）だな」

「じゃあ、それについての本も何冊か用意して」とカールに頼んだ。「ハリウッドのスタントマン御用達のなんちゃらジェルと認知行動療法の本とヨガのＤＶＤを用意して」

「よし、わかった」とカールは言った。なんだか満足していなくもない口ぶりだった。「うん、それでいこう」

「それでってなに？」とベッシーが言った。ローランドと一緒にいつの間にかわたしとカールのすぐそばに突っ立っていたのだ。ベッシーのそのひと言に、さしものカールも飛びあがった。

「あんたたちはプールに入ってるはずでしょ」わたしはふたりに言った。

「スタントマンのジェルのこと、教えて」とローランドがカールにせがんだ。

「薬はなしだよ」とベッシーが言った。「薬はなしだからね。無理やりなんか服ませようとしたら、めちゃくちゃ怒るよ。あのソファ、燃やしちゃうからね」

「うん、薬はなし」わたしはうなずいた。

「ならいい」とベッシーは言ったけど、遠くを見つめているような眼をしていた。深い洞窟の奥をのぞき込んでいるような眼でもあった。わたしのことを信用していいのかどうか、確信が持てないと言われているようで、なんというか、ちょっと傷ついた。が、そこではたと気づいた。浮かんだアイディアを書き留めてある、わたしのあのノートには、対応策のひとつとして薬物という項目がばっちり挙がっているじゃないの！

「ここに訪ねてきたそもそもの目的だが」とカールが言った。「ロバーツ夫人が家族揃っての夕食をそろそろどうか、と考えていてね。今週末、ロバーツ上院議員がこっちに戻ってくるんだよ。で、せっかくだから、子供たちにも母屋に来てもらって夕食を一緒にってことでね。ロバーツ夫人としては、この機会に懸案の課題をなんとかクリアしたい、というご希望なんだ」

「ピッツァは出るかな？」とローランドが言った。「チキンナゲットでもいいな」

「せっかくだが、ローランド、メニューを決めるのはおれの仕事じゃないんでね」とカールが言った。

「それじゃ、あたしたち、あっちに行けるの？」とわたしは半ば信じられない思いで訊いた。

「そう、四日後には」とカールは答えた。「それまでのあいだに、何事も起こらなければ、という条件はつくがね」

「あたしたちが悪いわけじゃないのに」とベッシーが不機嫌丸出しで言った。

「生まれつき、こうなんだよ！」とローランドは大声を張りあげた。

「おれはそろそろ退散するかな」と言ってカールはプールサイドの椅子から立ちあがった。「ま、頑張ってくれや、リリアン」

「じゃあね、カール」とわたしは言った。その直後、視野の隅で、ローランドがプールに向かって堂々とおしっこをしている現場をとらえた。

「ローランド！」わたしは大声で怒鳴りつけた。

「だって消毒薬、入れてるじゃん」ローランドはへどもどしながら言った。「このぐらい平気だよ、汚れてないよ」

「見てよ、あのばか」とベッシーが言った。てっきり双子の弟のことを言っているのだろうと思ったけど、見ると、ベッシーは母屋のほうを振り返っていて、母屋の二階の窓からまたもやティモシーがこちらを眺めていた。動物のぬいぐるみを抱いて、例のちっちゃいオペラグラス越しに。そのうしろにマディソンの姿が見えた。これだけ離れたところから見ても、やっぱりマディソンはきれいだった。手を振ると、マディソンも手を振り返してきた。わたしは親指を立てて万事順調だというサインを送った。〈ノーメックス〉のことや、ヨガのことなんかを相談したかったけど、マディソンはあのだだっ広いお屋敷にいて、彼我（ひが）のあいだにはとんでもなく広大な隔たりがある。はるか彼方にいるのと同じことだ。マディソンが恋しかった。

「ほら、おふたりさん」とわたしは子供たちに言った。「プールに戻った、戻った」ふたりとも不満のうめき声をあげたけど、それでも勢いよく水に飛び込んだ。盛大に飛沫をあげて、わたしの脚をびしょ濡れにして。

「一緒に入ろうよ」とベッシーが言ったけど、わたしは首を横に振った。プールのそばにしゃがみ込んでいたので、立ちあがってデッキチェアのところまで移動して、腰をおろし、背もたれにゆったりともたれかかった。サングラスをかけているので、気分は映画スターだった。自分の顔が見えないもんだから、空想の翼をいくらでも自由に羽ばたかせることができた。「ちょっとのんびりさせてね」と子供たちに言った。

「えー」とローランドが声をあげた。「つまんないよ、そんなの」

「あたしたちのこと、見てて」ベッシーはそう言うと、平手で水面をぱちゃぱちゃ叩いた。聞きわけのない赤ん坊にお仕置きでもするように。

「見てるよ、ちゃんと」とわたしは言った。サングラスをかけていれば、わたしがどこを見ていようと、ふたりにはわかるまい、と思いながら。ほんのちょっとの時間でいいから、今のこの状況から、あの子たちがわたしの全世界になっている状況から、距離を置きたかった。ごくごくささやかなものでいいから、ともかく休憩時間が必要だった。そんなの認めない、とは誰にも言わせない……もちろん、双子たち以外にはって意味だけど。わたしは顔を上に向けて空の雲を眺めた。どの雲もなんかの形に見えた。それぞれなんの形なのか、具体的に思い浮かんでこないのは、たぶん、疲れ果てていたからだと思う。

　マディソンはなにをしているんだろう、と考えるともなく考えた。どうしてもなんだか騙されたような気持ちになるのを否定できなかった。このところ、マディソンとはほとんど顔も合わせていなかったから。初めの何日かのことを、子供たちがやってくるまえの、マディソンとふたりだけで過ごすことができたときのことを思い返した。マディソンは服を買ってくれたし、ふたりでバスケットボールもしたし、なんとなくそのままずっと一緒にいられるように思っていた。もちろん、ゲストハウスで子供たちと暮らすことになるのは承知していたけど、そうなっても、マディソンはわたしの隣に腰をおろして、笑い声をあげているものと、なんとなくそんなふうにイメージしていた。子供たちが石蹴り遊びかなんかしているのを眺めながら、わたしたちは一緒にあのくそお上品でくそまずいキュウリのサンドウィッチをつまんだりするんだろう、と思っていたのに……。

「あたしたちのこと、見てててってば」とベッシーが言った。さっきよりも大きな声で。

「見てるって」とわたしは言った。「ふたりとも、めっちゃかわいいよ」

「ふーん、あっそう」嘘をつかれていることを見抜いて、ローランドが言った。

子供たちが立てる水音に耳を傾けながら、わたしは顔を撫でる陽の光のぬくもりを愉しんだ。のどかで、安らかで、平和だった。くそがつくほどつまらないけど、それでも平和だった。しばらくのあいだ、眼をつむった。夏は何マイルも何マイルも先まで続いていて、永遠に終わらないように思えた。

全身がぴくっとして、眼が覚めた。意識がはっきりするのと同時に、プールに眼をやった。子供たちの姿がなかった。どれぐらい眠りこけていたんだろう？　一分間？　八年間？　そのふたつのあいだのどの数字であっても、その数字にどの単位がくっついていても、納得できそうな気がした。こわばった首筋が死ぬほど痛かった。「ベッシー？」と小さな声で呼んでみた。誰にも聞こえないぐらいの声で。それじゃ呼ぶ意味がないわけだけど、わたしとしてはともかく冷静に、あくまでも冷静になろうとしていたのだ。「ローランド？」と呼んでもみたけど、こちらも返事はなかった。プールは静かで、人っ子ひとりいなかった。とりあえず周囲をぐるっと見渡してみた。ふたりの姿はどこにもなかった。無意識のうちに、母屋の窓に眼を向けていた。ティモシーの姿はなかった。わたしの無責任な行動を目撃していた者はいない……と思ったところで、こんな状況が次々に思い浮かんできた。あの子たち、ひょっとして母屋にいたりしないだろうか？　お屋敷にこっそり忍び込んでいたりしないだろうか？　でもって、今ごろふたりがかりでティモシーにヘッドロックをかけてたりして？　考えているうちに、胃袋のあたりがむかむかしてきた。

わたしは立ちあがってプールサイドをぐるっと歩いてまわった。デッキチェアのうしろもひとつひとつ検め、ふたりが隠れていないことを、わたしに思い知らせてやるつもりだとしても、そこを隠れ場所には選ばなかったことを確認した。次いでプールのなかをのぞき込んで、底をひとわたり見渡した。ここも空振り。ゲストハウスに駆け戻って、ドアを開けるなり、ふたりの名前を大声で呼び立てた。返事なし。すべての部屋を確認したけど、これまた空振り。電話に眼をやり、一瞬、カールを呼び出すことを考えたが、それに伴ってどんな評価がくだされることになるか、考えたくもなかった。挽回（ばんかい）は不可能だろう。カールが頭のなかでつけているわたしの通信簿に、永久に消えることのない汚点として黒々と記録されることになる。

わたしは母屋に向かい、誰にも気づかれないようこっそりと忍び込んでキッチンに向かった。メアリーがパスタをこしらえていた。生地をこねあげ、つまんでひだを作り、ちっちゃながまぐちみたいな、なんだかずいぶん複雑な恰好をした代物をせっせと製造しているところだった。

「メアリー、子供たちを見なかった？」と訊いてみた。さりげない口調、というやつで。〝うん、答えはわかってるけど、あんたのこと、ちょっとテストしてみようと思ってさ〟という感じで。

「こちらにはいませんよ」とメアリーは言った。顔もあげなかった。「眼を離した隙に、いなくなったんですか？」

「そうみたい」とわたしは言った。メアリーには嘘をつけそうになかったから。メアリーは、なんの造作もなく手を動かしつづけながら、かすかに笑みを浮かべて言った。「捜したほうがいいですね」

「うん、あたしもそう思う」とわたしは言った。「このこと、マディソンには言わないでてくれる？」

「はい」その力強くきっぱりとした答えに、思わずメアリーにキスをしたくなった。メアリーは、わたしが引き受けた仕事には関与していない。言ってみれば部外者だった。そんなメアリーに、ほんの何秒かではあっても味方になってもらえたことが、ものすごく嬉しかった。

こうなってみると、この世界はにわかに広大で手に負えない場所になった。ロバーツ家のここの敷地内でかなりの時間を過ごしてきたもんだから――そうそう、もちろん、くそとんでもなく広大な地所ではあるけれど――このなかにいる限り、なんとかなる、とりあえず安全で安心だ、という気持ちになっていたというのに。わたしはあたりを見まわした。子供たちが自分たちの足取りを知らせるため、パン屑かなんかを撒いてないか、と期待して（ちなみに、これは冗談ではないのであしからず）。期待は裏切られた。あのくそがきども、と心のなかで毒づいた。パン屑のひとかけらも落としていかないとは、薄情者にもほどがある。そういうやつらは、どこかの魔女にとっ捕まって食われてしまえばいい。いや、今ごろ、ふたりして魔女の家を焼き払っているころかもしれない。

まあ、あの子たちが今どこでなにをやらかしているにせよ、非難の矛先(ほこさき)が誰に向けられるか、わたしには痛いほどよくわかっていた。

　ともかく歩きつづけた。ふたりの名前は呼ばずに、ある種の超能力(ESP)でふたりの居場所を捜しあてようとした。捜しているあいだ、ふたりの姿を心のなかに描きつづけていれば、やがて眼のまえにひょいと、もちろん燃えてもいない姿で現れるにちがいない、とでもいうように。併せて、どこかで煙があがっていないか、たびたび遠くに眼を凝らした。

　そうやって、女一名から成る捜索隊に加わることで、あの子たちに関して責任を負っているのはこのわたしであり、しかもこのわたしひとりしかいないのだ、ということを遅まきながら痛感した。はっきり言って、くそとんでもなく重大な責任だった。それほどの責任を伴う役目を、マディソンもジャスパーもどうしてわたしなんぞに任せたりしたのか？　子供ふたりの生命(いのち)を預かることの重さたるや……ずしん、なんてなまやさしいもんじゃない。われながらあきれ果てたのは、ふたりが発火するのを目の当たりにしていながら、その時点でそこまで思い至らなかったことだった。それでも、発火については、なんとか対処できそうな気がしてきていた。それより、こんなふうになんの痕跡も残さずに姿を消されてしまうほうが、もっと重大問題で、もっと深刻で、もっと厄介に思えた。というか、結果としてどちらの状況のほうが、より辛辣な非難を浴びることになるか、考えるまでもなかった。一方は生まれつきのものだが、もう一方は不注意が原因だ。いずれにしても、そこまでの覚悟が、わたしにはできていなかった、ということだった。たとえば〈セイヴ・ア・ロット〉でステーキ用の肉が一パック、万引きされたとする。誰か責任を感じるだろうか？　わたしは感じない。まちがいなく、ぜったいに、断じて、これっぽっちも感じない。でも、わたしが引き受けたこの仕事は、そうはいかない性質のものだった。仕事は仕事でも別物だった。そんなことに気づくのに、どうしてこんなに時間がかかったのか……？

そこでまた、二発めの稲妻に打たれたように、いきなりあきれるほどはっきりと、あることを悟った。子供たちがいなくなってしまったら、死んでしまったとしたら、そこまで極端でなくとも、ただ単にまわりじゅうの人間に迷惑をかけまくった、というだけであっても、そのあとどういうことが起こるか、について。そう、まずはこのわたしが非難される。そして、家に帰される。それから、何年もまえにアイアン・マウンテンを追い出されたときと同じことがくりかえされる。みんなから寄ってたかって責められまくるうちに自分でも、別人に生まれ変われるんじゃないか、なんて妙な期待をどうして抱いたんだろう、と考え込むことになる。で、マディソンとは？　そう、わたしたちの関係はそこで終了となる。マディソンに頼まれたことは、たったひとつだけ——まあ、じつはこれがふたつめの頼まれ事になるわけだけど。なのに、それに応えることができなかったら、期待を裏切ってしまったら、わたしはもう必要とはされなくなるだろう。そして再びマディソンを失うことになる。これまでマディソンの期待を裏切ったことは、ただの一度もなかったのに。胸の奥で心臓が震え、鼓動のリズムが乱れた。そんな事態を招くわけには、断じていかなかった。

「ねえ、ふたりとも」気づくと大声を張りあげて叫んでいた。「ベッシー？　ローランド？」敷地の境界沿いに拡がる森に足を踏み入れた。「ベッシー！　ローランド！　戻ってきて！　今すぐ戻ってきなさい！」と声を限りに叫んだ。誰に聞かれようと、もうかまわなかった。庭師のひとりぐらい、わたしの声を聞きつけて駆け寄ってきて、ふたりを捜すのを手伝ってくれるかもしれないんだし……という期待も虚しく、わたしは独りぼっちだった。薄暗い森を歩きまわり、子供たちを捜しつづけているのは、いつまで経ってもわたしひとりだけだった。

森のなかの小道なりに先に進んだ。人工的に切り拓いてつけた小道のようだった。それにしては雑草がずいぶん野放図にはびこっていたし、低木の枝やら棘やらがしょっちゅう水着に引っかかった。ビーチサンダルの足元が心もとなかった。せめて足元だけでも、もっとしっかりしたものを履いてくるんだった、と悔やみながら、声を張りあげた。「ベッシー！　いい加減ふざけるのはやめてよ。ベッシー？　聞こえたら返事して」それでも返事はなかった。まったく見当違いの方向に来てしまっている可能性もあった。けど、〝それじゃ、どうしろって言うのよ？〟だった。わたしはがむしゃらに足を進めた。ときどき声を張りあげて、ふたりの名前を呼び、わたしがこうして捜しにきていることを知らせようとした。見つけたときにはどうしてくれよう、という内心の思いは、努めて声に出さないようにした。

二十分ほど歩いたところで木立がとぎれ、森のはずれに出た。そして、光が射し込んでくるその開けた場所に、子供たちがいた。水着姿で突っ立ったまま、次の一歩を踏み出したものか、踏み出すのをやめたものか、決めかねて、ぐずぐずと踏ん切り悪く立ち尽くしているように見えた。ちょっとしたきっかけで、だっと逃げだしていきそうだった。森のすぐ向こうには、一般の道路が走っているのだ。なのに、ふたりともいざというときになって、決断すべきときになって、足がすくみ、身動きできなくなっていた。わたしはふたりに追いついた。ふたりのすぐ横にぴったりと寄り添い、それぞれの肩に腕をまわして、その風変わりで不可解で不可思議なちっちゃな身体をぎゅっと抱き寄せた。

「死ぬほど心配したんだよ、ほんとにもう」とわたしはふたりに言った。そう言ってから、自分がそれまで息をしていなかったことに気づいた。こうしてふたりをがっちり確保するまで、肺に息を溜め込んだままだったことに。

「ごめん」わたしと眼を合わせようとしないまま、ベッシーが言った。

「なにしにきたわけ、こんなとこまで?」とわたしは尋ねた。「どうして黙ってあたしのそばを離れたりしたの?」

「あたしたちのこと、見ててくれなかったでしょ」とベッシーは言った。ふてくされた子供ならではの口調で。「だから、そばにいたってしょうがないもん。プールから歩いてきたんだよ、そのままずうっと」

「通りかかった車を停めて乗せてもらおうとしてたんだ」とローランドが言った。「けど、ここ、車があんまり通らないんだよ。通りかかったの、たった二台だけだし、どっちもぴゅーって通り過ぎちゃったし。スピードも落としてくんなかった」

「どうして逃げだそうなんて考えたの?」とふたりに訊いてみた。

「だって、そのほうが簡単でしょ?」とベッシーが言った。「あたしたちがいなくなれば、みんな歓ぶもん」

「あたしは歓ばないよ」と言ったのは、本気でそう思ったからだった。「あんたたちがいなくなったら、めちゃくちゃ悲しくなるよ」

「えっ、そうなの?」びっくりしたように、ローランドが言った。

「うん……ってか、当ったり前でしょうが。そう、あたしは悲しくなるよ」

「そっか」とローランドは言って、満足そうな顔になった。

「で、あんたたちは嬉しいわけ?」とわたしはふたりに訊いた。

「ううん」とベッシーは言った。「あんまり嬉しくない。ここに立ってるうちに、動けなくなっちゃった。どこに行ったらいいか、わからなくて。ママはもういないし、じいじとばあばのとこに戻るのなんて、ぜったいに、ぜーったいにいやだし。ってなると、ほかに行くとこなんて、あると思う? あたしたちには頼れる人なんていないんだよ、リリアン。誰もいないの、あたしたちには」

「あたしがいるじゃん、ちがう?」とわたしは言った。これまた本気だった……と思う。いずれにしても、それが事実であり、現実だった。この子たちにはわたしがいる。この子たちには、わたししかいない。

そのときまで、わたしがずっと気を揉んでいたのはもっぱら、わたしがへまをやらかしたあと、わたしの身の上がどうなるか、ということだった。好ましからざる事態が出来(しゅったい)したら、わたしは今のここでの暮らしを失うことになるだろうし、マディソンをも失うことになるだろう。だけど、子供たちがどうなるかまでは考えていなかった。わたしがへまをやらかして、好ましからざる事態が出来したら、ふたりはどこに行くことになるのだろう? ひとつ確実に言えるのは、それがどこだとしても、そこはまちがいなく愉しくないところだということだった。ここよりも愉しくない暮らしが待っているにちがいなかった。カールはふたりをそういう場所に送り込む気満々だし、わたしの見た限りでは、わたしがちょっと足を滑らせてうっかり軌道を踏みはずそうものなら、ジャスパーもマディソンも、そういう場所にふたりを送る気になるにちがいなかった。アイアン・マウンテンを追放されて、谷あいの町に戻る車のなかで感じた気持ちを思い出した。〝わたしの人生はこれでおしまいだ〟的な、あの気持ちを。そして、それは実際問題として、ある意味、そのとおりでもあった。あんな思いを、この子たちにさせるわけにはいかなかった。ふたりとも、わたしと同様、手に負えないのだから。ふたりとも、わたしと同様、もっと恵まれた人生を歩んで当然なのだから。ということは、わたしはへまなんぞやらかしてはならない、ということだった。だから、そのとき、深く胸に誓ったのだ、わたしはへまなんぞやらかさない、好ましからざる事態が出来するようなへまは断じてやらかさない、と。

ちょうどそのとき、通りかかった車がスピードを落として、路肩に寄ってきて停まった。窓が開いて、運転席のアロハシャツ姿の男がこちらに眼を向けてきた。

「乗っけてこうか？」とその男が言った。

「けっこうです」といきなり言ったのは、ベッシーだった。顔を真っ赤にさせながら。

「ほんとにいいのか？」と男は重ねて訊いてきた。それでどういう人間かわかった。危険人物ではなく、どこか一本抜けているただのお人好しだ。だとしても、人目につくのは好ましいこととは言えなかった。一般人の貪欲な好奇心の餌食になるべきではなかった。

「ハイキング中なの」とわたしは言った。

「その恰好で？」興味津々といった顔で、男は言った。

「とっとと行きな」と思い切りあばずれ風に感じ悪く言ってやった。いい気分だった。

「あっそ……じゃあ」と男は言って車を出した。わたしたちは、その車が遠ざかっていって眼で追いきれなくなるまで、ずっと見つめていた。

「家に戻らない？」しばらくしてベッシーが言った。

「そうだね」とわたしは言った。「そうしようか」と言うと、ふたりはわたしと手をつないだ。そして、わたしたちはわたしたちの家に、でもじつはそうとも言い切れない家に向かって、来た道を戻りはじめた。

「ねえ、ふたりともヨガって聞いたことある？」と訊いたとたん、両側からうめき声が返ってきた。ヨガということばの響きが、いかにも愉しくなさそうに聞こえたにちがいない。

「それより普通に本読んで」とベッシーが言った。ふたりとも十歳なのに、ときどき年齢よりも幼く思えることがあった。心身ともに栄養が足りていないところも、手に負えないところも含めて。

「いいよ」とわたしは言った。「それじゃ普通に本を読むことにしよう。お話の本を読んであげる」

家に向かって歩きながら、わたしたちは森の物音に耳を傾けた。そして、周囲のそうした物音は、いったん家に帰りつくと、変化して小さくひそやかになることに気づいた。もしかすると、わたしたちのなかに入り込んでしまったのかもしれなかった。いずれにしても、わたしたちは帰宅した。そして、その日はもう、戸外に出かけていくことは、ありませんでした、とさ。


翌朝、眼が覚めると、口にローランドの指が突っ込まれていた。腹部の圧迫感は、ベッシーの足がわたしの横っ腹を思い切り踏みつけているからだった。そうした状況がもたらしうる不適切さについての、このふたりとひとつベッドで同衾することの不適切さについての、一瞬の考察がしばしの躊躇をもたらしたが、すぐさま、〝んなこと誰が知るか〟という思いがそれに取って代わった。この子たちの手をしっかり握って放さない、なんてことができるのは、このわたしだけなんだから。ふたりが、ふたりにとってはまったくの赤の他人である大人の女と一緒に寝ているのは、確かに異様だし、普通ではないことではあるけれど、この子たちの生まれてから今この瞬間に至るまでの日々は、それ以上に、とまでは言わないまでも、それといい勝負に異様で、普通ではないものだったはずなんだから。わたしはローランドの指を吐き出した。ローランドの身体がぴくっと動いた。おなかを膨らませてベッシーの足を押し返した。それでベッシーが眼を覚ました。「さあ、起きるんだ、きみたち」わたしはそう言うと、両腕を挙げて、ひとつ大きく伸びをした。

「今日もまたプールで泳ぐの？」とベッシーが言った。自分がプールに飽きてきていることが、塩素入りのきらきら光る水にうんざりしてきていることが、自分でも意外なようだった。

「ううん、新しい日課を用意したよ」とわたしは言いながら、日課の内容について考えをめぐらせた。「運動するの」

「これから？　今すぐ？」ローランドが情けない声で言った。

「そう、これから、今すぐ」

「朝ごはんのあとじゃだめ？」とベッシーが言った。

「うーん、そうだな、運動が先かな。おなかいっぱいで運動したくないでしょ。身体にもよくない……と思うよ」というのはすべて、しゃべりながらとっさにでっちあげた理由だった。カールに頼んだヨガのDVDはまだ届いていないので、母さんのボーイフレンドがやっていたことを思い出そうとした。見ているこっちが気恥ずかしくなるほど頻繁に、おけつを宙に突き出していたことだけはやけにはっきり覚えていたけれど、ひとつひとつの正確なポーズまでは思い出せなかった。その人、髪をポニーテールにしていたもんだから、それにばかり気を取られていたんだよね。

「運動ってどんなの？」とベッシーが訊いてきた。

「呼吸の練習みたいなもの」とわたしは言った。

「あんまり運動っぽくないね」とローランドは言った。だったらやってみてもいいかな、という口調だったので、わたしはすかさず「まずは床に坐って」と指示した。

ふたりは床に降りると、脚をおりたたむようにして正座の姿勢になった。「あぐらをかいて坐ってみて」と言って、実際に脚を組んで坐ってみせた。といっても、わたしは身体が柔らかいほうじゃない。隙あらば利用してやろうという連中を警戒し、常に肩肘を張って人生を送ってきたせいだ。おかげで、背筋をまっすぐに伸ばして、骨盤と太腿をごくありふれたポジションにもっていく、というごく簡単な動作が、思っていたより少々難しいことがわかった。どうか子供たちに気づかれませんように、と思っているあいだに、当のふたりは両脚をいとも軽々とプレッツェル状に組んでしまっていた。これなら、こちらがどんなポーズを要求しても、楽々とこなしてしまいそうだった。

「で、次は?」とベッシーが言った。

「眼をつむるの」とわたしは言った。

「やだ」とベッシーは言った。そこでまた、わたしの胸の奥からベッシーに対する温かな想いがこみあげてきた。わたしの指示がいかにも子供だましっぽく聞こえることは、わたし自身にもよくわかったから。わたしも十歳のときなら、たとえ大金を積まれたって断固拒否したにちがいなかった。

「みんなで眼をつむるんだよ」とわたしは言った。

「ってことは、リリアンもつむるの?」とベッシーが訊いてきたのは、予想外のことだったからだと思われた。

「そうだよ」いささか努力を要することではあったが、わたしは冷静に、苛立つことなく言った。

「だったら、あたしが眼をつむってるかどうか、わからないよね」とベッシーは言った。

「そうだね。信用するしかないよね」

「信用してくれていいよ」とベッシーは言った。わたしを試そうとしているのだ。それがわかったので、わたしはあえて反論しないで眼をつむった。

「それじゃ、まずは――」ふたりの熱を溜め込んだ寝起きの身体を、酸っぱいような息のにおいを、全身をぶるっと震わせた動きを感じ取りながら、最初の指示を出した。「大きく息を吸って」

ローランドは世界最大のミルクシェイクを飲み干す勢いで、思い切り息を吸い込み、ちょっとむせた。

「慌てないで大丈夫だよ、ゆっくりと楽～に吸って。そしたら、息を止めるの」と言って、自分でもやってみた。人間は意外なほど大量の空気を吸い込むことができるものだ。吸い込んだ空気を、わたしは肺に溜め、その空気が、身体のなかでわたしという存在を形成している、よくはわからないけど、なんらかの物質と混じりあうのを感じた。子供たちが言ったとおりにやっているかどうか、わからなかったけど、眼を開けて確かめる気にはなれなかった。息を止めたままでいると、地球の回転が、世の中の動きが、それまでよりもほんの少しだけゆっくりになったような気がした。

「じゃあ、息を吐いて」ふたりが途中でつっかえながらも長々と息を吐き出すのが聞こえた。ふたりの肺が緊張を解く音まで聞こえそうな気がした。

「これで終わり?」とベッシーが言った。眼を開けると、ふたりともまだ眼をつむっていた。

「まだだよ」とわたしは言った。「これをくりかえすの」

「何回?」とローランドが訊いてきた。

見当もつかなかった。けど、ええと……

「五十回ぐらい?」と言ってみた。たちまちベッシーから抗議の声があがった。

「ありえないよ。五十回なんてありえない。ちょっとひどすぎない、リリアン?」

「わかった、わかった」と言うしかなかった。「じゃあ、二十回」

「ならいいよ」とベッシーが言ったので、三人揃ってまた呼吸法を再開した。息を吸って、止めて、吐いて、また吸った。そうやって呼吸をくりかえすうちに、そんなふうになるとは思ってもいなかったのだが——というのも、身体のなかでわたしという人間を鼻つまみ者にしている毒素のようなものは、なにをどうしたところで、薄まるわけはないと常々思っていたので——一呼吸ごとに少しずつ、気持ちが穏やかになっていった。そのうち、時間の感覚がなくなった。何回呼吸したんだったか、わからなくなった。それでも気にもならなかった。わたしはただ呼吸をくりかえした。部屋の温度に変化はなかった。それからようやく、もう充分だろうと思ったところで、「はい、そこまで」と言った。

「これだけ?」とローランドが声をあげた。「これで終わり? もう朝ごはん食べていいの?」

「どんな気分?」わたしはふたりに訊いてみた。

「ばかみたい」とベッシーが言った。「って最初は思った。でも、いやじゃないかな。そんなに悪くなかった」

「じゃあ、毎日やろうね」

「毎日?」ふたりともいやそうな声で言った。

「そうだよ」とわたしは言った。「で、ふたりとも、興奮してきたなって感じたときには、今みたいに呼吸するの。いい?」

「効果ないと思うけど」ベッシーが思うところを正直に述べた。

「でも、まあ、とりあえずやってみようよ」とわたしは言った。それから三人で階下におりて、〈ポップターツ〉（ケロッグから出ている、ジャムやチョコレートの入ったタルト生地のペストリー）を食べて、特大グラスで牛乳を飲んだ。

朝食のあと、わたしはクロゼットで見つけた、練習問題集（ワークブック）を何冊か持ち出した。どれもまだぴっちりとビニールラップがかかった状態だった。出版社から直接取り寄せたものだと思われた。発行しているのは、某教育書籍系出版社。まもなくこの世の終わりがやってくるというこのときに、子供たちを一般の学校なんぞに通わせられるか、と信じ込んでいるちょっとそっち系の急進的な親向けに出版されている類いの問題集……というのは、ちょっと言い方として意地悪すぎるかな。子供たちが発火する可能性があるので、家から出せない親向け、と言い換えてもいいかもしれない。というか、ごくごくざっくり言ってしまえば、役に立ってためになるものを子供たちに与えたいと思っている親向けの問題集かな。まあ、そんなの、知ったこっちゃない……だよね。問題集そのものは、充分に吟味されていて、なかなかよくできていた。

いろいろと取り揃えられていたなかから、四年生用の算数の問題集を用意したところで、はたと気づいた。十歳というのは何年生になるんだったっけ？　考えてみたけど、見当がつかなかった。自分の記憶をたどってみた。三年生？　それとも五年生？　余計にわからなくなった。とりあえず四年生用でよしとした。掛け算の基礎問題のページを何枚か破り取って、カウンターの席についているふたりのまえにぴしゃりと置いた。ふたりとも、眼のまえに置かれた紙面が中国語で印刷されているような顔になった。

「学校のやつ？」とローランドが早くも腰が引けている声で言った。「やだよ、こんなの」

「どのぐらいわかってるか、知りたいだけ」とわたしはふたりを説得にかかった。「秋の新学期からは、ふたりとも学校に通うことになるんだからさ」

「ママはあたしたちのこと、学校には通わせなかったよ」とベッシーが言った。「学校は臆病者たちが行くとこだって言って。学校というのは創造力のない人たちのためにあるんだって」

「うん、まあ、そうだね。確かに一理ある。あんたたちやあたしにはその創造力があるからね。だけど、そういうとこでもやっていける方法を見つけるのも、創造力だよ」

「リリアンが教えてくれればいいじゃん」とローランドが言った。「それか、マディソンが教えてくれるとか？」

「マディソンもあたしも、先生の正式な資格を持ってるわけじゃないからね」とわたしは言った。「それに、ほら、あたしたちには時間だけはたっぷりあるわけじゃん。だから、試しにちょっとやってみようよ。愉しみながら勉強するの、悪くないでしょ？」

「こういうの、大嫌い」とベッシーが言った。

「初級の問題だよ。たとえば、ほら、これ――4×3は？」

「7？」とローランドが言った。

「ちがう」とわたしは即座に言った。それから、慌てて付け加えた。「惜しいけどね」

「こういうの、大嫌い」とベッシーがもう一度言った。

「ほら、ベッシー、そんなこと言わないでやってみよ。4×3は？」

「全然わかんない」とベッシーは言った。顔が真っ赤になっているのは、恥ずかしいからだと思われた。

「うん、4×3は4が三回分ってことなんだよね。だから、4＋4＋4と同じって考えてみて。いくつになる？」

「知らない」とベッシーは言った。

「12だよ」とわたしは言った。「4＋4＋4は12、だから4×3は12なの」

「そんなの、わかってるって」とベッシーが言った。声が高くなっていた。「足し算なら知ってるもん。わかってるもん」ベッシーは恥ずかしさを感じているだけでなく、腹を立ててもいるのだとわかった。わかった。身体じゅうがうっすら赤くなってきていた。ベッシーは鉛筆をつかんだ。紙からはみだしそうな大きさで12と書き込もうとしたところで、鉛筆が折れた。最初の1さえ書き終わっていないというのに。

「呼吸して」できるだけ穏やかに、できるだけ落ち着いた口調でわたしは言った。「聞いて、ベッシー、深呼吸するの」

「算数なんてやったことない、一度もない」とベッシーは言った。「やったことないんだから、わかるわけないいじゃん」

「しゃべらないで、呼吸して」とわたしは言った。「さっきの呼吸をしてみて」ローランドのほうに眼をやった。計算問題をまえにしかめっ面をしてはいたけど、赤くなってはいなかった。腹を立ててはいないのだとわかった。

「ローランド」そっと静かに、できるだけ穏やかに声をかけた。安楽死させる猫にかけるような声を。「タオルを持ってきてもらえる？　バスルームにあるやつ。ローランド？」ローランドは立ちあがったものの、怯（おび）えて身をすくめたまま、その場から動けなくなっていた。「タオルだよ、タオル。わかる、ローランド？　バスルームに行ってタオルを持ってきてほしいの。聞こえる、ローランド？　タオル。バスルームからタオルをお願い」

「うん、わかった」ローランドはようやく答えると、次の瞬間、階段を駆けあがっていった。

　ベッシーは顔をくしゃくしゃにしていた。「わかってたよ、ママが教えてくれたことだけじゃ足りてないって。算数なんて必要ないってママは言ってたけど、わかってたよ、いつかこうなるって。みんなからばかだと思われるようになるって。ローランドとふたりでやってみようとしたことはあるけど、全然わかんなかった。けど、やってはみたんだからね」

「あたしが教えるよ、ベッシー」と声をかけたけど、その時点でベッシーは身体じゅう真っ赤になっていた。椅子から抱きおろそうとして手を伸ばすと、体温がとても高くなっているのがわかった。ベッシーを床に抱きおろして言った。「なにも言わなくていいからね。呼吸して、深呼吸できる？」

　ベッシーが深呼吸を始めた。深く息を吸って吐き出すことを何度かくりかえしたところで、悲鳴のような声をあげた。「効いてないよ！」

　そこにローランドがタオルを抱えて戻ってきた。ローランドからタオルを受け取り、シンクに駆け寄ってタオルを濡らし、できるだけ固くぎゅっと絞った。肩越しに、ベッシーの両腕と両方の足首のあたりで、小さな炎が揺らめきはじめているのが見えた。タオルをつかんでベッシーに近づき、まずは腕に、次いで脛（すね）に、ちょっとずつ場所を変えながら濡れタオルを押しあてた。皮膚に密着させるたびに、タオルから蒸気があがった。

「ベッシー、お願い、呼吸して。ともかく呼吸を続けて、ね？　ほら、タオルで火の勢いがちょっと弱くなってきたでしょ？」

「いいよ、もう。バスルームに放り込んで頭からシャワーをぶっかけちゃって」とベッシーは言った。

「だめ、そんなことはしない」とわたしは言った。「一緒に火を消すの、ぜったいに消せるから」

濡れタオルをベッシーの身体にひととおり押しあてたあと、タオルを拡げて肩先からすっぽりと繭(まゆ)のように包(くる)み込んだ。ローランドがどこかに走っていったのはわかったけれど、ベッシーのことで精いっぱいで、どうすることもできなかった。

「あたしがついてるから、ね?」とベッシーの耳元で囁いた。ベッシーの身体は、とんでもなくたちの悪い熱病に罹(かか)った人みたいに、ものすごく熱くなっていた。タオルから煙があがりはじめた。

「呼吸に集中して。深呼吸をするんだよ。そうすれば、消えちゃうから。そのあとは、もう算数の問題なんてやらなくていいよ。アイスクリームかなんか食べよう。それに、あと何日かしたら、あっちのお屋敷に行って家族揃ってディナーだよ。なんでも好きなものを食べられるよ。それに、あともうちょっとしたら、町にも出かけてみようよ。おもちゃを買おう。新しい本も買おう。好きな服も買えるよ。本物のアイスクリーム屋さんで本物のサンデーを頼もう」

「チョコレートの粒々を振りかけて、チェリーも載っけるんだ。あと、熱々のチョコレートソース(ホット・ファッジ)も」とベッシーが言った。タオルに火が移って燃えはじめていた。ベッシーの身体からタオルを剝ぎ取り、床に放り出した。それでもまだ煙をもくもくあげていたので、踏みつけて火を消した。それほど時間はかからなかった。見ると、ベッシーの火も消えていた。魔法でもかけたみたいに、あっさりと。ベッシーの火がタオルに転移し、タオルの火を踏み消したことでベッシーの火も消えたかのようだった。

「うん、いいよ」とベッシーはわたしを見て言った。「うん、それならいい」

そして、疲れ切ってしまったみたいに床にぺったり坐り込んだ。わたしはその身体をそっと抱き締めた。「ローランド！」わたしは大声を張りあげた。数秒後、服を着たまま全身ずぶ濡れになっているローランドが居間に入ってきた。一歩踏みだすごとに、足元に水溜まりができた。「シャワーに飛び込んだんだ」とローランドは言った。

「うん、それでいいよ」とわたしは言った。

「燃えてないね」ベッシーを指さして、ローランドは言った。

「もうおさまったから」とわたしは答えた。

ローランドは近づいてきて、わたしたちのすぐ隣に腰をおろした。

「あんたたちの面倒は、あたしが見るからね」とわたしは言った。

「リリアンっていい人？」とベッシーが言った。ずいぶん奇妙な質問だった。まだ幼い子供が、それほど長いこと人生を送ってはいないので、訊かれた側が簡単に答えてしまうことを知らないで訊く類いの質問だった。

わたしはしばらく間を置いて、わざとらしく考えているふりをしてから「そうでもないな」と答えた。「悪い人間じゃないとは思うけど、いい人間にはほど遠いからね。ごめんね。でも、あたしはここにいる。あんたたちもここにいる」

「でも、いなくなっちゃうんでしょ？」とベッシーが言った。

「うん、いつかはね。あんたたちがあたしのことを必要としなくなったときには」

「じゃないかと思ってた」とベッシーは言った。

「まだまだずっと先のことだけどね」と言ってから、十歳の子供にとって三か月というのはまだまだ先のことだろうか、と考えた。わたしにとっては、まだまだ先のことだった。

ベッシーとローランドは互いに顔を見あわせた。ふたりはそうやって、あの双子ならではのことばを介さない伝達手段で意思を疎通させているのだと思われた。

「あんたたちがそうしてほしいと思ってる限り、一緒にいるからさ、ね？」黙っていられなくなって、わたしは言った。「それまでは一緒にいるからさ」

わたしのことばは、ふたりの耳に届いていないようだった。わたしたちは三人して、ただそこに坐り込んだままでいた。今この瞬間にカールが訪ねてきたりしないことを本気で祈った。だって、この状況をどう説明すればいい？　カールのことを電気スタンドで殴りつけ、本人の車まで引きずっていって運転席に放置し、意識を取り戻したときにすべては夢のなかの出来事だったと思わせる、とか？

「あたしたちのママは――」とベッシーが言った。

「わかってるよ」とわたしは慌てて言った。「あたしはあんたたちのママじゃない。そんなことはわかってる。あんたたちのママの代わりになれる人なんて、世界じゅう探したっているわけ――」

「自殺したんだ、あたしたちのママ」とベッシーは言った。「あたしたちのせいで」

子供たちの母親が亡くなったことはマディソンから聞かされていたが、それが自殺だったという話は聞いただろうか？　聞いた記憶がなかった。どうして話しておいてくれなかったのか、と思い、はたしてマディソン自身も知っていたんだろうか、と考えた。秘密にすべき出来事として処理されたのかもしれなかった。今後、マディソンにお目通りがかなう機会があったら、訊いてみることにした。

「あんたたちのせいじゃないよ、ベッシー」とわたしは言った。「そんなはずないじゃん」

「でも、ママ、こんなのは辛すぎるって言ったんだもん。これからいろんなことが変わっていくだろうし、あたしたちも普通の学校に通わなくちゃならなくなるだろうし、もうこれ以上は無理だって。パパはあたしたちに普通になってもらいたがってるって、ママはそう言った。そんなことは不可能なのに、普通になんてぜったいになれないのにって」

「そうか、ベッシー、それは悲しくなるね」とわたしは言った。ローランドが身体を丸めるようにしてすり寄ってきた。わたしはその肩に腕をまわした。

「それから、ものすごくたくさん薬を服んだの」とベッシーは言った。「あたしたち、それを見てたんだ。ママがものすごくたくさん薬を服むとこ。そのあと、ママは死んだの」

「なんてこと」と思わず口走っていた。「かわいそうに。辛かったよね」

ベッシーは感情というものが尽き果て、すっからかんになってしまったように見えた。心のなかに残っているものが、もうなにもなくなってしまったように。ベッシーはローランドのほうに眼をやった。ローランドは黙って小さくうなずいた。

「でね、あたしたちにも薬を服みなさいって言ったの」ややあって、ベッシーはそう言った。

「えっ?」と言ったけれど、予測はしていた。というか、完璧に予測どおりだった。けど、まさかそんなことがこの世の中で起こりうるなんて、とてもじゃないけど信じられないよ、というふりをする以外に、どうしろっていうわけ?

「ママはちっちゃなお皿を二枚出して、そこに薬をいっぱい載せて、ローランドとあたしのそれぞれのまえに置いたの。これを残らず服むのよって。それから、ものすごく大きなグラスに注いだオレンジジュースを持ってきてくれた。そして、泣きながら言ったの、これを残らず服んだら、三人とも今よりもずっと気分がよくなるからって」

「でも、薬は服まなかったんだ、ぼくたち」咽喉に絡んだ声でローランドが言った。

「あたしが、服んじゃだめって言ったから。それでローランドも服むのをやめたの。薬はポケットに入れて、服んだふりをしたんだけど、ママは気づきもしなかった。オレンジジュースは全部飲んじゃったけど、すごくたくさんだったから、ローランドもあたしもおしっこに行きたくなった。でも、寝室に行きなさいって言われて、それでママと三人でベッドに入ったの。で、寝なさいって言われたんだよね、まだ昼間だったのに。ローランドはママの向こう側に寝てて、あたしはこっち側に寝てたから、ローランドの顔は見えなかった。あいだにママがいたから。ママの胸に手を載せたら、心臓がどきどきいってたから、ああ、だいじょぶだなって思ったの」

「かわいそうに、ベッシー」とわたしは言った。ちょっとでも時間を稼ぐために。その話の続きを聞かされるまえに心の準備をしておくために。わたしにはまだ覚悟ができていなかった。

「それからものすごく時間はかかったけど、ママは眠った。あたしはずっとママの胸に手を置いてたんだ。ものすごく時間がかかった。めちゃくちゃ長いことかかった。おしっこしたくて、どうしても我慢できなくなって、ベッドのなかでおしっこしちゃった」

「ぼくもおしっこしちゃった」とローランドも白状した。

「それから、ママはほんとに眠っちゃったの。あたしたちは起きなきゃってローランドに言って、ふたりとも起きたんだけど、それでもママはまだ眠ってた。そのときには、わかってたよ、ママは死んでるんだって。胸に手を当ててたから。ふたりともおもらししちゃってたから、まずは服を着替えたの。そのあと、ピーナツバターのクラッカーサンドを作って、ローランドとふたりで食べた。ポケットから薬を全部出して、トイレに捨てて水で流した。それから戸外に出たの。おうちのまえの庭に出て、そしたら、ふたりとも燃えだしたんだ。ものすごくおっきかったよ、あのときの火。それまでのどんなときよりおっきくて、全身が燃えてた。そのうちにまわりの芝生も燃えだした。近くに立ってた木とかも燃えだした。それで煙に気づいた人が、一マイルぐらい離れたとこに住んでた人らしいんだけど、その人が消防車を呼んだの。それで保護されたんだよ、あたしたち。それで、ママも発見されたの」

そこまでしゃべって、ベッシーは黙り込んだ。ローランドもなにも言わなかった。しばらくのあいだ、わたしたちは黙ってただ呼吸をくりかえした。息を吸っては吐き、深い呼吸を続けた。わたしたちの鼓動は力強く、規則正しく、乱れがなかった。世界を終わらせるボタンというものが存在していて、そのボタンがそのとき、眼のまえに現れたとしたら、わたしは即座に、なんの迷いもなく、手を伸ばして、掌で思い切りボタンを押し込んでいただろう。そのときに限らず、世界を終わらせるボタンのことは、しょっちゅう考えていた。で、いつも、〝わたしは迷わず押すだろう〟という結論に至るのだ。

「ひどいね、それは」とわたしは言った。「けど、あんたたちのせいじゃないよ。あんたたちのママは辛い思いをしてたんだよ。あんたたちをひどい目に遭わせるつもりなんてなかったんだよ。ただ、はっきりとものを考えられなくなってただけだよ」

「ときどき、あの薬を服んでればよかったんじゃないかって思うことがあるんだ」とベッシーが言った。わたしは思わず泣きそうになった。だけど、子供たちは、人生でとんだ貧乏籤を引かされてさんざんな目に遭ってきたというのに、泣いていなかった。この子たちが耐えているのに、そんなふたりのまえでこのわたしが泣くなんて、意気地なしもいいとこだ、と思った。

「けど、そうなってたら、あんたたちには会えなかったわけだよね」とわたしは言った。「そんなの、やだよ。めちゃくちゃ腹が立つ」

「きっと怒るよね」とローランドが言った。

「うん、すっごく怒るよ」とわたしは言った。「だって、あんたたちはこんなに話がわかる子たちだってのに。あたしは独りぼっちでずっと家にこもりきりで、友だちもいなくて、この世にあんたたちが存在してることも知らずにいたってことだよ」

「きっと、めっちゃかんかんになって怒りまくるね」とベッシーが言った。その言い方がいかにもベッシーらしかった。

「うん、めっちゃかんかんになって怒りまくるよ」わたしに異論はなかった。

「算数、勉強したいな」とベッシーが言いだしたので、思わず声をあげて笑いそうになった。まったく、よりによってこんなときに、なにを言いだすかと思いきや……。身体じゅうの筋肉という筋肉に力が入っていたせいで、死にそうな気分だったけど、わたしは言った。「わかった。あたしが教えたげるよ、算数。ゆっくりやろうね」

「でも、今日はやめてね」とベッシーが言った。

「だね。うん、今日はなし」とわたしは言った。それからしばらくして、焼け焦げたタオルを拾いあげて、ゴミ箱にぶち込んだ。

その晩、子供たちが入浴していたときに電話が鳴った。外の世界の情報に飢えていたわたしは、すわ、一大事か、と期待していそいそと受話器に手を伸ばした。が、かけてきたのは、じつに代わり映えのしない相手、カールだった。

「ああ、なんだ、カール？」とわたしは言った。

「ロバーツ夫人から伝言を頼まれたもんでね」

「なんでマディソンが直接かけてこないわけ？　なんなら、ここまで出向いてきたっていいわけでしょ？」

「伝言の内容を伝えてもいいか？　それとも、そうやって延々と質問を続ける気か？」

「なんの用なの、マディソンは？」わたしとしては、そう答えるしかなかった。

「あんたに会いたいそうだ。今晩、午後十一時に」とカールが言った。その口調から、カールがこの件でみじめな思いを嚙みしめていることが伝わってきた。

「えっ、でもさ——」とわたしは言った。「子供たちをほったらかしにするわけにはいかない、よね？」

「あんたがロバーツ夫人に面会しているあいだは、おれが子供たちを見ることになる」

「カールが？」思わず吹き出しそうになった。「あの子たちが眼を覚ましたときに、あたしじゃなくてカールがそばにいたりしたら、この家、丸焼けになっちゃうよ」

「あの子たちは夜中に眼を覚ますのか？」

「うーん、そうでもないかな」と答えたものの、言われて初めて気づいたことかもしれなかった。「夜中に眼を覚ますことはないね。ふたりとも朝までぐっすり眠ってる」

「なら、問題ないだろ?」とカールは言った。

「あたしの持ち物をこそこそ調べたりしないでよね」とわたしは言った。カールから返事はなかった。

「どこに行けばいいの?」と訊いてみた。

「母屋の正面玄関で待っているそうだ」とカールは言った。

「なにを着てけばいい?」とも訊いてみた。「なにか予定があったりするのかな?」どうしたらいいかわからなかった。なんだかめまいがしてきた。あのお屋敷を眼のまえにしたとたん、気絶しないでいられる自信がなかった。

受話器越しにカールが深々と溜め息をつくのが聞こえた。気持ちを落ち着かせようとしているものと思われた。カールはカールなりに努力しているのだ、わたしを怒鳴りつけないように。「いつもの恰好でかまわない」とカールは言った。そしてそのまま電話を切った。

わたしの今夜の予定を子供たちにも伝えておくべきではないか、と考えはじめると、その考えを振り払うことができなくなった。立場が逆だったら、わたしなら眠っているあいだにふたりが出かけてしまって、留守番として階下のソファにカールがいることになったら、あらかじめそのことを知らせておいてほしいと思うだろう。それはまちがいなかったが、とはいえ、毎日何時間も子供たちにまとわりつかれ、へばりつかれて過ごしている身としては、自分だけのなにかが必要でもあった。であるなら、わたしにとって秘密の宝物であるマディソンに会うことを、子供たちには伝えなくてもかまわない、という論法が成り立った。

おまけに、いったん寝ついた子供たちから身を引き剝がすのは、それほど難しいことでもなかった。問題はわたしのほうだった。ここでふたりと暮らすようになってから、すっかり〝子供時間〟の生活になってしまっているので、いったんもぐり込んだベッドから這い出すのが、たいそう億劫になってしまっているのだ。なにを隠そう、一度、子供たちよりも先に寝入ってしまった前科もあった。

えいやっと気合を入れてベッドを離れ、しゃれたジーンズにTシャツを着て、スニーカーを履いた。マディソンが万一、ナッシュヴィルでやっているオルタナティヴ・バンドのライブを聴きに行こうと言いだしたとしても困らない恰好をしておきたかった。着替えのためにゲストハウスに戻ってきて、マディソンとのその後の予定をカールに説明する羽目になるのは、願い下げだったから。

午後十時五十五分、カールがドアのところに現れた。『スポーツ・イラストレイテッド』誌とクロスワードパズルの本を小脇に抱えて。

「ああ、カール、どうもね」とわたしは笑顔で言った。「ふたりとも眠ってるから」

「愉しんでこいよ」戸口ですれちがいざまにカールが言った。ひょっとして、わたしのことを羨ましがっているんだろうか？そんな気がしなくもなかった。ロバーツ上院議員はカールとポーカーをしたり、秘蔵の高級ウィスキーをふるまったりはしないのかもしれない。

星空の下に歩を進め、手入れの行き届いた芝生を突っ切り、母屋の建物をまわり込んで正面玄関のポーチに向かった。マディソンはポーチに持ち出したロッキングチェアに腰かけて、わたしが来るのを待っていた。だぼっとしていて膝が隠れるぐらいの丈のTシャツにスポーツタイツという恰好で、靴は履いていなかった。アイスペールのなかでビールがきんきんに冷えていた。ポテトチップスにサルサソースも用意されていた。「来てくれたのね」わたしがポーチにあがるのを待って、マディソンは言った。

「うん、来たよ」とわたしは言った。

「ごめんね、なんだかこそこそ呼び出したりして」とマディソンが言った。

「ううん、別にかまわないよ」と答えてから、はたと、マディソンはなにを秘密にしておきたいんだろうか、と考えた。わたしたちがこうして会っていることを、上院議員は知らないとか？　実際問題としてこれからなにが始まろうとしているのか？「っていうか、この何日か、なんか普通じゃなかったよね」

マディソンはこくんとうなずき、「それどころか、めちゃくちゃ普通じゃなかった」と言った。「それでも……それでも大丈夫、リリアンは？」

わたしもこくんとうなずいて、「大丈夫だよ」と答えた。そんなふうに訊いてくれたことが嬉しかった。そんなふうに訊いてくれた人は、それまでひとりもいなかった。訊かれて初めて自分が、そういう気遣いにどれだけ飢えていたかを悟った。

「ありがとう、リリアン」短い間を挟んで、マディソンが言った。

「どういたしまして」とわたしは言った。それから、マディソンが坐っている隣のロッキングチェアに腰をおろした。マディソンが渡してくれたビールを受け取ると、日頃のペース配分なんか度外視して、ほんの何口かで呑み干した。子供たちのところに戻るまで、時間的な猶予があとどれぐらいあるのかわからないのだ。この際、享受できるものは残らずごっそり享受するつもりだった。

マディソンもアイスペールからビールを取り出し、ちびちび呑みながら、しばらくのあいだポーチの向こうに拡がる暗闇の奥を見透かすようにじっと眼を凝らしていた。ややあって「燃えたわね、あの子たち」と言った。

「だね」とわたしは答えた。

「すごかった、思わず眼を奪われたわ」とマディソンは言った。「なんと言うか、つまり……つまり、ぞっとさせられた」

「当人たちはなんともないけどね、火傷もしてないし」と答えたところで、マディソンは子供たちのことを心配しているわけではないことに気づいた。

「もちろん、ああいう状態になるってことは聞いて知ってたけど」とマディソンは会話を引き取って言った。なるほど、このためにわたしは呼び出されたのだ、と納得がいった。マディソンは自分が目撃した出来事がまちがいなく現実に起こったことである、と自分以外の人の口から聞きたかったのだ。「でも、まさか、あそこまで……あそこまで赤々と……って言えばいいのかしら？　燃えるとは思ってなかった。すごい勢いで燃えてたわ」

「だね、確かに激しかった」とわたしも同意した。

「で、ふたりとも、あれ以来燃えてはいない？」とマディソンが言った。

「うん、燃えてない」わたしはしれっと嘘をついた。毛ほどのためらいもなかった。「まったく燃えてないよ。火花ひとつ散らしてない」

「そう……それはなによりだわ」とマディソンは言った。「そうなることを、ジャスパーもわたしも期待してたの。わかってたのよ、あなたならできるだろうって」

「なんで？　どうしてわかったの、そんなこと？」

「ただ、わかったの」とマディソンは言った。「なんとかできる人がいるとしたら、それはリリアンだろうって」

ハイスクールに通っているころから何年ものあいだ、マディソンからはたびたび遊びにくるよう誘われていた。再会したいとも言われていた。けど、そのたびにわたしのほうは、返事を書くときにそのことにだけは触れずにおいて、立ち消えになることを期待する、という手を用いた。そして、実際のところ、毎回、立ち消えになった。マディソンが重ねて強く誘ってきたことは一度もなかった。わたしとしても、お誘いに乗りたい気持ちがないわけじゃなかったけど、どうしても訪ねていく気にならなかったのだ。そりゃ、そうでしょ？　もし一度でもお誘いに乗って会いにいって気まずい雰囲気になっちゃったら、わたしはマディソンが思っていたような人間じゃなかったってことがマディソンにバレちゃったら、それっきりもう二度と手紙も来なくなるに決まってる、でしょ？それが怖かったのだ。わたしがわたしの持ち場を離れず、マディソンもマディソンの持ち場を離れない限り、わたしたちのあいだには、アイアン・マウンテンでの一年足らずのあの日々が、短くもなにもかもが完璧だったあの日々の思い出がそのままの形で残るんだから、それで良しとしていたのだ。それが、今、わたしはこうしてマディソンのすぐそばに、すぐ隣に坐っている。世界は静まり返り、わたしたち以外、誰も存在していないかのようだった。

「あの子たちにわたしの話をした？」だいぶ経ってから、マディソンが言った。とても穏やかな声だった。

「あのふたりに？」とわたしは言った。胃袋がぎゅっと収縮して〝なんだよ、せっかくだったのに〟の塊になった。現実を思い出させられたせいだった。「マディソンのことを、あの子たちに話したかってこと？」

「そう、なんて言うか、つまり、わたしのこと、持ちあげておいてくれた？　いい人だとか、話がわかる人だとか、親切だとか、信頼できる、とか言ってくれた？」

今はまだ、わたしのことを理解してもらうのにも四苦八苦しているありさまだった。わたしがいい人で、話がわかる人で、親切で、信頼できるって信じてもらう努力だけでいっぱいいっぱいなのだ。わたし以外の人のことを持ち出す余裕なんて、今はどこをどう探してもなかった。ところが、マディソンは期待と不安のないまぜになった顔をしていた。あのマディソンが人からどう思われているかを気にしているのだ。そんなマディソンを見るのは不思議な気がした。

「そりゃ、もう、もちろん」とわたしは言った。「マディソンはすごい人だから、きっとすばらしい継母になってくれるよ、って話した」

「で、ふたりとも信じた？」

「と思う」その程度の答えでマディソンが納得していないのがわかったので、こんなふうに付け加えた。「あの子たち、この夏が終わるまでにはマディソンのこと、大大大好きになってるよ。うん、このあたしが保証する」

「そうなのね、わかった」マディソンはようやく満足したようだった。「ふたりの好きなもの、調べておいてね。山ほど買ってプレゼントするから」

「賄賂（わいろ）だね？」わたしはそう言って、にやっとした。

「だって、お金って人に自分を好きになってもらうために使うものよ。そうでなけりゃ、お金なんて持ってたって意味ない」とマディソンは言った。それからアイスペールに手を伸ばし、もう一本ビールを取り出して栓を抜き、わたしのほうに差し出した。

「時間はあとどれぐらいある？」とわたしは訊いた。

「どれぐらいって……？」マディソンは戸惑ったような顔で訊き返してきた。

「あたしが子供たちのとこに戻らなくちゃならなくなるまで」

マディソンはそれについて考える顔になった。そしてわたしに向かって言った。「どれぐらいほしい？」わたしは答えなかった。どう答えたところで、充分とは思えないことがわかっていたから。

7

「シュート、シュートがしたいの！」ローランドにせがまれたけど、許可するつもりはなかった。まだまだその段階ではなかった。わたしたちは今、ひとつの物事を築きあげようとしている途中なのだからして、まずはいちばん土台となる基礎の基礎から始めなくてはならない。わたしが日々、この子たちと共に学びつつあることは――拠って立つためのなんらかの土台のようなものを築きあげない限り、人生はあっという間に厄介きわまりないものに転ずる、ということだった。

「じゃあね、まずはドリブルから」とふたりに申し渡して、ボールを抱えた。どうしてもっと早くこれを思いつかなかったのか、われながら理解に苦しむというものだった。これこそ、わたしがこよなく愛し、この世でいちばん夢中になれるものだった。子供を育てるということは、もしかすると、自分がこの世でいちばん夢中になれるものを子供に与え、自分同様それに夢中になってもらいたいと願うことなのかもしれない……。

ええ、ええ、はい、言われなくてもわかってますとも。わたしが思いついたことは、十中八九、ろくな結果にならないってことぐらい。この子たちは、つい二日まえ、わたしに母親がじつは自殺していたことを打ち明けたばかりだった。ええ、ええ、はい、言われなくてもわかってますとも。そういう場合、もちろん、なにを措いても必要なのがセラピーだ。ところが、セラピーという選択肢はありえない、と誰かさんから、それはもうきっぱりと申し渡されてしまっている。だとしたら、わたしにはほかになにができるか？　子供たちを信じることだ。発火しても火傷を負うことがなく、ということは地獄の業火にも無敵のこの双子ちゃんたちは、そんじょそこらの普通の人たちより強いのだ、とともかく信じるしかなかった。この子たちの身体がこと火に関しては不死身であるなら、その内側にある精神だって、ということだ。そう、この子たちは自分たちの力で生き延びていけるのかもしれない。わたしの力で幸せなままでいさせてあげられるのかもしれない。いずれにしても、その時点でわたしにはバスケットボールという武器しかなかった。

「シュート、シュートがしたいの！」ローランドはあきらめ悪く言いながら、バスケットゴールをひたと見つめていたけれど、わたしはローランドのボールに手を置いて――ちなみに、ローランドは翼を傷めた鳥みたいな、なんともぎごちない抱え方でボールを持っていたんだけど――そっと押し返した。ベッシーに思い切り嚙みつかれた手は、まだ痛いといえば痛かったが、指を曲げたり伸ばしたりしても飛びあがるほど痛くはなくなっていたし、腫れもほとんど引いていた。

「ドリブルってどうすることか知ってる？」とふたりに質問してみた。子供たちは顔を見あわせた。ふたりとも質問されるのが好きではないのは知っていたけど、質問する以外に知りようがないじゃない？

「こうするの？」ベッシーが意を決したように言って、ボールを地面にバウンドさせて、跳ね返ってきたところを、水から飛び出してきた魚でも抱きとめるみたいに、あたふたと両手で胸に抱え込んだ。

「そうそう、そうだよ」とわたしは言った。「それでいいの。地面についたボールが自分の手に戻ってくる、それがドリブルだからね」

「こんなのが愉しいの？」とベッシーは言った。「ドリブルって愉しい？」

「ドリブルほど愉しいもんはないってぐらい愉しいよ」とわたしは言った。「今、ふたりともボールを持ってるよね？　それは自分のボールなの。で、そのボールをバウンドさせるでしょ、そうすると自分の手からボールは離れるよね。でも、上手にバウンドさせれば、ボールがどっか行っちゃうんじゃないか、なんて心配する暇もないぐらいすぐに、自分の手に戻ってくる。で、またバウンドさせると、また戻ってくる。それを何回も何回も、毎日何時間も何時間もやってるうちに、いつの間にか、ボールがどっか行っちゃうんじゃないか、なんて心配はしなくなる。これは自分のボールで、だからぜったいになくなったりしないってわかるようになる。いつだって必ず自分の手に戻ってくる、いつでも好きなときに触れるものなんだってわかるようになるんだよね」

「それ、なんかよさそう」とベッシーが言った。

思わず、感動の押し売り映画に出てくるコーチの気分になった。観る人の心をぐいぐい揺さぶる音楽がクレッシェンドで盛りあがり、勘どころをつかんだ選手たちの〝あ、そうか、そういうことだったのか〟という表情がアップになり、そのうちに選手たちがわたしを肩車して練り歩くシーンになって、紙吹雪かなんかが舞い散ることになって……。

と、そこで、ローランドがバウンドさせたはずのボールが、なんとも興ざめなことに、自分の爪先に命中して、コートの向こうの端まで転がっていく、という事態が出来した。

「気にしない、気にしない」とわたしは言った。

「めんどくさいな〜、取りに行くの」とぶつくさ言うローランドに、「だめだよ、取りに行かなきゃ」

とぴしっと申し渡したところ、ローランドはチャーリー・ブラウンが女の子たちに笑われたときのとぼとぼ歩きで、うしろに雨雲でも引きずっているんじゃないかと思いたくなるようなうなだれ具合で、コートを突っ切り、ボールを拾い、拾ったボールを抱えて戻ってきた。

「じゃ、ドリブルするよ」と声をかけ、子供たちの動きを観察した。ふたりともその場に突っ立ったまま、ロボットのようなぎくしゃくした硬い動きでボールをバウンドさせていた。じきにベッシーのほうはなんとなくこつをつかんだようだった。ボールのバウンドが十回まで続き、次いで十五回まで続き、そこでタイミングをはずしたものの、手元からそれかけたボールをすかさずつかんだ。

「うまいね」とわたしはベッシーに言った。ベッシーの顔に笑みが浮かんだ。

「ぼくは？　ぼくは？」とローランドが声を張りあげた。またしても自分の爪先に命中させて、とんでもないほうに飛んでいったボールを追いかけながら。

「うん、ローランドもうまいよ」とわたしは言った。

「やっぱりね。だと思ったんだ」納得の面持ちでローランドは言った。

しばらくして〝〈ゲータレード〉休憩〟を取った。バスケットボールのドリブルのように、眼と手を同時に使う運動は、子供には難しいもので、すぐに疲れが出て、そうなるとミスを連発することになる。わたしたちはバナナにピーナツバターをつけて食べ、ピーナツバターをすくったバターナイフをかわりばんこになめた。

「リリアンは上手なんだよね？」とベッシーが言った。

「昔はね。こう見えても、昔はすごい選手だったんだ」とわたしは言った。ときどき、わたしにはバスケットボールしかないような気がすることがあった。わたしの人生において唯一、わたしが正直になれるような気がするもの、もしくは誰から教えられたわけでもないのに生まれながらにして知り尽くしているような気がするもの、わたしにとってバスケットボールとはそういうものだった。

「でも、背は高くないよね」とベッシーが言った。「バスケットの選手ってみんな、ものすごく背が高い人ばっかりじゃないの？」

「高い人もいるよ」とわたしは言った。「そのほうが確かに有利ではあるよね。でも、あたしは背は高くないけど、バスケットボールはうまいんだ」

「それじゃ、あれできる？　ええと……ほら、あれ、あのスラム……スラムダンクだっけ？」とローランドが言った。この子たちは言ってみれば宇宙人（エイリアン）みたいなものだ、と改めて思った。これまで人類についてのまるで不完全なガイドブックしか与えられていなかったもんだから、目下、ありとあらゆることをばりばり覚えようとしているところなのだ。

「ううん、できない」わたしは事実を認めて言った。「でも、スラムダンクができるからいい選手ってわけでもないし、いい選手だから必ずしもスラムダンクができるってわけでもないんだよ」。ふたりには言わなかったけど、本物の試合で、たった一度でもいい、スラムダンクを決めることができるなら、百万ドル払っても惜しくないと思っていた。そんなこと、公言することじゃないし、誰に対しても認めやしないけど、掛け値なしの本音だった。

「でさ、リリアンとしては、バスケットボールの練習をすると、あたしたちが燃えなくなるって思ってるんだよね？」とベッシーが言った。

「だといいなと思ってる」とわたしは言った。「バスケットボールの練習をしてると、あたしはいつも幸せな気持ちになれたんだよね。人を殺したいって気持ちにならなくてすんだんだ」

「リリアンは人を殺したいの?」ローランドの困惑している顔を見て、子供を相手にしていたことを思い出した。いつの間にかついい、ふたりのことを親友というかなんというか、まあ、イカれた同類のように思っていたらしい。

「ときどきね」とわたしは言った。今さら前言を撤回するわけにもいかなかったから。

「あたしたちもだよ」とベッシーが言った。誰のことを言わんとしているのか、察しはついた。ベッシーが想定している相手がジャスパーだということが。

今度は、三人してボールをバウンドさせながら、歩いてみることにした。これは人がやっているのを見ると簡単そうだけど、実際にやってみると思ったよりずっと難しい。同時にふたつのことをする場合、特にそれが初めてだったりすると、どんなに簡単そうに見えることでも、自分の身体をそのふたつの動きに同調させて、本能的にリズムをとらえることが必要になる。そうしないと、できるようにはならない。そして、ふたりは、なんともまあ、見ているほうが頭を抱えてうずくまりたくなるレベルで、下手くそだった。

だから、休憩を取ることにして、全員でプールに飛び込んだ。ボローニャ・サンドウィッチを食べて顔じゅうマスタードまみれになり、チェダーチーズ&サワークリーム味のポテトチップスを食べて指先をオレンジ色に染めた。近い将来、この子たちにこんなふうにジャンクフードばかり食べさせるのをやめて、たとえばカッテージチーズとイチジクとか、よくわからないけど、低脂肪のクッキーとかを食べさせるようにしないといけないのかもしれない、となんとなく思ってはいた……うぅんと、ちょっと待って、健康的な食生活を実践している人たちって、脂肪はオーケーなんだっけ、それとも眼の敵にしてるんだっけ? 個人的なことを言えば、わたしの食生活はジャンクフードで成り立ってきた。わたしの身体がいつも、控えめに言っても締まりに欠けているのは、たぶん、それが原因だと思う。体重の数字的には、おデブってほどではないし、それはたぶん、摂取カロリーの大半を怒りで消費しているから……というか、少なくとも自分ではそんなふうにイメージしているとしても、身体のラインに締まりがなくて、どこを触ってもぷよぷよ、ほにょほにょしている。わたしはマディソンの身体のラインを思い浮かべた。ああいう身体になるには、想像以上の努力が必要になるんだろう、と思われた。それでも、わたしにそれが可能なら、つまりマディソンのような身体を手に入れることができるなら、それを維持するための苦労や努力には、それに見合うだけの価値があるんじゃないか……なんて思わなくもなかった。

昼食のあと、コートに戻ってドリブルの練習を再開した。ボールをバウンドさせながらコートを行ったり来たりした。ベッシーは、お世辞抜きにうまかった、というか、こつをつかむのが早かった。ローランドもまずまずだった。生まれてこのかた本物のバスケットボールに触ったこともなかった十歳児にしては、上出来の部類だろうけど、ベッシーのほうは、いつの間にか例のリズムをつかんでいて、気がつくと、ボールと糸でつながっているかのような動きを見せるようになっていた。足の運びがだんだん速くなり、途中から走りだしていた。置いてきぼりをくらったローランドの、〝待ってよ、待って〟とか〝ずるいよ、先に行っちゃ〟とかいう声を無視して、ぐんぐんまえに進んでいた。そのうち、勢いがつきすぎ、身体だけ先行して、一瞬、ボールが取り残された。次の瞬間、ベッシーは腕をうしろに伸ばしたかと思うと、手首のスナップをほんのちょっとだけ利かせてボールをバウンドさせ、反対側の手に送り、そのまま足を止めることなくまえに進みつづけた。わたしは思わず歓声をあげた。「すごいね、できちゃったよ、それ、〝ビハインド・ザ・バック〟だよ」と言うと、ベッシーはまんざらでもなさそうな顔になった。

「これ、愉しい」と言いながら。

「手が痛くなっちゃったよ」と文句たらたらでローランドが追いついてきて、ベッシーもいったん足を止めたけれど、そのあいだもボールを弾ませつづけた。自分の掌とコートのあいだを、何度も、何度も、何度も往復させつづけた。

「ねえ、見て」とひと声かけて、わたしは足元のボールを拾いあげ、ひょいとボールに回転をかけると、人差し指の先に移し、〝ボールスピン〟を披露した。〈ハーレム・グローブトロッターズ〉の選手もどきに。

「わあ、すごい……」ローランドが感動もあらわに言ったときには、われながら大人げないことをしているとは思ったものの、見せびらかすのをやめる気にならなかった。人に〝わあ、すごい……〟と言われるのは、ものすごく、ものすごく久しぶりだったから。どのぐらい久しぶりかと言えば、たぶん……年単位で久しぶりだ。ううん、もっと久しぶりだったかもしれない。好きでもなんでもない男とベッドにもつれこみ、頼まれるままに変態すれすれのあれやこれやをしてさしあげたときでさえ、〝わあ、すごい……〟とまでは言ってもらえなかったしね。

「ねえねえ」とベッシーが言った。見ると、表情が曇っていた。「誰か来るよ」

最初に思ったのが、〝たぶん庭師だろう〟だった。最悪の場合にはカールということも考えられるけど……と思っているうちに、こちらに近づいてくる人影がマディソンだということに気づいた。トレイにピッチャーを載せて、こっちに運んでくるところだった。そのうしろから、ティモシーがぬいぐるみを抱えて――ちなみに、狩猟用の帽子をかぶったイタチのぬいぐるみだったんだけど——くっついてきていた。

「こんにちは」とマディソンは言った。「遊んでいるのが見えたから、ちょっと顔を出してみようかと思って」

どうしてわざわざ会いにくる気になったのか、解せなかった。週末のディナーで家族が一堂に会することを、マディソンはとりわけ大事な機会だと考えているはずだった。ならば、なぜ、それまで待たずに、こんな中途半端なことをするんだろう、と思ったけど、もしかすると、これはマディソンなりの地ならしなのかもしれない、と思い当たった。ジャスパーの外交特使というか、ジャスパーがこの子たちに本腰を入れて向き合うことになるまえに、いろいろとテストをしてもろもろを見極めておこう、ということなのかもしれなかった。そんなふうに常に人の一歩まえに立つのが、マディソンの生き方なのかもしれなかった。そういう生き方を貫いてこられているのは、自分が無敵だと承知しているから。自分に害悪を及ぼせる者などいるわけがないと高をくくっていられるからだ。そんな気がした。とはいえ、これは今から考えても、ずいぶん意地の悪い見方だと思うし、当時も薄々わかってはいた。マディソンはマディソンなりの弱さを抱えていることを、知らないわけじゃなかったから。マディソンのお父さんが筋金入りのくそったれだということは、わたしも身をもって知っていたし、兄貴どもは揃いも揃って妹に敬意を払うということを知らないやつらだし、マディソン自身アメリカ合衆国の大統領にはいまだなれていないわけだし……。マディソンに対して優しい気持ちになろうとした。それは、さほど難しいことではなかった。

「ティモシー」マディソンは息子を呼び寄せて、ふたりに引きあわせた。「あなたのお兄さんのローランドと、お姉さんのベッシーよ」

「腹違いの姉だから」とベッシーが言った。

「そうね、確かに」とマディソンが譲歩を示して言った。「だけど、ティモシーには難しすぎると思うの。あなたたちのことは、お兄さんとお姉さんって考えるほうがわかりやすいと思うんだけど」

「かもね」ベッシーはそう言って肩をすくめた。でも、ベッシーとしては、そのちがいをぴしっと明確にしておきたいと思っていることぐらい、わたしには明々白々だった。

「やあ、どうもね」とローランドが声をかけると、ティモシーは母親のうしろにすっと身を隠した。それでも、最後には「はじめまして」と応えた。それでその場の緊張がぐっと緩んだ。

マディソンが運んできたレモネードをグラスに注ぎわけて、わたしたちに勧めた。わたしたちはめいめいグラスを受け取った。レモネードはよく冷えていて、甘かった。子供たちは勢いよく飲み干した。咽喉がからからで今にも死にそうだった、という勢いで。口の端から垂れたレモネードが、ふたりのTシャツの胸元を濡らした。

「ふたりにバスケットボールをさせることにしたの？」とマディソンがわたしに言った。その口調からだけでは、それを名案と思っているのか、とんでもない思いつきだと考えているのか、判断がつかなかった。

「試しにやってみてるとこ」とわたしは言った。「ふたりとも、だいぶこつをつかんできたよ」

「それで、今日はいろいろと……うまくいってる？」マディソンはそういう訊き方をしたけれど、なにを言わんとしているのかは、もちろんわかった。要するに――〝今ではわたしが後見人となっているこの子供たちは発火して、身のまわりのなにかを修理できないぐらい燃やしてしまったりしてはいない？　この子たちが悪魔の申し子ってことはない？　この子たちのせいで、わたしが傷つくことにはならない？　この子たちの存在がジャスパーの国務長官就任の障害にはならない？〟

　そのすべてをカヴァーできる答えは、あいにく持ちあわせていなかった。ごまかさなくちゃならないことが、山ほどあった。だから、小さくうなずいて「順調だよ」と言うだけにしておいた。せめて気休めぐらいにはなってほしいと思いながら。

「そう、それはなによりだわ」とマディソンは言うと、包装紙をびりびりに破り捨ててプレゼントを取り出した瞬間を思わせる笑みを浮かべ、それにて一件落着、解決すべき次なる問題だかなんだかに気持ちを切り替えることにしたようだった。マディソンはライクラ素材の、スピードスケートの選手が着るような、身体にぴたりと密着したスポーツウェアを着ていた。正直なところ、あまりにも身体のラインがあからさまで、ちょっときわどくない？　と思わなくもなかったけど、そんな感想を抱くのはわたしぐらいのものかもしれない。「運動かなんかしてたの？」とわたしは尋ねた。

「トレーニングルームでエアロビクスをね」とマディソンは言った。「そしたら、ティモシーがあなたたちがコートにいるって言うんで、それならちょっとご機嫌うかがいでも、と思って来てみたの」

「よく来たね、ティモシー」わたしがそう言うと、ティモシーは小さく手を振り返してきた。しっしっと追い払っているように見えなくもなかったが、ぎりぎりどうにか挨拶の意にも解釈できる振り方だった。

「リリアンは、バスケットがものすごくうまいんだよ」とローランドが言った。

「ええ、そうよ」とマディソンは言った。当然じゃない、というような口ぶりだった。思わずどきっとして、少しだけ興奮した。

「あなたは？」とベッシーがマディソンに尋ねた。

「ええ、得意よ」これっぽっちのためらいもなく、マディソンは答えた。

「リリアンとどっちがうまい？」とローランドが訊いた。

「ポジションがちがうから、必要なスキルもちがうのよ」とマディソンは言った。大人であるわたしが聞いても、納得のいく答えには思えなかった。

「だったら、ふたりで対戦してみればいいじゃん」とベッシーが言いだした。わたしは首を横に振った。

「マディソンには用事があるからね」とふたりに言って聞かせた。

「ううん、大丈夫」とマディソンが言った。「わたしのほうは別にかまわないわよ」

「でも、今日の勉強がまだ終わってないよね？」ふたりの痛いところを狙って、わたしは言った。

マディソンと対戦するのが、どうして気が進まないのか、自分でもよくわからなかった……と言ったら嘘になる。理由ならわかっていた。この子たちのまえで負けたくないからだった。この子たちに、わたしよりもマディソンのほうを好きになってもらいたくないからだった。

「やだ～、勉強なんてやだ～」ふたりから同時に抗議の声があがった。

マディソンはわたしが抱えていたボールを取りあげ、ドリブルを始めた。そしてボールを弾ませながら「愉しいわよ、きっと」と言った。「やろうよ、ね？」

これまで、マディソンにやろうと言われてやらなかったことがあっただろうか、と考えた。考えても思い出せないのは、そういうことが一度としてなかったからだった。

「わかったよ」とわたしは言った。「まあ、ミニゲームぐらいなら」

「ティモシー」とマディソンが言った。「ローランドとベッシーと一緒にあそこの観覧席に坐ってなさい」ティモシーは、ヒアリの塚に坐っていろと言われたような顔をしたものの、言われたとおり、観覧席に移動して腰をおろした。ローランドとベッシーは観覧席の細長い座席の端っこに身を寄せあうようにして坐った。ふたりとも、興奮を隠しきれない顔をしていた。これから始まるスポーツに、バスケットボールというものに、自分たちの眼のまえで行われる試合に興味津々なのだ。ほんの十五分ほどまえにこの世に誕生したばかりのスポーツだとでもいうように。

「ウォームアップは？」といちおう訊いてみた。マディソンは首を横に振った。

「ううん、平気。十ポイント先取にしましょう」そう言って、マディソンは手元のボールをわたしにパスして、どんな動きにも対応できる構えになった。充分にスペースを取っているのは、シュートを打てるもんなら打ってみろ、と挑発しているようにも見えた。そうやってわたしのシュートレンジを把握しようとしているように。でなければ……とドリブルしながら考えをめぐらせた。わたしにドライブをさせて、インサイドを支配し、行く手に立ちはだかって高さでこちらを圧倒する作戦か。わたしはドライブをしかけるふりをしながら、相手の様子をうかがった。マディソンはただ身体を起こしただけで、悠然としていた。こちらの動きにプレッシャーをかけてこようともしなかった。わたしはシュートを放った。ボールが手を離れた瞬間から、完璧なシュートになるとわかった。ボールはなんなくリングを通過した。

「すげえ、やったぜ！」とローランドが叫んだ。

「ことばに気をつけてよ、自分より小さい子がいるんだからね」とわたしは言った。マディソンは、承認のしるしにうなずいた。わたしが注意したこととシュートの両方を承認したしるしに。

そしてボールを追いかけて拾い、またしてもわたしにパスしてきた。スコアは一対ゼロ。マディソンはさっきよりは距離を詰めてきていた。あの長い腕が伸びてきて、あともうほんの何インチかでわたしの顔面に指先が届きそうだった。待ちかねたように指がぴくぴく動いているのまで見えた。後退して距離を取り、シュートを打った。今度も決まった。ボールはどこにも当たらず、ネットだけを揺らした。

「やったあ」とローランドが叫んだ。

「ナイスショット」とマディソンに声をかけられたけど、返事はしなかった。心臓がどくんどくん鳴っていた。そう、試合の興奮は、なにものにも代えがたい。わたしは試合をこよなく愛していた。たとえそれがＹＭＣＡでする試合であっても、自分よりもずっと歳下でお話にならないぐらい下手くそな女の子たちとプレイするときであっても、たまに仲間に入れてくれることがあって当たりがきつくなるのを覚悟で男子のチームでプレイするときであっても、どうしようもなく胸が高鳴るのを感じた。こんなことができちゃう自分が自分でも信じられないから。こんなことはこれでもう最後かもしれないから。試合のときのその感覚が、好きで好きでたまらなかった。

今度はマディソンもわたしにぴったりと張りついてきた。ドリブルで振り切ろうとしたけど、マディソンは滑らかに横に移動してこちらの動きに追随してきた。ドライブをしかけるふりをして、シュートを放った。マディソンはジャンプもしなかった。軽く伸びあがっただけであっさりとボールを弾き、指一本で軌道を変えた。ボールはリングに当たって跳ね返った。マディソンはそれを二歩でキャッチし、攻撃体勢に入った。わたしは膝を軽く曲げて姿勢を低く保ち、両腕を拡げた。マディソンが突進してきて、横をすり抜けざまわたしの肩を強く払った。わたしの身体が半回転するほどの激しさで。そしてそのままフローターシュートを放った。ボールはリング上で跳ねてからネットに入った。

「やったあ」ティモシーがかぼそい声を振り絞って、甲高く叫んだ。ローランドとベッシーがすかさずそちらを振り向き、思い切り顔をしかめるのが見えた。

「いいシュートだったね」とわたしは言った。

「ついてただけよ」マディソンはさらりと受け流した。「なかなかやるじゃない、リリアン」

「そっちもね」

「お互い、まだまだやれるってことね」とマディソンが言った。

「だね」とわたしも言った。

それからマディソンは、〝あんたはガゼルかっ?〟ってほどの素早さでドライブをかけ、わたしを抜き去り、高々とジャンプした。一瞬、ダンクするんじゃないかと思ったぐらい、高さがあった。マディソンの放ったレイアップシュートが決まった。今度は観覧席に坐っていた子供たち三人から揃って「うわあぁぁぁぁあ!」という声があがった。なんだかむかっ腹が立って、頬がかあっと熱くなった。そしてそのとき、チェックボール（ボールをいったんディフェンス側に渡し、ディフェンス側がオフェンス側に戻すこと。これで試合が再開する）で試合を再開するためこちらを見据えてくるマディソンにボールをパスしたその瞬間、わたしたちは本当に対戦しているのだと実感した。これは本物の試合なのだ、と。どちらか一方が負けて、どちらか一方が勝つことになるのだ、と。わたしは勝ちたかった。心の底から勝ちたいと思った。

試合は続いた。点の取りあいだった。わたしはもっぱらアウトサイドからジャンプシュートを放ち、インサイドになかなか切り込んでいけずにいた。マディソンのほうは長身をいかしてわたしをゴール下に追い込み、ターンアラウンドからのジャンプシュートを何本も決めた。どちらも譲らず、点差が二点以上開くことはなかった。子供たちは夢中になっていた。ティモシーはいつの間にか双子たちとの間合いを詰めていた。接近しても取って食われたり、ズボンを泥だらけにされたり（って、誰がそんなことしますかって）することはない、とわかったんだと思う。

九対九の同点になったところで、わたしがリバウンドを取った。マディソンのジャンプシュートがはずれてリングに当たり、跳ね返ったボールを奪取したのだ。マディソンが口のなかで「くそっ！」とつぶやいたのが聞こえた。ふたりとも汗びっしょりになっていた。マディソンはさっきまでエアロビクスで身体をいじめていたところだし、わたしのほうはこのお屋敷に来るまでろくに身体を動かしていなかったから。両腕とも伸びきったゴムも同然だったけど、それでもドリブルで両脚のあいだにボールを通しながら、どうすればこの膠着状態を打開できるか、考えをめぐらせた。マディソンはすぐそこにいた。詰められるだけ距離を詰めて、わたしの出方をうかがっていた。

「やっちゃえ、リリアン」というベッシーの声が聞こえた。その声には、わたしにとっては歓迎できるレベル以上の激しさがこもっていた。ふたりのほうに眼をやり、「呼吸して」と言った。そのままでは発火するかもしれない、と心配になったのだ。わたしが声をかけたことで、マディソンも一瞬、心配そうに観覧席を見やり、ティモシーの無事を確認した。その瞬間にドライブをかければ、簡単にレイアップシュートを決められたと思う。だけど、わたしはマディソンがこちらに視線を戻すのを待った。それからドライブで切り込み、ステップバックで相手をかわしながら、シュートを放った。ボールが手を離れた瞬間、はずれるとわかったので、ゴールに向かってダッシュした。わたしのその動きを、動きの作り出した空気抵抗を、マディソンも感じ取り、くるっと向きを変えてゴールに向かった。わたしの読みどおり、ボールはリングに当たり、軽やかにぽんっと弾んでリングのそとに飛び出した。そのボールにもう少しで手が届きそうになったとき、なにか硬いものが顔面にぶつかった。頭のなかで星がいくつも炸裂し、猛烈な痛みが降ってきた。

「いっ、痛って……！」うめきながら、とっさに左眼を押さえた。「うわ、やだ、ごめん」とマディソンが言っているのが聞こえた。

その場に突っ立ったまま、掌をぎゅっと眼に押しあてた。痛さを眼の奥に押し戻す要領で。効き目はなかった。しばらくして猛烈な痛みが、なんとか耐えられる疼きレベルまで落ち着いたところで、ボールを抱えているマディソンのほうに顔を向けた。「なにがどうなったんだか……」状況がさっぱり理解できないことをマディソンに伝えた。

「殴られたんだよ」とベッシーが言った。「その人の肘で、顔を」

「わざとじゃないのよ、もちろん」とマディソンが言った。「ああ、もう、ほんと、ごめんね、リリアン。ほんと、ごめんなさい」

「だいぶひどい？」わたしのことばが終わらないうちに、マディソンはうなずいた。

そして「うん、かなりひどいことになってる」と言った。

「あれってズルだよ」とローランドが言った。わたしは手のひと振りで黙らせた。

「わざとじゃないの」と言って、マディソンに向かってうなずいてみせた。だけど、ハイスクール時代のマディソンのプレイを忘れたわけではなかった。自分たちが優勢で涼しい顔でプレイできているあいだはともかく、プレッシャーが強くなり、余裕がなくなってくると、マディソンはおかしな肘の使い方をするようになる。そのことを改めて思い出した。勝つためとあらば、平気で汚い手も使う選手だった、ということを。

「身長差のせいよ」とマディソンは言った。ボールをバウンドさせながら。「ちょうどわたしの肘の位置に顔がくるの、リリアンの身長だと」

「もういいって」とわたしは言った。眼のまわりをそっと押してみた。ひぇっとへんな声が出そうになるほど痛かった。マディソンを殺してやりたくなったわけじゃないけど、そこまでは思わなかったけど、でも、こてんぱんに叩きのめす、ぐらいはしてやりたかった。

「そっちボールにしてもいいわよ」とマディソンが言った。「ファウルってことにしたかったら」

おっと、そうですか。やっぱり殺してやりたいかも……と思わなくはなかったけど、実際問題としてなにができるわけでもなかった。子供たちが見ているわけだし、これは試合なんだし。「いいよ、リバウンドを取ったのはそっちだからね。そっちボールでかまわないよ」

わたしはハイカットスニーカーの靴底をコートにこすりつけ、腰を落とし、攻撃に備えた。マディソンのことだ、わたしをゴール下に追い込み、動きを封じたうえで、どんな手で叩きのめしてやろうかと考えるにちがいなかった。マディソンはスリーポイントライン上に立ったまま、〝あっそ、それじゃ〟というふうに軽く肩をすくめると、ドリブルを始めた。と思った瞬間、弾丸のようなスピードで、完璧なジャンプシュートを打った。いつものマディソンのシュートレンジからすると、だいぶ外側からのシュートだった。それが見事に決まったのだ。試合終了。マディソンが勝ち、わたしは負けた。わたしはいいプレイをしたけれど、マディソンはもっといいプレイをした、ということだった。

「やったね、ママ」とティモシーが言った。今度はローランドもベッシーも腹を立てているようには見えなかった。どちらかといえば、悲しんでいるように見えた。がっくりきているようにも見えた。もっとちがう展開を期待していたのに、今となってはそんな期待を抱いていた自分たちを恥じている、というような。その表情には見覚えがあった。そんな気持ちにも覚えがあった。そして、ふたりにそんな思いをさせたのは、ほかでもないこのわたしなのだ。それがいちばん辛かった。

「氷で冷やしたほうがよさそう」とマディソンが言った。

「うん、氷なら家にあるから」とわたしは言った。「あとで冷やすよ」

「それでも、しばらくは美貌もだいなしよね」とマディソンが言った。「改めて謝る、ごめんなさい」

「気にしないでよ。そういうもんでしょ、バスケットボールって。ああ、そうだ、いいシュートだったね」

「自分でも信じられない。まさか入るとは思わなかったわ」とマディソンは答えた。

「あたしは信じられるよ」と言った。それからベッシーとローランドのほうに顔を向け、「さてさて、おふたりさん、おやつタイムにしようか」と声をかけた。

「リリアンの眼、ほんと、めっちゃ、すごいことになってるよ」とローランドが言った。

「そのうち治るよ」とわたしは言った。

「ティモシー」とマディソンが言った。「ベッシーとローランドにさよならのご挨拶をしないとね」

「さよなら」とティモシーが言うと、ふたりは返事代わりに低くうなって手を振った。

「それじゃ、週末のディナーのときに」とマディソンが言った。「それと、いつかみたいに夜にふたりだけで会うってのもいいかもしれないわね。ポーチの椅子に坐って、一杯呑みましょう」

「うん、それはいいね」とわたしは言って、奥歯を思い切り嚙みしめた。頭がまだぼうっとしていた。

マディソンがティモシーを連れ、わたしたちをその場に残して歩き去っていくのを、三人揃って見送った。それからベッシーがボールを取ってきて、ドリブルを始めた。

そして、わたしのほうを見ながら言った。「あのさっきやってたやつ、ボールをドリブルしながら脚のあいだをくぐらせるやつ、あれってどうやったらできる？」

「練習すれば」とわたしは言った。「腰を落として、両手を使ってボールを正しい位置にバウンドさせる、そんなとこかな」

「あたしにもできる？」とベッシーが言った。「教えてくれる？」

「もちろん」とわたしは言った。

ベッシーはバスケットゴールのリングを見あげた。山でも仰ぎ見るように。あの上は空気が薄いんだ、みたいな感じで。そして、重さを確かめるように、ボールを右手から左手に、左手から右手に何度か移しかえたのち、なんともぶざまなフォームでシュートを放った。動きに連続性がなく、三つのばらばらな動作で構成されたシュートだったが、驚いたことに、リングまで届き、さらに驚いたことにリングの縁をわずかに越えた。リングに触れて、ボールは跳ねた。もう一度跳ねて、また跳ねて、さらに跳ねた。わたしはただ祈りつづけた——お願いお願いお願いお願いお願い……と心のなかで言いつづけた。最後にもうひと跳ねして、ボールはリングのなかに落ちた。そこまでラッキーなまぐれショットを見るのは、ものすごく久しぶりだった。で、わたしはなにを感じたか？

純然たる歓びだった。ベッシーを思って湧きあがってきた歓びだった。なぜなら、あのシュートが決まったときの気持ちが、願いがかなったときの気持ちが、わたしにはわかったから。人生においてそれがどれほど稀なことかを知っていたから。

「うわあ、ベッシー、やったね！」とローランドが言った。「すごいよ、すごい！」

「リリアン、あれでいいの？」とベッシーが訊いた。

「バッチリだよ」とわたしは言った。

「あたし、好きかもしれない、バスケットボール」とベッシーは笑みを浮かべず、ちょっと怒っているような顔で言った。古代の呪いでも引き受けるみたいに。

「ぼくはあんまり好きじゃない」とローランドが正直に言った。「けど、嫌いってほどでもないな」

「さ、帰ろうか」とわたしは言った。「今日の勉強がまだすんでないしね」

子供たちは不満のうめき声をあげた。それでも怒ってはいなかった。わたしにはそれがわかった。わたしに世話されてもかまわないと思っていることも、ときどきいやなこともさせられるけど、それでも〝まあ、仕方ないか〟と思っていることも。そりゃそうだ、このふたりには、わたししかいないんだから。

8

翌日、あいかわらず火の気はなく、いつもの呼吸法をやり、カールが戸口のところに置いていったビデオ教材を使って簡単なヨガをやり、リビングルームに腰を落ち着け、これから今日のお勉強を始めるところだった。ベッシーもローランドもノートを開き、鉛筆を握っていた。わたしは、今まさにトラクターに轢かれそうになっている小動物の気分だった。もしくは、今まさにこの地上に隕石が落ちてこようとしているというのに、それを知っているのは自分ひとりだけで、人々がパニックに陥らないよう、平然とした表情を保たねばならない人物の気分だった。こう言っちゃなんだけど、わたしは生徒としては優秀だった。だから優秀な先生になるのもそれほど難しくはないだろう、と考えていた。ところがどっこい、教えるには準備が必要だった。まずは自分が理解したうえで、その理解した内容を人に、ちゃんとその人がわかるように教えなくてはならない。そのための準備の時間が、わたしにはなかった。夜は夜で、左右の腕にひとりずつ子供を抱え、夢のなかで戦えばなんとか撃退できる恐怖と戦っているふたりの、腕やら脚やらを駆使した攻撃をくらうのだ。そんなわたしに、いったいいつ勉強しろとおっしゃるんで？　ふたりとも、わたしのそばを片時も離れないのに。わたしにべったりへばりついているのに。というわけで、出たとこ勝負で臨むしかなかった。

まえの晩、マディソンのスポーツマンシップに著しく悖る肘鉄攻撃によって、わたしの左眼は腫れあがり、上の瞼と下の瞼が完全にくっつき、皮膚は赤紫色になっていた。かてて加えて、せっかく顔の右半分の、ベッシーにプールで引っ掻かれた傷がようやく治りかけて、かさぶたができつつあったのだから、じつになんとも恨めしかった。ふたりともたびたび、新しいほうの傷を触ってもいいか、と尋ね、もっと氷を当てたほうがいいんじゃないか、と進言してきた。それまでわたしが何時間も氷嚢を当てていたという事実を、まるっと無視して。どうやらわたしの痛みに、というか、わたしがひと言の文句も言わずにそれに耐えていることに、興味をそそられているようだった。たぶん、その点では、つまり痛い思いをしても泣かないという点では、わたしのことをかなり高く評価したんだと思う。なにしろ、こっちは戦傷だらけだというのに、ふたりの皮膚は傷ひとつつかないんだから。火に包まれようが火傷ひとつしないんだから。

その日の朝、鏡をのぞくと、ぞっとするような顔が映っていた。腫れと痣は、髪の生え際のあたりまで拡がっていた。呼吸法のエクササイズをやっているあいだ、ときどき子供たちの様子をこっそりうかがってみたところ、ふたりとも空気を取り込んで肺をきれいにするあいだずうっと、あからさまにわたしの腫れあがった左眼を見つめていた。

その日はテネシー州の歴史を勉強することになっていた。というのも、子供たちには自分たちが生きていくことにつながりのあることを勉強してほしいと思ったからだ。どこかの〝お偉いおっさん〟が決めた〝学ばねばならない事柄〟にぎっちぎちに固執しているわけじゃない、ってことをわかってほしくもあった。とはいえ、わたしの置かれている状況を考えると、〝お偉いおっさん〟がちょこっとだけ恋しい気持ちもなくはなかった。〝お偉いおっさん〟というのは、どんなときでも、自らの手であれもこれもしっちゃかめっちゃかに引っ掻きまわしているときでさえ、というか、むしろそういう場合にこそ、威風堂々としているものだから。

「それじゃ」とわたしは言って小さな黒板をこつこつと叩いた。大草原にある教室がひとつしかない校舎に置いてありそうな、なかなかしゃれた黒板だった。「テネシー州出身の有名人を挙げてみて。それから、図書館に行って、その人物についてもっと詳しく調べることにしよう」。ここで、世の中にはインターネットというものが存在していると言えれば、ことは簡単だ。お屋敷ではインターネットが使えるようになっていたし。ところが、インターネットについて、わたしは今ひとつよくわかっていなかった。いや、使ってみた経験はないわけじゃない。一度、とある男の家で――ちなみに、葉っぱ（マリファナ）でもやらないかってときどき誘ってくるやつだったんだけど、そいつの家で使ってみた――かれこれ三十分近くかかってウータン・クラン（ニューヨーク出身のヒップホップ・グループ）のとある曲の歌詞をプリントアウトした。それ以外にインターネットにどんな利用価値があるのか、正直なところ、わかっていなかった。

　というわけで、わたしたちに残された選択肢は図書館、というわけだった。それと、わたしとしてはこの機会を利用して、つまりお屋敷の敷地のそとに出ることで、ふたりにしゃきっとしてもらおう、という狙いもあった。「テネシー州出身の有名人には、どんな人がいる？」ともう一度尋ねた。ふたりとも黙って肩をすくめただけだった。

「ひとりも知らないの、テネシー生まれの有名人？」と重ねて尋ねてから、はたして自分はテネシー出身の有名人を誰かひとりでも知っているだろうか、と記憶をまさぐった。プロレスラーのジミー・バリアント（一九四二年生まれ、テネシー州フランクリン出身の元悪役レスラー）は、わたしの生まれ故郷の隣町の出身だった。なぜ知っているかと言えば、〈セイヴ・ア・ロット〉で働いていた男が、年がら年じゅうその話をしていたからだ。とはいえ、ジミー・バリアントは、こういう場合に名前を挙げられる有名人ではない気がした。

「パパ……とか？」思いついたことを言ってみた、という口調で、ローランドが言った。

これには慌てた。傍目にもわかるほど、あたふたした。「ほかの人で」とわたしは言った。

「だって、知らないもん」とベッシーが言った。知らないという事実を認めなくてはならないことに、今度もまた腹を立てていた。ところが、そこで口をつぐんで、深呼吸を始めたのだ。じつにあっぱれだった。ベッシーはそれからノートに眼を向けて考え込み、しばらくしていきなり「あっ、いた！」と叫んだ。「知ってる人、いたいた」

「誰？」とローランドが言った。その口ぶりからして、純粋なる好奇心からだと思われた。

「ドリー・パートン！」とベッシーは言った。

「えっ、ちょっと、それ、まじで？」とわたしは言った。「あ、いや、そうじゃなくて、ごめんごめん。いい人、思いついたじゃん。いいよ、完璧な答えだよ。ドリー・パートンなんて完璧だよ」

「ママがレコードを持ってたんだ。ときどき聞かせてくれたよ」とローランドが言った。「〝ジョリーン〟とか」

「〝9時から5時まで〟とか」とベッシーも言った。

そこで、改めてよくよく考えてみた。ドリー・パートンは遊園地の〈ドリーウッド〉も経営している。〝アイランド・イン・ザ・ストリーム〟も歌っている。しかも、あのダイナマイト・ボディだ。そう考えれば、ドリー・パートンこそテネシーが生んだ最高の宝物じゃないか、と思えてきた。ううむ、ベッシー、なかなかやるじゃないの。最初から大正解を言い当てるなんて。

「うん、ドリー・パートンは最高だよ」とわたしは言った。「じゃあ、ノートに名前を書いといて。図書館に伝記がないか探してみよう」

「ほかには？」とローランドが言った。いつの間にかすっかり夢中になっていた。ゲーム感覚なのだ、たぶん。

「そうだね……」わたしはしばし考えた。「ダニエル・ブーン（一七三四年〜一八二〇年。アメリカの初期の西部開拓者、ペンシルヴェニア州の出身）もそうだっけ？　ううん、ちがうな。待って、デイヴィー・クロケット（一七八六年〜一八三六年。アラモの戦いで戦死したアメリカの国民的英雄。アライグマの毛皮の帽子を好んでかぶっていた）がいた」

「アライグマの毛皮の帽子をかぶってた人？」とベッシーが言った。「その人のことを歌った歌のレコードも、ママは持ってたよ」

「そうそう、その人。確かテネシー生まれじゃなかったかな。調べてみよう」本棚の一段分を占領して、百科事典がずらりと並んでいた。わたしは第三巻（Ceara〜Deluc）を選び出して、クロケット／デイヴィッドの項目を調べた。「うん、合ってる、今のテネシー州グリーン郡の生まれだって」とふたりに報告した。「この人もリストに追加して」

「ほかには？」とローランドが言った。際限なく知りたがるタイプ、知りたがりのブラックホールだった。でも、わたしのほうも自信がついていた、というか調子づいてきていた。

「えっと、そうだな、うーんと、アルヴィン・ヨーク（一八八七年〜一九六四年。第一次大戦で活躍したアメリカの軍人。アルゴンヌの戦いで大勝利を収めたことにより、アメリカとフランスから勲章が授与された。その活躍を基に、映画『ヨーク軍曹』が作られた）とか？」と言ってみた。ナッシュヴィルの近くに、アルヴィン・ヨークにちなんで名づけられた病院だかなんだかがあるのは知っていた。母さんの何番めかのボーイフレンドに『ヨーク軍曹』を観せられた覚えもあった。主演は、ジェイムズ・スチュワートだったかゲイリー・クーパーだったか、あの手の理想の父親的ハンサム顔の俳優が演じていたはずだ（実際の主演はゲイリー・クーパー）。「第一次だか第二次だったかの世界大戦で戦った人だよ。敵のドイツ兵をたくさんやっつけた人。うん、確か、そうだったと思う。信じられないぐらいたくさんの敵を、たったひとりで全滅させたんだよ」

「うわあ、ぼく、その人にする」とローランドが言った。「その人のことを調べてまとめる」

「いいね、すごくいいと思う」とわたしは言った。「それじゃ、ベッシーはドリー・パートンについて調べてレポートを書くでしょ、あたしはデイヴィー・クロケットについて調べてみるね。で、ローランドはヨーク軍曹のことをレポートにする。それでオーケー？」

「うん、めっちゃオーケー」とベッシーが言った。なんだか不思議な気がした。この子たちはこれまで、あらゆる意味においてほったらかしにされていたにもかかわらず、ふたりとも賢くて呑み込みがとても早くて、一を聞いて十を知ってしまう。この子たちにはちょっと水を向けるだけで充分だった。自分たちがなにをすべきか、あっさり理解していた。

「それじゃ、図書館に行けるの？」とローランドが言った。

「あと、アイスクリームも？」とベッシーが言った。

「うーんと、カールと相談してみるね」とわたしは言った。ふたりは不満の声をあげ、大袈裟にソファに倒れ込んだ。

　わたしは壁の電話に手を伸ばし、教えられていた番号をプッシュした。一度めの呼び出し音が鳴り終わらないうちにカールが出た。

「なんだ？」

「リリアンだけど」

「ああ、わかってる。どうした、なにかあったか？」

「まあ、どうしたってほどのことじゃないんだけど、ちょっとカールの声が聞きたくなったもんだから」と言って、ちょびっとおちょくってみた。

「リリアン、用件はなんなんだ？」

「今って忙しい？」

「明らかに非常事態ではなさそうだから、もう切る――」

「町に出かけなくちゃならないんだ」そこでようやく本来の用件を切り出した。「子供たちを連れていきたいの、図書館に」

「それはいい考えだとは思えない」

「じゃあ、あたしたちはここの敷地から永久に出ちゃいけないわけ？」と訊いてやった。「こういう生活をずっと続けるわけにはいかないよ。そうでしょ？」

「ったく」と言ったところで、カールの声の音量（ボリューム）がぐんと跳ねあがったが、そこでたぶん鉄人的な、あるいは超人的な自制心を発揮したんだと思う。声の音量（ボリューム）を落として先を続けた。「あの子たちは、ここで生活するようになって、まだほんの一週間足らずだろうが。そういうイランのアメリカ大使館人質事件みたいな言い方はやめてもらいたいね」

「でも、あの子たちにとってはそういうことだよ」とわたしは言った。声を落として、ふたりに聞こえないようにしながら。「ここに閉じ込めようとすればするほど、あの子たちは自分たちのことを怪物だと思うようになるんだよ。だから世間の眼から隠しておこうとしてるんだ、って」

「だとしても、そとに出かけるのはいい考えだとは言えない」

「あたしがそばにいるようにするから。ちょっとのあいだも離れないようにするから」と説得を試みた。

「仮に出かけるんなら――」とカールが言った。「あくまでも〝仮に〟だぞ。仮定の話だからな――その場合は、おれも同行する」

「それでもかまわないよ」とわたしは言った。

「ロバーツ上院議員に相談してみよう」カールとしては思い切って言ったんだと思う。

「忙しいんじゃないの、上院議員は？」

「ああ、忙しい」とカールは言った。「多忙を極めてる。邪魔をされたら、おそらくいい顔はしないだろう」

「だったら、マディソンに確認すれば？」とわたしは言った。カールはかなり長いこと黙ったままだった。「わかってるよね、そのほうがいいって」とひと押ししてみた。「わかってるはずだよ、カールだって」

「いいだろう」とカールは言った。「こっちからかけなおす」

受話器を置いて、子供たちのほうに向きなおった。「まだ確定じゃないよ」ということばとは裏腹に、わたしは底抜けに楽天的な口調で言った。この元気のよさが希望をかなえてくれるとでもいうように。

「やった〜！」とふたりは叫んだ。「図書館に行くんだね！」

「まだ確定じゃないけどね！」とわたしは言った。今度は前歯を剝き出しにして、にかっと笑いながら。たとえるなら、銃口を突きつけられていることを誰にも悟られまいとする人のように。

十分後、子供たちがシミーダンス（身体自体は動かさず、肩のみを前後に動かすダンスの動き）っぽい動きで踊りまわっていたところに——ひょっとすると、下手くそなムーンウォークのつもりだったのかもしれないけど、ともかく部屋のなかをぐるっと一周、跳ねまわっていたところに、電話が鳴った。カールからだった。

「オーケーが出た」とカールが言った。「外出できるぞ。これからそっちに向かう。試してみたいものもあるんでね」

「うん、来て来て」わたしは勢い込んで言った。外出できる機会がめぐってきたことで初めて、自分がどれほど長いあいだこの敷地内に足止めされていたのかに気づいた。ひとつところに閉じ込められて、いかに閉所恐怖症的におかしくなりかけていたかにも。外出したとしても子供たちはそばにいるわけだし、なんとなれば発火する可能性もあるわけだけど、そのときはそのときだった。なんせお屋敷の敷地外なのだ、その場からすたこら逃げだし、身を隠す場所はいくらでもある、というものだ。

「図書館に行くよ！」と声をかけると、ふたりはまたしてもあのイカれたシミーダンスみたいな動きを始めた。誰かに教えられたんだろうか、それがダンスだって？

カールがやってきたときには、三人とも着替えをすませ、出かける準備は完了していた。ふたりのあの手に負えない髪の毛は、どうにかこうにか撫でつけて、デュラン・デュランのコピーバンドのメンバーみたいにしてあった。わたしの顔の痣についてはファンデーションで隠そうとしてはみたけど、どういうわけか、かえって見られない状態になった。怪我の特殊メイクみたいに見えるので、あきらめてこすり落とすしかなかった。めちゃくちゃ痛かったけど。

「うわっ、ひどいな」こちらの顔を見るなり、カールが言った。「いったいどうした?」そしてすぐさま双子ちゃんたちに眼を向けた。「リリアンはどうしたんだ?」ふたりの関与を百パーセント疑っている口調だった。

「殴られたの、マディソンに」とローランドが言った。

「バスケットにはね、ああいうのはつきものなの」とわたしはローランドに言って聞かせた。「殴るとかじゃないんだよ」

「ロバーツ夫人は勝ちにこだわるタイプだからな」とカールは言った。それでわたしの顔面の惨状に説明がつく、とでもいうように。

「氷で冷やしたか?」とカールが言った。返事をする代わりに、わたしは思い切り顔をしかめた。

カールは巨大な黒いバケツ型の容器を持ってきていた。

「なにそれ?」とわたしが話題を変えるために尋ねたのと、ベッシーが「アイスクリームだ!」と叫んだのが同時だった。

「いや——」と答えて、カールは苦虫を嚙みつぶしたような顔になった。この野生児たちのせいで、永遠に消えることのない深刻なトラウマを次から次へと負わされている、とでも言いたげな顔だった。「アイスクリームではない。なんでまた、アイスクリームだと思ったんだ?」

「だって、アイスクリームってそういうバケツみたいなのに入ってるじゃん」とローランドが言った。

「アイスクリームが食べられるよ的なことを言っちゃったからね」とわたしは言った。

「ともかくアイスクリームじゃない。悪いな」

「だったら、なんなの？」とわたしは尋ねた。

「スタント用ジェルだ」とカールが言った。「覚えてるだろ？　このあいだ話したじゃないか」

「ああ、あれね」と言ったのは、言われて思い出したからだった。「それにしても、ずいぶん大きな容器だね」

「バラ売りがなくてな」とカールは言った。「これと同じ五ガロン入りの容器があと六個、ガレージに積んである。役に立たなきゃ困るね」カールは容器の蓋をこじ開けた。わたしたち三人は、恐る恐るなかをのぞき込んだ。古代の王の魂が入っているかもしれない、という感じで。だけど、ちっとも興奮しなかった。ただの大きなバケツ型容器に入ったジェルでしかなかった。正直に言わせてもらえば、精液みたいだった。大きなバケツ一杯分の……うーん、なんて言えばいちばんわかりやすいかな、よだれ？　に似ていた。要するに、見た目が非常によろしくなかった。その見るからにキモい代物を、わたしたちは子供たちの肌にべたべた塗りたくらなければならないのだ。

カールは人差し指で少量すくいとり、そのまま指先に塗り込んでから、ライターを取り出し、カチッとやって火をつけ、その一インチぐらいの炎に人差し指をかざし、次いでその指を炎そのものに突っ込んだ。三秒が経過した。「なんともない」とカールは言った。「大したもんだな」

「へんなにおいがする」ベッシーはそう言って鼻をつまんだ。確かに、ユーカリっぽいにおいがした。ただそのにおいがかなり強烈なもんだから、どことなく人体に無害とは思えないのだ。

「よし」とカールが言った。「スタントマンをやってる知りあいにも訊いてみたんだが、直接肌に塗ればいいってことだ——ああ、心配ない、人体にも害のないものだと言ってたよ。それで効果があるらしい。あとは一日のうちで何度か塗りなおせばいいんじゃないか、たぶん」

「たぶん?」わたしは訊き返した。「確かじゃないわけ?」

「あのな」とカールは言った。「こいつが必要な本当の理由をそいつに話せると思うか? そもそもスタントマンはこいつを塗って一日じゅう歩きまわってるわけじゃない。塗るのは、特定のシーンを撮るときだけだ。たったのワンカットだ。だが、そう、こいつの主な成分はただの水だ。そこにティーツリーオイルと科学的根拠に基づいたやつが加えてあるだけなんだから、害なんぞあるわけがない。少なくともおれはそう思う」

「どうしてそんな話をしてるの?」とベッシーが言った。後ずさりでそろそろとバケツ型容器から遠ざかりながら。

「あんたたち用だから」とわたしは言った。「あんたたちがナニするのを防止するために塗るもんだから」その時点では、できることならふたりのいるところでは〝発火〟ということばは使いたくなかった。それで〝ナニする〟という言い方で代用した。

「なんで? 深呼吸するだけじゃだめなの?」とベッシーが言った。

「これは安全対策上の追加措置だ」とカールが言った。カールにはお願いだから、その生真面目くそったれな口をしっかりつぐんでいてほしかった。カールの発言は逆効果にしかならない。「対策その二、みたいなもんだよ、ね?」わたしは慌ててとりなした。

「やだ、そんなもん、塗りたくない」とベッシーは言った。

「あのとき言ってた消防服は?」とわたしはカールに尋ねた。

「〈ノーメックス〉のことか?」とカールが言った。「届くのを待ってるところだ」

「なんでそんなに時間がかかるわけ?」

「まず言っとくが、あれからまだ数えるほどしか日数は経ってない。だろ、リリアン？　それに、そんなに簡単に手に入るものだと思っているのか？　ちょっと〈ウォルマート〉かなんかに行けば、子供サイズの〈ノーメックス〉ウェアが見つかるってか？　ちっこい消防士さん向けの防火ウェア一式がセットで売られてるってか？　仕立てるんだよ、生地から。いろいろと込み入ってるんでね。この状況への対処法を創造的に考える、という点において、おれだっておれなりにぎりぎりいっぱいいまで自分を追い込んでるんだよ」

　そう言われてみれば確かに、カールはいくらかガス欠気味に見えた。いつもはひと筋の乱れもなく撫でつけられている髪も、櫛目（くしめ）が通っていなかった。わたしは降参というように両手を挙げて「わかった、ごめん」と言った。「カールには感謝してるよ、いろいろとしてくれて」

「こっちこそあんたには感謝している」

「それじゃ、おふたりさん」わたしは子供たちに言った。「試しにちょっと塗ってみようよ、ね？　科学の実験だと思えばいいじゃん。なんなら、これを今日の科学の授業ってことにしてもいいよ」

「だったら、どうぞお先に」とベッシーが言った。

「と、当然だよ」立場が逆転したのは癪だったけど、もともとそのつもりだったという態度をよそおった。「当然、あたしがお先に塗りますですよ」。カールに眼をやると、うっすら顔を赤らめていた。それからカールは容器に片手を突っ込み、はっと鋭く息を呑み、「冷たいな」とひと声うなった。ジェルはどろっとしていて気色がいいとは言えなかった。その物体を、カールはわたしの剥き出しの腕に拡げていった。やけに冷たかった。不思議なぐらい冷たくて、なんだか気持ちがよかった。カールの手がわたしの腕を這いあがり、這いおりて、ジェルで満遍なくコーティングした。反対側の腕にも同じように塗布した。

「脚も塗るか？」と訊かれて、わたしは首を横に振った。「あたしは腕だけでいい」カールはそこでもう一度ライターを取り出し、カチッとやって火をつけ、炎があがるのを待った。そして「ビビったり身動きしたりするな。痛くなんかないから」と言ってから、その炎をわたしの腕の下に直接当てた。なんか、ものすごく不思議な瞬間だった。ヤバい、まちがいなく皮膚が焼け焦げる、下手したら炎に包まれる、と思っていたのが、歯を食いしばっているうちに、えっ、なんともないじゃん、と気づいたのだ。わたしは燃えていなかった。火傷もしなかった。ほんの数秒間だったけど、わたしは無敵だった。〝なにものもわたしを傷つけることはできないのだ〟的な心持ちになって、いい気分だった。あの子たちも燃えているあいだ、こんな気分になるんだろうか？　わたしにはわからなかった。だけど、個人的には、この感覚が永遠になくならなければいいのに、と思った。

カールがライターの火を消したあと、わたしは子供たちのほうに向きなおって、怪我も火傷もしていないことを示した。「ほらね、すごいよ、これ。いや、ほんと、いいと思う。おまけにひんやり冷たいし。今日みたいに暑いときには、気持ちよくてちょうどいいよ」

ローランドが両腕を突き出して、「スライムみたい」と興奮気味に言った。「めっちゃキモいじゃん」

カールは両手を容器に突っ込んだ。唇の端がほんの少しだけ緩んでいた。笑みを浮かべたのかもしれなかった。カールがローランドの、わたしがベッシーの、それぞれ両腕と両脚にジェルを塗った。「ひゃあ、すんごく冷たい」ローランドが悲鳴をあげた。塗り終わってから、ふたりをしげしげと眺め、どの程度あやしげに見えるかを査定した。ふたりとも、幽霊にぶつかられたあとの呆然自失状態の人みたいに見えた。

「こいつは、なんと言うか、その……今ひとつだな」とカールも認めて言った。

「もしかしたら、時間が経つとちょっと乾いたりしないかな?」とわたしは言った。「もうちょっと、この……このてかてかがおさまるってことは?」

「ない、だろうな」とカールは言った。「まあ、いい、行くぞ。ぐずぐずしてても仕方ないからな。とっとと片づけちまおう」


ジェルがつかないようタオルを何枚も敷きつめたヴァンの後部座席に、わたしは子供たちと一緒におさまって、カールの運転で町の公立図書館に向かった。それまで口を開けば、お屋敷の敷地のそとに出ることばかりしゃべっていたというのに、車のなかではふたりとも、クスリ漬けにでもされてるんじゃないかと思うぐらい、気味が悪いほど黙りこくって、ただ窓に顔を押しつけていた。

ヴァンが図書館の駐車場に入ったところで、ベッシーが言った。「探してる本がなかったら?」

「きっとあるよ」とわたしは言った。

「あたしたちの代わりに、リリアンに借りてきてもらったほうがいいんじゃないかな」ベッシーは座席にもたれたまま、動こうとしなかった。

「おれはそれでもかまわないぞ」とカールが言った。「借りたい本を教えてくれりゃ、おれが行って借りてきてやる」

「だめ」とわたしは言った。「それじゃ、ここに来た本来の目的が果たせないの」

「なかには入りたくない」とベッシーが言った。「きっとみんなにじろじろ見られるもん」

「誰もじろじろ見たりしないよ、ベッシー」わたしは言い聞かせた。

「ううん、見るよ。で、へんなやつらが来たなって思われるんだよ」

「本気でそう思ってるの、ベッシー？ 人間っていうのはね、自分のこと以外なんも気にしない生き物なんだよ。まわりのことなんて見てないの。おもしろいことがあっても、気づきもしないの。自分のことにしか関心がないもんなの」

「ほんとに？」

「うん、ほんとに」とわたしは言った。自分がまちがっていないことを祈りながら。

「ほら、いつまでぐずぐずしてる？」とカールが言った。「いい加減、行くぞ」

わたしたちは図書館に入った。平日の午前中とあって来館者の姿はほとんどなく、エアコンの立てる低い音が聞こえるほど静かだった。司書は分厚いレンズの眼鏡をかけた、笑顔がめちゃくちゃキュートなご老人で、歯並びが悪いのを気にする様子もなく、わたしたちに手を振ってきた。ベッシーは不信感を隠そうともしないで、にらみ返しただけだったけど、ローランドのほうは「こんちは、どうも！」と挨拶した。数秒後、両腕に大量の本を抱えた老婦人とすれちがった。「こんちは、どうも！」とローランドが言うと、老婦人はうなずいた。キッズスペースに母親と一緒にいた、よちよち歩きのちびっこにもローランドは「こんちは、どうも！」と声をかけた。ちびっこはびっくりしたような顔をしたけれど、母親のほうは挨拶を返してきた。

カールが見かねて言った。「ローランド、なにも出会った人全員に挨拶しなくたっていいんだぞ」

「ちょっと、カール、そういう言い方しないでもらえる？」とわたしは言った。「気にすることないよ、ローランド。誰にでも好きなだけ挨拶していいんだからね」

みせた。

「うん、そうする」とローランドは言って、肩越しにカールのほうを振り返ってしかめっ面をして

蔵書検索コーナーのコンピューターを使って、お目当ての本がどの棚にあるかを調べた。カールがローランドを連れて館内のとある区画に向かい、わたしはベッシーと別の区画に向かった。「なんかへんな気分」とベッシーは言った。「皮膚が気持ち悪いよ、こんなの塗ってるから。あたし、これ、好きじゃない」

「そう？　あたしは割と好きだな」と言って、自分の両腕を見おろした。

「ねえ、もう帰ろう」とベッシーは言ったけど、わたしはベッシーを連れて書架のあいだの通路に入り込み、背表紙に貼ってある請求番号をたどって目的の本にたどり着いた。『ドリー――わたしの人生と終わらない夢』（一九九四年に出版されたドリー・パートンの自伝。原題は *Dolly: My Life and Other Unfinished Business*）。表紙のドリーは、その思いやりの力で悪い女王どもを片っ端からやっつけまくる善い魔女みたいに見えた。

「これ、よさそう」ベッシーは本をぱらぱらとめくって眺めながら言った。気持ちを落ち着けようとしているのだ、ベッシーなりに。それでも、わたしのほうを見あげたときには、またしても不安そうな表情が舞い戻っていた。「ねえ、もう帰るわけにはいかないの？」とベッシーが言った。

「わかった、わかった」とわたしは言った。「それじゃ、カールとローランドを探そう」

わたしがそう言ったとたん、カールが姿を現した。ローランドの肩に手を載せることで、監督対象者の身柄をがっちりと確保していた。ローランドはヨーク軍曹に関する本を二冊抱えていた。

「ふたりとも目当ての本は見つかったようだな」とカールが言った。

「だね」とわたしは言った。「それじゃ、貸出手続きをしに行こうか」

「待て」とカールが言った。「図書館の利用カードはあるのか？」

「はあ？」とわたしは言った。「まさか。持ってないに決まってるじゃん。この町の住民でもないんだから」

「そうか。じつはおれもだ」とカールが言った。「おれも図書館の利用カードは持ってない」

「カール、なんか理由があんの、図書館の利用カードを持ってないなんて？」と思わず訊いてしまった。

「それは――」カールは落ち着き払って言った。「ものを借りるのは好きじゃないからだ。おれは所有派でね。なんでも手元に置いておきたいくちなんだ。だから、図書館は利用しない。ほしい本や資料は購入する」

「だったら、窓口に行ってカードを作ってきてよ。申し込みをしてきて」

「それには自宅の住所を証明できるものが必要だ」とカールは言った。「自宅に届いた郵便物とかなんかの」

「それ、持ってない？」とわたしは訊いた。

「おれが自宅に届いた郵便物を持ってるか？　今、この場に携帯してきてるか？」とカールは訊き返してきた。「おい、それ、本気で訊いてんのか？」

「だったら言わせてもらうけど、どうして図書館に来るまえにそこまで考えとかなかったわけ？」

「喧嘩しないでよ」とローランドが言った。「貸してくれるかどうか、司書さんに訊いてみればいいじゃん」

「カードがないと借りられないの」とわたしは言った。機密文書を持ったまま敵陣に取り残された気分だった。これじゃまるで映画だった。どうしてこんなことをしてるんだろう？　わたしは自問した。本をもとの棚に戻して、また今度借りにくればいいだけの話なのに。どうして、わたしたちは普通の人がするようにしないで、防火ジェルで肌をてかてかさせながら、書架のあいだでこんなふうに円陣なんか組んでいるのか……？

「ほらね？　やっぱり来ないほうがよかったんだよ」とベッシーが言った。そんなベッシーを見ているうちに、わたしはなんとも言えない気分になった。知らない相手に思い切り嚙みつき、むやみやたらと腹を立てまくっているように見えた子が、こんなふうに人が変わってしまうとは。こんなふうに怯えて世の中を怖がる人間になってしまうとは。いっそのこと発火して窓から飛び出していってほしかった。だって、そういうことなら、わたしにも対処できるだろうと思えたから。そう、被害を軽減することなら、わたしにもできる。できないのは、相手の気持ちを楽にしてあげることだった。

「その本、読みたい？」とベッシーに訊いた。

「うん」と言って、ベッシーは表紙のドリー・パートンに視線を落とした。「なんか、この人、話のわかる女の人っぽく見えるし」

わたしはそばの書架から本を一冊、適当に抜き取った。ドイツの男子修道院についての本らしかった。「そのドリー・パートンの本をちょっと貸して」とベッシーに言った。

「リリアン、また来ればいいだろ？」とカールが言った。「ロバーツ夫人ならまちがいなく利用カードを持ってるさ。ここの図書館の理事なんだから」

「はい、これ」わたしはカールにドリー・パートンの本を手渡した。「ズボンに突っ込んで」

「冗談じゃない」とカールは言った。わたしは拳を握り、思い切り力を込めて、カールの腕にパンチをお見舞いした。「いいから言われたとおりにすんの」とすごみながら。

カールはズボンのウエストのおなか側に本を突っ込んだ。わたしは声をひそめて言った。「背中側に入れんの。もう、頼むよ、ほんとに」それからローランドのほうに向きなおって「どっちか一冊選んで」と言った。「もう一冊は戻してきて」すると、ローランドは、天才的に手っ取り早い手段に出た。くるりとうしろを向き、片方の本をただひょいっと通路の奥に投げ込んだのだ。それもじつに力強く、じつに美しいフォームで。本は床の上を滑っていって奥の壁にぶち当たった。

「それじゃ、そっちの本をズボンに突っ込んで」と言うと、ローランドはズボンのウエストの背中側のゴムを引っ張って本を挟み込み、その上にシャツの裾をかぶせた。

「リリアン」とカールが言った。「こういうことは――」

「いいの」とわたしは言って、ベッシーに男子修道院の本を差し出した。「この本を持って普通にするの、いい？　大丈夫、みんなが見たがるようなものなんて、なんにもないんだから。誰もじろじろ見たりしないから。あたしたちのことなんて、誰も気にしやしないから」

そして三人を次々に通路のそとに押し出して、全員で図書館の正面玄関に向かった。

「お探しの本は見つかったかな？」と司書のお爺ちゃんに声をかけられた。わたしはうなずいて、「おかげさまで、たくさんメモを取りましたよ」と言った。「調べたかったことが調べられて有意義でした」

戸口を抜けようとしたところで、アラームが鳴った。わたしは驚いた顔をした。子供たちはその場に凍りつき、カールは今にもゲロを吐きそうな顔になっていた。わたしはカールとローランドを強引に、半ば押すようにして、正面玄関のそとの階段のところまで送り出した。

「やだわ、もう」とわたしは言った。カウンターについていた司書のお爺ちゃんが首を振り振り、のろのろと腰をあげるのが見えた。

「いやいや、気にすることはありませんよ」と司書のお爺ちゃんは言った。お爺ちゃんがまだ腰を伸ばしきらないうちに、わたしはベッシーを見おろし、ベッシーが抱えていた本を取りあげてカウンターのところまで引き返した。司書のお爺ちゃんは、ほっとしたようにまた椅子に腰をおろした。動かなくてすんで歓んでいるように見えた。

「すみません、あの子、眼についた本をついつい持ってきちゃうようで」とわたしは言った。司書のお爺ちゃんは声をあげて笑った。

「それでも、別に実害があったわけじゃありませんからね」とお爺ちゃんは言った。そこでわたしの顔面の痣に気づいたようだったけど、あっぱれなことに、眉ひとつ動かさなかった。なんてすてきなお爺ちゃま、惚れちゃうじゃないの。

「実害?」とわたしは言った。「そうですよね、ええ。あるわけありません、もちろん」それから戸口を抜けて、そとで待っていた三人に合流した。

「さあ、このまま車に向かうよ」とわたしは言った。「慌てない、慌てない。うんと落ち着いて堂々とだよ。大丈夫、みんなが見たがるようなものなんて、なんにもないんだから。誰もじろじろ見たりしないからね」

　ヴァンに戻って全員が乗り込むと、カールとローランドはズボンに突っ込んでいた本を取り出した。わたしはカールから本を受け取り、ベッシーに渡した。

「ありがとう」とベッシーは言った。「盗み出してくれて」

「この本は借りてるんだからね、いい？」とわたしは言った。「ちょっと遠まわしな方法を使っただけだから」

　そのとき、ベッシーの眼のなかで、あのなんとも言いようのない光がきらめくのが見えた。わたしの大好きな、できるものならそれに包まれて暮らしたいと思ってしまう、あの悪（ワル）っぽい光が。個人的な見解だけど、なにしろ悪い子って、この世でいちばん美しいものだからね。

「でも、誰も気にしない」とベッシーは言った。

「そうだよ、そうそう」とわたしは言った。

「あたしたちのことなんて、誰も気にしちゃいない」とベッシーは言った。今にも笑い崩れそうになりながら。

　カールがヴァンを出し、わたしたちは図書館の駐車場をあとにした。

「図書館にいたあいだ、ぼくたち、普通の家族みたいに見えたね」とローランドが言った。カールが鼻から鋭く息を吸い込む音がした。

「そうだね」とわたしはローランドに言った。

「アイスクリームも予定どおり？」とベッシーが言った。

「カール？」とわたしは尻上がりに言った。

「アイスクリームも予定どおりだ」とカールは言った。「おれとしては、それでかまわない」

　子供たちはそれぞれが選んだ本を読みながら、わたしにもたれかかってきた。わたしは人から触れられることが、どちらかというと、あまり……どころかじつはものすごく好きじゃない。それでも、わたしはそのなりゆきに抵抗しなかった。子供たちがもたれかかってくるに任せた。それでもまったくかまわなかった。

アイスクリームを食べたあと――ちなみに、これでもかってほどチョコレートのスプリンクルがまぶしてあるやつを食べたあと、家のそとに出て公共の場に足を踏み入れる、というごくごくシンプルな行動がもたらした興奮も冷めやらぬまま、幸せな気分でわたしたちは、あのわたしたち専用の家に帰宅し、翌日を待つことになった。つまり、家族揃ってのディナーが予定されている日を。

当日の朝、気がつくと、わたしも子供たちも、なんの苦もなく日課をこなしていた。ローランドはヨガが達人レベルにうまいことが判明し、いつの間にか講師の座をローランドに明け渡す恰好になっていた。なんせ、わたしの身体の硬さではポーズを保っていられないのだ。なのに、ローランドときたら、「えっ、こんなの簡単じゃん」と言いながら、二本の針のように細っこい腕で身体全体をひょいっと支えて、あの〝カラス〟とかなんとかいう奇々怪々なポーズをいともあっさりと取ってみせるんだから。「なんで、こんなのが難しいの?」とか言っちゃって。ヨガのあとは、基礎の計算問題を、〈オレオ〉クッキーの助けを借りて解いた。それからドリー・パートンとアルヴィン・ヨークの本から、経歴をまとめるのに必要になりそうなところをメモした。バスケットボールのシュートの練習では、ベッシーにしかるべきフォームのお手本を見せた。腕の延長線上にボールを送り出す際の、とぎれのない滑らかな動きを。ベッシーはだいぶ苦戦していたけれど、それでも二十パーセントの確率でシュートを決められるようになった。しかも、あの子のドリブルときたら、もう、すごいなんてもんじゃなかった。

ときどき、ふたりがなにかに夢中になっているときに、それまでのひどすぎた人生の後遺症をそこまで引きずっているようには見えないときに、ふたりの本当の姿を見極めようとしてみることがあった。言うまでもなく、ふたりとも、ものすごく鮮やかなグリーンの眼をしている。B級ファンタジー小説の表紙に出てくる、猛禽かなんかに変身する主人公の眼みたいな。だけど、その眼をのぞくと、顔のほかのパーツはぼんやりとした曖昧な印象しかなくて、特に人目を惹く子供というわけでもなくて……というより、はっきり言ってしまえば、見た目はどこまでも小汚いがきんちょなのだ。カルトっぽいヘアスタイルをなんとか見られるように整えることは、考えもしなかった。一般的なヘアスタイルに整えることで、ふたりがなおさら地味に見えてしまいそうな気がしたからだった。体形について言えば、ふたりとも揃っておなかがぽっこりしていた。もう幼児体形は卒業していてもいいはずの年齢なのに。歯並びはがたがたなんてもんじゃなかった。きちんと手入れされていなかった証拠でもある。それでも。そう、それでも……。

レイアップシュートを完璧な角度でボードに当てて決めることができたとき、ベッシーの眼はイカれたみたいにきらきら輝き、身体は小刻みに震えている。ローランドは、誰かがなにをするときでも、たとえそれが桃の缶詰を開ける程度のことであっても、マラソンコースの十九マイル地点でランナーに声援を送るときみたいな表情で見つめてくる。真夜中にローランドの指が口に突っ込まれても、ベッシーから右の脇腹にキックをくらって跳ね起きることになっても、どちらのことも憎たらしいとは思えなかった。この夏が終わったあとになにが起ころうと、ふたりがジャスパーとマディソンとティモシーのいるあのお屋敷に移って向こうで暮らすことになろうと、ふたりがあの完璧を絵に描いたような家族のメンバーだと本気で思う人などいやしないだろう。ふたりは、ある意味では、いつまで経ってもわたしのものなのだ。それまで子供をほしいと思ったことなどなかった。なぜなら男に妊娠させられたくなかったからだ。そんなの、考えただけで、おえっとなる。想像するだけでも、以下同文だ。だけど、もし空に穴が穿いて、そこからふたりのいっぷう変わった子供たちが地上に落ちてきたとしたら、隕石かなんかみたいに地上に衝突したんだとしたら、そういう子たちならわたしにも育てることができそうだった。たとえ、その子たちが危険な光を放っていたとしても、躊躇なく抱き締めるだろう。そう思うことができた。きっと、必ず……。

「今晩って、あたしたちもちゃんとした恰好するの？」とベッシーに突然訊かれて、わたしは空想の世界から一気に現実に引き戻された。

「ちゃんとした恰好したいの？」

「マディソンとティモシーはするんだろうと思ったから。向こうのほうがカッコよく見えるのは、いやなの」とベッシーは言った。

「ネクタイ、締めてもいい？」とローランドが言った。

「そうだね、まあいいかな」とわたしは言った。ローランドは歓声をあげて走り去った。たったひとつの願いがようやくかなった人みたいに。

「あたしたちの髪の毛、なんとかしてもらえる？」とベッシーが言った。「マディソンみたいにして」

「それは無理だよ」と正直に答えた。ベッシーに対しては、少なくともある程度までは正直であるべきだと思っていたから。「マディソンは恵まれてるの。もともとああなんだよ」

「普通に見えるようにすることはできる？」

「確かにひどいもんね」と言うと、ベッシーは〝はい、言われなくてもわかってます〟というようにうなずいた。「まずは伸ばすしかなさそうだね。ある程度伸びたところで、いい感じになるようにカットしたり整えたりするの」

「ショートにならなら、今すぐできる?」

「できるよ」たぶんね、という部分は胸のうちでつぶやくだけにした。以前、母さんの何番めかのボーイフレンドに教わりながら、その人の髪をカットしたことがあったのだ。そのとき、その人はへべれけに酔っぱらっていた。その勢いでわたしに、きちんとした髪型に仕上げるためにするべきことを、ひとつずつ順を追って、微に入り細を穿ってことばで説明した。自分の好みがわかっている人だったので、言われたとおりにするだけで、最終的にその希望に近い形に仕上げることができた。ついでに髭も剃ることになったけど、あれにはビビった。切りつけてやりたくなって仕方なかったから。母さんのボーイフレンドのなかでは、どちらかといえばましな部類の人だったにもかかわらず。

「あいつは大嫌いだよ」とベッシーが言った。ジャスパーのことだった。「でも、あたしたちのこと、いい子だって思わせたいの」

「あんたたちはいい子だよ」とわたしは言った。「お父さんだって、よくわかってるよ」

「ううん、わかってない」とベッシーは言った。

「ベッシー、そんなことない、わかってるって」とわたしは言った。

ベッシーはなにも言わなかった。わたしとしては、ベッシーが歯ぎしりするのを黙って見ているしかなかった。

「お父さんのこと、どうしたい？」しばらくして訊いてみた。

「どういう意味？」片方の眉をくいっと吊りあげて、ベッシーは言った。

「今この場にお父さんがいたとしたら、どうしてやりたい？」と訊いたのは好奇心からだった。

「噛みついてやる」とベッシーは答えた。

「あたしに噛みついたみたいに？」とわたしは言った。思わず笑いだしていた。

「ちがうよ。あのときはリリアンのこと知らなかったからだよ」とベッシーは言った。「悪かったと思ってる。あのときはごめんなさい。だけど、あいつには本気で噛みつく。鼻に噛みついてやるんだ」

「ベッシーの歯、すっごく尖ってるもんね」とわたしは言った。「確実に痛めつけてやれるね」

「思いっきり噛みついて泣かせてやる。〝お願いだ、頼むからやめてくれ〟って言わせてやる」ベッシーの身体が熱を帯び、肌がまだらに赤くなっていくのが確認された。それでも別にかまわなかった。わたしたちはとりあえず屋外にいるわけだし、着るものだって一生困らないぐらいあるんだし、ちょっと練習してみてもいいんじゃないか、と思ったのだ。

「〝お願いだ、頼むからやめてくれ〟って言われたら？」

「やめるよ」びっくりしたようにベッシーは言った。体温が一瞬で変化したのがわかった。太陽がなんのまえぶれもなく沈んでしまったみたいに。

「それなら問題ないと思うよ」とわたしは言った。「うん、それならいいんじゃないかな」

「リリアンは自分のお父さんのこと嫌いじゃないの？」ベッシーがいきなり質問してきた。それ以上はもう自分の父親について考えたくないのだと思われた。

「お父さんはいないんだ」とわたしは言った。ベッシーはわたしのその答えをそのまま受け入れ、訊き返しもしなかった。

「お母さんのことは嫌い？」とベッシーは言った。

「うん」

「噛みついてやりたいぐらい嫌い？」

「そんなことしたって、屁とも思わない人なんだよね」

「意地悪された？」

「うん、まあ、そうだね。極悪ってわけじゃないんだけど、ただ、なんていうか……関心がなかったのかな。あたしについて考えたくなかったんだよ。あたしがそこにいるってだけで、どうしていいか、わからなくなっちゃうから」

「あたしたちのママの場合——」とベッシーは言った。「あたしたちのことを考えてないときのほうが、どうしていいか、わからなくなってたと思う。いっつもあたしたちのことを考えてたから。それで、ほんの一瞬でも、あたしたちがママのことを考えてないんじゃないかって思うと、ものすごく悲しんで、めちゃくちゃ落ち込むの」

「親っていうのは、きっと、そういうことを受け止めるのが、ものすごく下手くそなのかもしれないね」

「リリアンは親になりたいと思う？」とベッシーが言った。

「ううん」とわたしは言った。「あんまり思わない」

「どうして？」

「あたしもうまく受け止められるとは思わないから。ものすごく下手くそだよ、たぶん」

「そんなこと、ないと思うけど」とベッシーが言った。

そのとき、それが押し寄せてくるのを感じた。この子たちを引き取りたい、という思いが。人間が大嫌いだと言うとき、わたしの場合、それは冗談でも誇張でもない。わたしは本気で人間が嫌いだ。なぜなら、人間が怖いから。自分の思っていることや考えていることを口にするたびに、まったく理解されなかったからだ。そういうとき、ともかくその場を立ち去りたくて、その口実ほしさに、窓を叩き割ってやろうか、という気になった。へまをやらかしつづけているせいで、へまをやらかさないでいることが果てしなく難しいことに思えて、だったら、できるだけ望まなければいいのだと思うようになった。もっと多くを望む代わりに、望みを捨てることを覚えた。ときには、わたしにはなにも要らない、食べ物や空気さえも要らない、そんなふうに自分で自分に思い込ませようとさえした。なにも望まなければ、ただの幽霊になれるはずだ。それでけりがつく。そう思おうとしていた。

そこに、このふたりが、発火する双子が現れた。知りあってまだ一週間足らずだから、はっきり言って見ず知らずも同然だ。それなのに、わたしは自分も発火したいと思っていた。発火できれば、周囲の人たちは恐れ入り、こぞって距離を置いてくれるようになるはずだ。〝それって最高じゃん〟と思っていた。そんなふうに、このふたりにはあれこれいろいろと考えさせられ、いろいろと感じさせられるのだ。それも簡単には割り切れない、込み入ったことを。なぜなら、この子たち自身が簡単には割り切れない、込み入った存在だから。とても深く傷ついているから。だから、わたしはこのふたりを引き取りたいのだ。でも、わたしはそうはしないだろうということも、わかっていた。

そして、わたしがそうするかもしれないという期待を、この子たちに抱かせてはいけない、ということも。

「ベッシー？」しばらくして、わたしは言った。「あんたたちのお父さんは、確かに、へまをやらかしたよね、うん。けど、今はいい人間であろうと努力してると思うよ。それからマディソンは友だちだからよくわかるんだけど、あの人はまちがいなくいい人間だよ。あと、ティモシーだけどさ、今は、なんせ、まだちびちゃんだからね。けど、おいおい、しゃきっとしてくるよ。ちゃんとした人になると思う。でね、それがあんたの家族だから、いい？　それと、理解してるかどうかはわからないけど、あんたの家族はものすごいお金持ちだよ。あたしがこれまで生きてきて知りあいになった誰よりもお金持ちだし、知りあいになった全員を集めたよりもお金持ちだよ。それって、あんたにとってはいいことなんだからね。あんたの願いをかなえようとしてくれる力があるってことだからね。そんなこと言われても、今はぴんとこないかもしれない。別に大したことじゃないじゃんって思うかもしれない。けどね、いつかそれを幸せだと思う日が来るから。心からなにかを望んだとき、それに手が届くところにいられるってことだよ。あの人たちと一緒にいれば。マディソンとあんたたちのお父さんにチャンスをあげられれば」

「うん、わかった」とベッシーは言った。思いつめたような、ものすごく真剣な眼をして。とてもじゃないけど、まともに眼を合わせられなかった。わたしは地面の一点に眼を据えてしゃべっていた。

「夏が終わるまで、あとどのぐらいある？」それからしばらくして、ベッシーが言った。

「たっぷりあるよ」とわたしは言った。「まだまだたっぷりある」

その晩、わたしたちはわが家であるゲストハウスをあとにして、お屋敷の母屋に向かった。ローランドはチノパンツに白いシャツを合わせてブルーのネクタイを締めていた。そのネクタイを締めてあげるのに、めちゃくちゃ手こずり、七度めにしてようやくまともな形に仕上がった。小さな子供が相手だと、どうも手順がわからなくなってしまう。髪をカットするほうが、もっとずっと簡単だった。男の子のヘアスタイルは、それほど気を使わない。とりあえず見苦しくないように仕上がっていればそれでオーケー。それ以上、誰が気にとめよう。これまで生きてきて、ゲイでない男が、同じくゲイでない男のヘアスタイルを褒めている現場には、ただの一度も遭遇したことがないもの。ベッシーは黒地に花柄のサマードレスを選んだ。ちょっとグランジっぽいスタイルで、なかなかイケてた。ローランドは銀行のインターンみたいで、ベッシーのほうは母親の三度めの結婚式に出席する女の子みたいだった。ベッシーの髪は、両サイドだけ短く刈り上げ、トップの長さはそのまま残した。かわいくはならなかったけど、グリーンの眼が引き立てられて、よりワイルドな印象になった。ふたりとも、猫をかぶって正体をひた隠しにした野生児といったところだったが、それで充分だった。ジャスパーとしては、たぶん、ふたりが〝普通〟であろうと努力さえすれば満足なのだろうから。マディソンのほうは、まちがいなくこういうふたりを望んでいる。この子たちの持ち前の〝異端児っぷり〟までなくしてほしい、とはこれっぽっちも思っていない。わたしはそうににらんでいた。発火することについては、まあ、確かに、その能力はなくなってほしいと思っているだろうけど、その奥に存在しているものについては、マディソンは気に入っている。わたしにはそれがよくわかった。

出かけるまえに、例のスタント用ジェルを子供たちの肌に薄く伸ばした。適量を塗布するというのが難題だった。べたべたのどろどろが子供たちの着ているものについたり、ダイニングルームの椅子を汚したりしやしないか、ひやひやしどおしだったけど、まあ、背に腹は代えられない。ジャスパーの姿がこのふたりの視界に入ったとたん、このべとべとを塗ってきてよかった、と思うことになるのは眼に見えていたから。

マディソンは、いつもどおりのマディソンだった。全世界と全世界のありとあらゆるすばらしいものを代表して歓迎いたしますって感じで、わたしたちのことを裏玄関の戸口で出迎えた。「うわあ、ふたりとも」マディソンは子供たちを見て言った。「とってもすてき。ぐっと大人びて見える」

それから痣と引っ掻き傷だらけの、見られたもんじゃないわたしの顔に眼を向けた。「ちょっと、やだ」驚きを隠しきれずに、マディソンは言った。わたしの顔面に肘鉄をくらわせて以来、顔を合わせていなかったのだ。「言ってくれれば、メイク用品を届けさせ……ううん、その程度じゃどうにもならなそうね、リリアン。ほんと、ひどいもの」

「大したことないって」とわたしは言った。

「リリアンは強いからね」とローランドが誇らしげに言った。

「わたしの知りあいのなかで、誰よりも強い人よ」とマディソンは言った。「でも、そんなにいつも強くなくたっていいのにって思いたくなっちゃう」

〝だったら子供たちが見てるまえで、ワン・オン・ワンをやってる途中で頭のネジを吹っ飛ばしてキレちゃったりしないでよね〟と思ったけど、その思いを追い払い、ひとつ大きく深呼吸をした。

それから五秒後、ジャスパーが登場した。「やあ、よく来たね、ふたりとも」とジャスパーは言った。その晩のジャスパーは前回のご対面のときよりはいくらかしっかりしているようだった。それなりに魅力的でもあった。シアサッカーのジャケットを着ていなかったので、心のなかで感謝の祈りを捧げた。シアサッカーのジャケットは、あほ面にこそよく似合う。あれはすっとこどっこいの抜け作どもの着るものだ。ジャスパーはふたりに向かって微笑みかけた。「こういう夕食の席は、きみたちには負担だってことはわかっているつもりだよ」とジャスパーは言った。照れているような恥じらっているような感じが、余計に魅力的だった。子供たちを見つめる眼は、ふたりの票を期待しているかのようだった。「でも、わたしは心待ちにしていたんだ、この機会を。今すぐきみたちを抱き締めさせてくれとは言わないが、いつかそのうち、きみたちがそういう気持ちになったときに、きみたちを抱き締めて伝えたいと思っているんだ、きみたちをここに迎えることができて、どれほど嬉しく思っているかを」

ふたりは黙ってうなずいた。気恥ずかしかったのかもしれない。マディソンはジャスパーの腕に手をかけて笑みを浮かべ、うなずいた。そうそう、それでいいの、と言うように。

「おなかがすいてる人は？」とマディソンが言った。

「はーい」みんなを代表して、わたしが答え、それから全員でダイニングルームに移動した。

ティモシーがひと足先に席についていた。テーブルの上で両手を組みあわせている様子は、これからお祈りをしようとしているようにも、これから部下に解雇を申し渡さなければならないことが心苦しくてならないボスのようにも見えた。ティモシーのそういう堅っ苦しくてロボットふうなところを眼にすればするほど、わたしはティモシーのことが好きになっちゃうのだ。

あるとき、マディソンにティモシーの……ええと、どう言えば失礼に当たらないだろう？　風変わりなとこ？　常人離れしてるとこ？　について尋ねてみたことがある。マディソンは〝うんうん、わかってるわよ、わたしも〟というようにうなずいた。

「なにを隠そう、ほかの子供たちと仲良くするのが苦手なのよ、あの子」とマディソンは言った。「変わった子なのはわかってる。でもね、それを言うなら、そもそもわたしだって普通の子だったわけじゃないのよ、リリアン。顔立ちの整った美しい子供だったことは確かよ。うぬぼれてるって思われるのはわかってるけど、でも事実そうだったの。だけど、子供は子供だからね、頭のなかではみっともないことや醜いことを山ほど考えてたってかまわない。でしょ？　ときどき、そういうのが、中身は美しくもなんともないってことが、無性に嬉しかったわ。ところが、母はそれが許せなかったのね。なにしろ、お高くとまった正真正銘の貴婦人でいらしたから。しかも本物の美人だったし。生まれてこのかた悪いことなんて、うしろめたいことなんて、なにひとつ考えたこともございませんっていうような人だったからね。わたしのことが怖かったんだと思うわ。自分のなかのなにかが知らず知らずのうちに娘をこんなふうにしてるんじゃないかって。だからだと思う、レディのための手引書から逸脱することはどんな些細なことであっても、認めなかった。尖った部分には残らずやすりをかけようとした。わたしのやることなすこと――子供だったから自分がなにをしてるかなんてろくに自覚もしてなかったのに、逐一実況解説して、わたしに最悪の気分を味わわせるのよ。それがね、兄たちの行動にはかまわなかったの。揃いも揃ってくそったれで、大ばか者の兄貴どもは、犬を虐待したり、薬物を売ったり、わたしより百倍も悪いことをしてたのに、男の子だからって理由で許されてた。そう、わたしにだけ厳しかった。『マディソン、あなたのそういういつまで経ってもなおらない癖は、みなさんのご迷惑になるのよ。うんざりされるのも時間の問題ね』とか言われちゃって。

だからもっとやってやった。向こうがその気ならこっちは倍返しよ。向こうがやりこめようとしてくるから、こっちも負けじとやり返した。どうでもいいような些細なことで、年がら年じゅう喧嘩してたわ。バスケットボールまでやめさせようとしたのよ、あの人。でもまあ、愛されてるんだってことはわかってる。わたしも愛してるし。とんでもなく抑圧的ではあったけど、母は少なくともわたしに関心を持ち、気にかけてはくれていた。父とはちがって。なんせ、父なんて、わたしが成長して父のためにひと働きできそうな年齢になるまで、自分に娘がいることすらわかってなかったんじゃないかと思うわ。そういう態度だったから。だとしても、母に傷つけられた事実に変わりはない。思い知らせる必要なんてないときにぴしゃりと思い知らされた。だから、ティモシーがポケットチーフに夢中になったりする、ちょっと変わった子なんだってわかったときに、この個性を抑え込むことだけはぜったいにするまいって誓ったのよ。そういうとこは、いずれ世間がやいのやいの指摘してくるだろうし。それで、変わった子のままでいさせてるってわけ。あの子の異端児っぷり、わたしは気に入ってる。傍(はた)で見てて嬉しくなるの」

わたしにも、わかりかけてきていたんだと思う。ティモシーの異端児っぷりに慣れてきていたことは確かだった。もしかしたら、ティモシーはパフォーマンス・アーティストというかものすごく上手な物真似芸人みたいなもんで、その異端児っぷりはまわりの人たちに対するティモシー流のおちょくりってことも、なきにしもあらずだよね、なんてことをうすらぼんやり思ったりする程度には。ともかく、なにが言いたいかと言えば、その晩のその時点で、わたしにはありとあらゆる子供が、話のわかるクールでカッコよくてイケてる連中に見えていた、ってこと。

メアリーが両腕に何枚ものお皿を載っけて現れた。大人にはグリルした鶏肉を載せたシーザーサラダが、ティモシーには自家製チキンフィンガーとマカロニ&チーズが、ベッシーとローランドには当人たちの臆することのないあからさまなリクエストに沿ったものが供された。〈タイソン〉（アメリカの大手食品メーカー）の冷凍チキンナゲットが。

「わあ、やったね」とローランドが言った。「ありがと」

「あなたたちの希望どおりのものをってメアリーがわざわざ用意してくれたのよ」とマディソンが言ったことでベッシーは、自分たちが希望したものはほかの人たちには見向きもされないものだったことに気づいて恥ずかしくなったのかもしれない、うつむいてお皿を見つめたまま言った。「ありがとう、ミス・メアリー」

「いえいえ、お安いご用ですよ」とメアリーは言った。「子供には、食べたがらないものを無理に食べさせようとするもんじゃありませんからね。それこそ無駄骨ってもんですよ」

「あのサラダ、あたしたちも貰えますか？」とベッシーが訊くと、メアリーは黙ってうなずき、しばらくして小皿に盛ったサラダとナゲット用に巨大なボトル入りの〈ハインツ〉のケチャップを運んできた。そして「おふたりとも、ご自宅に戻ってこられましたね。おかえりなさい」と言った。そのことばには、そこはかとなく毒というか、批判というか、当てこすりというか、それっぽい響きが含まれていた。それをさらりと、筋金入りの悪(ワル)みたいに顔色ひとつ変えずに言ってのけるとは、メアリーもいい根性してる。そう、メアリーの快進撃は誰にも止められないのだ。

「嬉しいわ、こうしてみんなが揃って」とマディソンが言った。「ジャスパー、食前のお祈りは、あなたがする？」

ジャスパーはうなずいた。ベッシーとローランドは呆気にとられていた。マディソンとティモシーとジャスパーは揃って眼をつむり、両手をしっかりと組みあわせたが、わたしと双子たちは互いに顔を見あわせるばかりだった。わたしたちだってお祈りがどういうものかは、もちろん知っていた……ええと、待って、この子たちは知っているんだろうか？　神さまが何者なのかわかっているんだろうか？　ひょっとすると、自分たちは母親が粘土をこねてこしらえたんだと思っているかもしれなかった。そのあたりは、わたしにはなんともわからなかった。それでも、ふたりがお祈りなどしたくないと思っているなら、無理にさせるつもりはなかった。わたしたち三人は、慎ましやかにうつむいて、礼儀正しく耳を傾けていればいい。

ジャスパーはそれから、感謝について、計り知れない英知について、家族が再びひとつになったことについて述べた。尊い犠牲について述べ、そうした犠牲の数々に対する感謝を述べた。誰がその犠牲を払っていると思っているのか、ジャスパーのお祈りからはわからなかった。まさか当の自分だなんて思ってないよね？　そこまで救いようのない愚か者じゃないよね？　ジャスパーは代々続くロバーツ一族の男だ。つまり自ら求めることなく、望みうるすべてをあらかじめ与えられてきた一族の一員だということだ。ジャスパーの言うその犠牲というのは、ほかの人間が得る資格のあるものにただ単に手を出さないってだけのこと？　この双子が自分の払っている犠牲だとでも？　わたしはジャスパーを見る眼が厳しすぎるのかもしれなかった。それは自分でも自覚があった。だけど、ジャスパーがあと一度でも〝犠牲〟ということばを口にしようものなら、そのときは顔面にパンチをお見舞いしてやる、と心に決めた。ジャスパーのお祈りはそこでようやく先に進んで、今度は赦しについて述べ、新たな始まりへの希望について述べた。退屈したローランドがナゲットをひとつつまんで口に押し込むのが見えた。

「アーメン」ジャスパーはようやく、ほんとにようやく、そのことばまでたどり着いた。それから眼を開けて顔をあげ、真正面からこちらを見つめてきた……もんだから、わたしは一緒に祈っていたふりをする暇もなく、お祈りのあいだずうっとそうしてジャスパーのことを見つめていたような恰好になってしまった。それでも、ジャスパーはわたしの視線を受け止めたまま、にこやかに笑みを浮かべて言った。「さあ、食べようか」

ディナーは滞りなく進んだ。雰囲気はいくぶんぎごちなくはあったけれど、お屋敷のだだっ広さやら、眼にするあれもこれもがこぞって豪華であることやらを考えれば、日常生活のどんな場面であれ、ぎごちなくなるのも無理はなかろう、というものだった。とはいえ、状況は決してよくなかったわけではない。なんてったって、双子は発火していないのだ。それがわたしの新たな判断基準、なにがよくてなにがよくないかを測る物差しだった。シーザーサラダを食べながら、おもしろくもない雑談を交わすというのは、悪くなかった。もうひとつのシナリオが、〝火が燃え移ったために何千ドルもするカーテンを一式ごっそり取りはずす〟だとしたら、これは断然悪くなかった。

「仕事ではどんなことをしてるの？」しばらくしたとき、なんと、ベッシーのほうから父親に話しかけた。その歩み寄りの努力をジャスパーがどれほど嬉しく思っているかは、手に取るようにわかった。ただし、同時にその質問にどう答えたものかよくわからず、困惑しているようでもあった。

「そうだね」ジャスパーは真剣に考え込んでいた。「わたしはテネシー州に住んでいるすべての人たちから、その人たちの利益を守る役目を委ねられていてね。たとえば、この州の人たちの望んでいることや願っていることが確実に実現されるよう、上院議会のほかの議員たちと話しあったり互いに協力しあったりしている。テネシー州のなかで働ける場所をできるだけたくさん生みだす努力もしている。そうすればこの州の人たちが仕事を得られて、家族を養っていくこともできるだろう？　と同時に、わたしたちのこの国が、国全体がよりよい未来に向かって常に前進していくことにも力を入れているよ」

「テネシー州の人たちの面倒を見てるってことね」とベッシーは言った。

「まあ、そうだね」とジャスパーは言った。「そうであるよう努力しているよ」

「そっか」とベッシーは言った。

「きみたちの一族は」ジャスパーはベッシーに向かって言った。「何代にも何代にもわたって、ここテネシーに本拠地を置き、テネシーで家庭を築いてきた。すばらしい州だからだよ。だから、わたしもテネシーがこれからもすばらしい州でありつづけるよう力を尽くすつもりだし、そのためにテネシーが助けを必要としているときには、その助けになれるよう努力を惜しまないつもりだよ」

「じいじが言ってたよ、政治っていうのはお金をあっちに動かしたり、こっちに動かしたりしながら、その一部がまちがいなく自分の手元に残るようにすることだって」とローランドが言った。

「いかにもリチャードらしい言い種だね」とジャスパーは言った。「だが、それはわたしがやろうとしている仕事のやり方とはちがうんだよ」

「これ以上お金は必要ないもんね」とベッシーが言った。

「そうだね」とジャスパーは言った。「お金は必要ない」

「ぼくたち、今、リリアンと一緒にテネシー州のことを勉強してるんだ」とローランドがテーブルを囲んだ全員に向かって言った。

「ほう、テネシー州のことをね」と言ってジャスパーはにこやかに微笑んだ。

「テネシーの生んだ偉人についてのレポートをまとめようとしてるんです」とわたしがジャスパーに説明した。この仕事をゲットするための面接はまだ終わっていない、とでもいうように。あるいは先々、転職先への推薦状をどうぞよろしく、とでもいうように。

「たとえば、誰について?」とマディソンが質問した。

「ヨーク軍曹」とローランドが言った。「すっごいんだよ、ドイツ兵を二十五人ぐらいやっつけたんだ」

「そう、彼は偉大な人物だね」とジャスパーは応じた。「筋金入りの民主党支持者でもあった。生涯にわたって民主党を支持しつづけたんだ。『わたしは最初から最後まで変わることなく民主党支持者だ』ということばも残しているぐらいだしね。州都のナッシュヴィルには銅像がある。見事な銅像だよ。そのうちにリリアンが見に連れていってくれるかもしれないね」

「いいですよ」とわたしは言った。

「ベッシー、あなたは?」とマディソンが尋ねた。

「ドリー・パートン」とベッシーは答えた。

「ふむ」とジャスパーは言った。ベッシーの挙げた名前を吟味しているものと思われた。「とはいえ、彼女はエンターテイナーではなかったかな?」

ベッシーは戸惑った顔でこちらに眼を向けてきた。「アーティストです」とわたしは言った。

「まあ、そういう言い方もできるかもしれないね」とジャスパーは言った。「テネシー州を本当の意味で象徴するような人物なら、ほかにも何人か挙げられるよ。その人たちを取りあげたほうがもっと充実したレポートになるんじゃないかな」

「本格的なレポートをまとめようってわけじゃありませんから」とわたしは実情を説明した。「それぞれが興味のある人物を選んで、調べて、まとめてるだけなんで」手を伸ばしてベッシーの腕に触り、体温を確かめようとしたけれど、例のべとべとジェルのせいで実際にどのぐらい熱くなっているのか、判断が難しかった。

「それに、ドリー・パートンは博愛の精神にあふれた人でもあるわ、ジャスパー」とマディソンが付け加えた。「この州とこの州の子供たちのために多大な貢献をしてるんだから」

「だが、女優だ」とジャスパーは言った。まるで女優であるということがなにかの証拠だとでもいうように。にこやかに笑みを浮かべているし、もしかしたら、ちょっとからかってみるつもりで言っているのかもしれなかったが、ベッシーは今や深く恥じ入っているようだった。まちがいをしでかしてしまったような顔をしていた……もんだから、わたしはかちんときた。

「ドリー・パートンはテネシー州の歴史上、最も偉大な人物です」ふざけんな、の思いを込めて、わたしはこのうえなくきっぱりと断言した。

「いやいや、リリアン、なにもそこまで……」ジャスパーは咽喉の奥で含み笑いをもらした。

「だって、あの〝オールウェイズ・ラヴ・ユー〟を作曲したんですよ」とわたしは重ねて言った。

あきれ返ったことに、それでも議論は終わらなかった。

「リリアン」ジャスパーの魅力的な部分がすうっと引っ込んで、冗談の通じない横柄な部分が浮上してきた。「ご存じかな、テネシー州からはアメリカ合衆国の大統領が三人も出ているんだよ?」

「知ってますよ」子供のころ、アメリカ合衆国の大統領を初代からひとり残らず覚えて、就任順でも、アルファベット順でも、そらで言えるようになった。やろうと思えば、今でもできる。「ただし、三人ともテネシー生まれじゃありません（アンドリュー・ジャクソン〔第七代〕はサウスカロライナ州、ジェイムズ・ポーク〔第十一代〕とアンドリュー・ジョンソン〔第十七代〕はノースカロライナ州生まれ）」

「そうなの？」とマディソンが言った。「そうなの、ジャスパー？」

ジャスパーの顔がうっすらと赤らんだ。「いや、それはまあ、つまり……厳密に言えばそのとおりではあるが――」ともごもご言いはじめたが、わたしはジャスパーのことばを遮った。「しかもアンドリュー・ジョンソンは弾劾されてます。それに、ジャクソンなんて、冗談じゃないですよ、あんなのは文字どおりの人でなしですよ。怪物だわ」

「いや、それは必ずしも――」ジャスパーが舌をもつれさせながら、早口でまくしたててこようとしたが、振り切った。

「ドリー・パートンは――」そこでベッシーに眼をやり、ベッシーが眼を合わせてくるのを待った。

「ドリー・パートンはアンドリュー・ジャクソンなんかよりはるかに偉大な人物です」と言い切ると、ベッシーはにっこりした。がたがたの歯並びを見せて大きく口元をほころばせた。わたしも微笑み返した。ベッシーのどうしようもない父親にひと泡吹かせてやった共犯者として。

　ジャスパーはその場で憤死しそうだった。フォークを握りしめているのは、それでわたしを突き刺してやろうと考えているからだと思われた。そして、そのとき、まさにその瞬間、はっきりわかったことがある。いずれしかるべき時期がきたら、ジャスパーの期待に応えてわたしが役目を果たし、もはや用済みになったら、ジャスパーはなんらかの理由を見つけてわたしをこのお屋敷から追い出すだろう、ということだ。それまでわたしが知りあってきた男どもの大半と同様、ジャスパーも人前でやんわりとまちがいを指摘されるのをよしとしない人間だった。もっと慎重であるべきだったのに、わたしにはその手の才覚が欠けていた。見落としてはいけないものを見落としていた。

「あたしたち、〈ドリーウッド〉に行ける？」とベッシーが言いだしたときには、ジャスパーは不動の石と化していた。たいそう美しく、心温まる眺めだった。

そのとき、呪文によって召喚されたかのように、ダイニングルームの戸口のところにカールが姿を現した。ちなみにこの呪文は、当該上院議員が徹底的に恥をかかされ、その場に仲介する者が必要になった際にもれなく発動することになっている。

「上院議員」とカールはジャスパーに声をかけた。「ご家族お揃いでお食事のところに失礼をいたします。お電話です」

「そうか」とジャスパーは言った。いつもの自分を取り戻すべく必死になりながら。「デザートがすむまで待てない用件かね？」

「かなり緊急度の高い内容です」とカールは答えた。「また、この件については、ロバーツ夫人も内々にお聞きになっておいたほうがいいかと思われます」

マディソンはジャスパーと顔を見あわせた。ふたりの動きを眺めているのは興味深かった。ふたつに分かれたひとりの人間みたいだった。椅子から立ちあがるのもふたりほぼ同時だった。マディソンはティモシーにキスをして夫のあとを追ってダイニングルームから出ていった。ティモシーのほうはなんだか、両親が急用で呼び出されることにすっかり慣れてしまっているようだった。

「なにがあったの？」とカールに訊いてみたけど、カールは黙って首を横に振り、ふたりに続いて出ていった。

「へんなの」とローランドが言った。

「ふたりが戻ってくるまで、デザートは食べちゃいけないの？」とベッシーが訊いてきた。

わたしは席を立ってキッチンに向かった。メアリーはすでに四枚のお皿にチョコレートケーキを盛りつけているところだった。「今お持ちします」とメアリーは言った。「わざわざ取りにいらっしゃる必要はなかったんです、言うまでもないことですが」

「うーん、おいしそう」と言うと、メアリーは短くうなずいた。

そして「ええ、承知しています」と答えた。

わたしは結婚式のいちばんみっともない出席者の気分で、子供たちのいるダイニングルームに戻った。なにか言わなくちゃ、と頭のなかで七転八倒しているあいだに、メアリーがわたしたちひとりひとりのまえにケーキの載ったお皿を置いたので、さしあたって会話の必要はなくなったと判断した。わたしたち四人はケーキを食べ、食べ終えたあとも、その場にただ坐りつづけた。「もう帰ってもいい？」とベッシーが言った。

「だめだと思うよ」とわたしは言った。これじゃ、テーブルを離れるのにいちいち大人の許可が必要な子供も同然じゃないの、と内心ふてくされながら。「ティモシーを独りぼっちにするわけにいかないでしょ？」

「ティモシーもゲストハウスに連れてけばいいじゃん」とローランドが言った。

「ゲストハウス、見てみたい？」とわたしはティモシーに尋ねた。それに対してティモシーは、たぶん肩をすくめたんだと思う。たとえるなら、人形遣いが小さく身震いしたのを受けて、糸の先につながっている操り人形のティモシーの肩もほんのちょっとだけ動いたみたいな、なんかそんなふうに見える動きだった。

ティモシーを人質にしてマディソンかジャスパーに迎えにこさせる、というのはなかなか心惹かれる思いつきだった。

「じゃあ、行こう」わたしはティモシーが椅子から降りるのに手を貸し、四人でダイニングルームを抜け出した。そして手入れの行き届いた芝生を突っ切り、煌々（こうこう）と明かりのついた、幸せではちゃめちゃなわたしたちの家に向かった。

「なんか見てみたいもの、ある？」屋内（なか）に入ってローランドに尋ねられたときも、ティモシーは黙ってただ肩をすくめた。ベッシーのほうはティモシーを無視して本棚に向かい、一冊抜き出して、その本を読むふりに着手した。ティモシーがこの家にいることが気に食わないのだ。その気持ちはわたしにもよくわかった。ティモシーはもう充分多くのものを手にしているんだから。

ローランドはティモシーに〈エッチ・ア・スケッチ〉（ふたつのダイヤルをまわして線を描くお絵描きおもちゃ）を見せ、ふたつのダイヤルをそれぞれひとつずつ操作することにして、ふたりで画面に落書きを始めていた。

わたしはベッシーの隣に腰をおろし、男の子たちが遊んでいるのを眺めた。まずまず仲良さそうに遊んでいるようには見えたけど、どちらもほとんどしゃべっていなかった。ときどきローランドがおもちゃをつかみ、思い切り振るのが（本体を振ることで絵が消える仕組みになっている）、ティモシーには半分怖くて半分愉しいようだった。描いた絵をそうやって消したあと、ふたりはまた落書きを始めるわけだけど、そのうちローランドは画面よりもティモシーを眺めている時間のほうが長くなった。

「ねっ、それほど悪くなかったでしょ？」とわたしはベッシーに話しかけた。

「まあね」とベッシーは言った。

「そのワンピース、よく似合ってるよ」とわたしは言った。

「リリアンは着ないね、ワンピース」とベッシーが言った。その晩のわたしはジーンズにそこそこみすぼらしくないトップスを合わせていた。

「そうだね。あんまり着ないね」

「あたしたちのこと、マディソンは気に入ってくれたかな?」とベッシーが言った。そう訊きたくなる気持ちは、よくわかった。マディソンにこっちを向いてほしいのだ。あの太陽の光をこっちにも注いでほしいのだ。

「そりゃ、もちろん、気に入ったに決まってるじゃん」とわたしは言った。「あんたたちをここに迎えることができて、めっちゃ歓んでるよ」

「おいしかったな、向こうで食べたもの」

「メアリーの腕は超一流だからね」

「でも、なんだかちょっと怖い感じ」とベッシーは言った。

「カッコいい人って、ちょっと怖いとこがあるんだよ」とわたしは言った。

「リリアンは怖くなんかないよ」ベッシーのそのことばに、わたしはなんと言えばいいのかわからなくなった。

そうこうしているうちに、ティモシーとローランドも例のお絵描きおもちゃに飽きてソファにやってきた。そのうち、ティモシーがベッシーのことをじっと見つめはじめた。どういう人なのかをティモシーなりに理解しようとしているのかもしれなかった。その視線をそれ以上無視しきれなくなったところで、ベッシーは顔をあげ、ティモシーをにらみつけて、ぴしゃっとひと言「なによ?」と言った。

「燃えるんでしょ、身体が?」好奇心を抑えきれないというように、ティモシーが尋ねた。

ベッシーに目顔で尋ねられたので、わたしは肩をすくめた、〝まあ、いいんじゃない?〟の意味で。ティモシーになにを話してよくて、なにを話してはいけないのか、わたしにはよくわからなかった。でも、ティモシー本人はすでに知っていたんだと思う。たまたま大人が話しているのを耳にしたのか、あるいは直感とか第六感とかその手のもので感じ取ったのか……それも充分にありえる、と思いたくなるようなホラー映画チックな得体の知れない感じがティモシーにはあるのだ。

「うん」とベッシーが答え、ローランドは答える代わりにうなずいた。

「見せてくれる?」とティモシーが言った。

「そういうもんじゃないの。やろうと思ってできることじゃないんだから」とベッシーは言った。

ティモシーはベッシーの手に触った。熱くなっているんじゃないか、と思ったのかもしれない。

ベッシーは抵抗しなかった。ティモシーの手を払いのけるでもなかった。

そのとき、ノックの音がしてドアが開いた。戸口のところに、マディソンとカールが立っていた。

ティモシーはベッシーに触っていた手を急いで引っ込め、ソファから滑り降りてドアのほうに歩きだした。マディソンは室内に入ってきて「嬉しいわ、こんな光景が見られて」と言った。それから
ティモシーに向かって「愉しかった?」と尋ねた、ティモシーは、意外なことにうなずいた……というか、ティモシー流のおそらくはうなずいたのだろうと思われる動きを見せた。

「それじゃ、そろそろ家に帰りましょう」とマディソンは言った。

「パパは?」とローランドが訊いた。

「それがね、大事なお仕事ができて呼び出されたの」とマディソンは言った。子供たちにだけでは

なく、わたしにも言い聞かせるように。「とっても重要なお仕事なの。でも、またすぐに会えるから」

マディソンはティモシーと手をつなぐと、そのままそとに出ていったけれど、カールは戸口のところから動かなかった。わたしはそれを、話があるからそばに来い、という意味だと受け取った。

「なんなの?」とわたしはカールに尋ねた。「なんかあったの? この子たちに関わること?」

「つい先ほど、国務長官が亡くなった」カールは声をひそめてわたしの耳元で囁いた。「自宅のキッチンで倒れてぽっくりだ」

「そもそも死にかけてたんじゃなかった?」

「ああ、そもそも死にかけてはいたが、気力も体力も旺盛な人だったから、まだまだ粘るだろうと思われていた。これは予想外の展開だ」

「それで?」

「それで、後任にロバーツ上院議員が指名された」

「どっひゃー!」と言うしかなかった。「まじで?」

「今後、一連の手続きが本格的に開始される」とカールは答えた。「とはいえ、上院議員の側でもこれまでたっぷり時間をかけて入念に下準備を進めてきている。見通しはかなり明るい」

わたしはマディソンのことを考えた。これでまた一歩、マディソンは望みに近づくのだということを。それからジャスパーのことを考えた。ことさらの感慨は湧いてこなかった。

「そうなると、どういうことになるの?」とわたしは尋ねた。「ほら、あの子たちにとっては?」

「まずは今後の展開を見守ることになる」とカールは言った。

「ってか、あの子たちのことは考えてくれてんの？」と再度突っ込んだ。「このことがあのふたりにどんな影響を及ぼすだろうかってこととかは？」

「正直に言おうか、リリアン？」とカールは言った。「そこまで考えられてない。ほとんど考えられてないに等しい。だから、引き続きあのふたりの世話をしてくれ。秩序を維持するのに必要だと思うことは、なんでもやってもらいたい」

「要するに、あの子たちのせいで今回の件がだいなしになるのは困るってことだよね？」とわたしは言った。

「そう、あの子たちのせいで今回の件がだいなしになるのは困る」カールはわたしの言ったことをくりかえす形で答えた。

「わかった、いいよ」とわたしは言った。

「それじゃ、今夜はこれで」とカールはわたしに言った。それから双子に向かって「おやすみ、ふたりとも」と言ったけれど、どちらも返事をしなかった。

カールが立ち去ってから、子供たちのところに戻った。

「パパは死にかけてるの？」とベッシーが言った。

「えっ？　まさか」とわたしは言った。「ちがうよ、そんなわけないじゃん」

「ふーん、そう」とベッシーは言った。疑わしげに……それとも、希望を捨てずに？　わたしにはどっちとも判断がつかなかった。

「ディナーのあとでハグしてくれてもよかったんだけどな」とローランドが言った。

「あたしはいや。ハグなんてしてもらいたくない」とベッシーは言った。

「ふたりとも、今夜は最高にクールで、めっちゃカッコいいよ」話題を変えたくて、そう言ってみた。「そうだ、せっかくだから、写真を撮っとこうか」

わたしはカメラを探しだしてきた。これを使ってふたりの毎日の暮らしぶりを記録してほしい、とマディソンから頼まれていたのだ。それって、たぶん、来客に見せびらかす〝幸せ家族のフォトアルバム〟を手っ取り早く作るための写真が必要だってことなんだろうけど。ベッシーもローランドもくたびれ果てた様子でソファに倒れ込んだ。

「にっこりしなくていいよ」とわたしはふたりに声をかけた。「そのままでいいからね、うん、そのまま」

ローランドはベッシーの肩に頭を載せていた。ふたりの腕は、夕方ここを出たときほどてかってい なかった。わたしはカメラのシャッターを切り、それからもう一度切った。

「リリアンも一緒に」とローランドが言った。

「それはなし」とふたりに言った。「あんたたちだけでいいの」

「そろそろ寝ようよ」とベッシーが言った。「お話、読んでくれる?」

「読むよ、もちろん」とわたしは答えた。「読みますとも」

9

それからの三週間は、世界がいつもよりもいくらか早く回転しているように感じられた。ジャスパーが国務長官の後任に指名されたことで、周囲ではなんとも奇妙な大騒動の渦が巻き起こっているというのに、ここにはなんの連絡もなく、ベッシーとローランドとわたしの毎日はそれまでとほとんど変わらなかった。もちろん、新聞の第一面には、ジャスパーが後任に指名されるに至った経緯と合わせて、各界の重要人物たちの〝現政権はじつに抜け目のない賢明な選択をした〟的な称賛のコメントが並んでいた。どうやら誰もがジャスパーのことを熱烈歓迎しているようだった。まあ、これはおそらく、わたしがジャスパーのことを好きではないことに由来する、ひねくれ根性の為せる業だと思うけど、わたしにはその熱烈歓迎の理由というのが、ジャスパーが如才のない紳士的な人物で、誰に対しても不快感を与えず、見たところ万事心得ているような印象だから、でしかないような気がした。けど、たぶん、それでいいのだ、ジャスパーの場合は。裕福な一族に生まれつき、かつ男であれば、ある一定のステップを順番どおりに踏んでいくだけで、やりたいと思うことはほぼもれなくできるようになるということだ。そんなことをつくづく感じた。わたしはジェーンのことを考えた。一方的に追い出され、顧みられることのないまま亡くなったジェーンのことを考え、その事実が問題にもならないなんて、いったいどういう〝身体検査〟なんだか、と思った。お屋敷の玄関まえの芝生に突っ立ったまま燃えあがった、ベッシーとローランドのことを考え、あの件が問題にもならないなんて、いったいどういうことか、と憤慨した。だけど、たぶん、実際に大した問題ではなかったんだと思う。なんせ、ジャスパーは上院議員としてそれはそれはすばらしい仕事ぶりで、富める者も貧しき者も等しく満足させたわけだから。それはある意味、手品と呼べそうな手腕を発揮したということでもある。

マディソンとティモシーは、その存在を世間に広く知らしめるため、という単純明快な理由から、ジャスパーと一緒に空路、ワシントンD.C.に向かった。カールはこっちに居残ってはいたものの、言うまでもなく、その他の業務で目いっぱいの手いっぱいで、わたしと双子たちの暮らしぶりには、ほとんど関心がないようだった。わたしたちはバスケットボールをして、プールで泳いで、本を読んで、わたしたち流のヨガをやった。平穏で穏やかな毎日だった、いや、ほんとに。世界の終わりがやってきたのに、わたしたち三人はその災禍を逃れた、というような、なんかそんな感じの日々だった。それまではベッシーとローランドがある意味では注目の的だったし、関心の集中砲火を浴びていたわけだけど、みんながそれぞれほしいものを手に入れつつある今、わたしたちはにわかに透明人間になってしまったようだった。ふたりとも、もうずいぶん長いこと、発火していなかった。少なくとも、わたしには長いことに感じられるぐらいの期間は。そして、人はたとえ自分が変わり者であっても、周囲の環境が落ち着いてくると、ひょっとして自分はそれほどイカれてるわけじゃないのかもしれない、と思うようになる。〝これまではどうしてあんなにしんどかったんだろう?〟そう思うようになるものだ。

ある日の午前中、ジャガイモの澱粉含量を調べていたときのことだ。ベッシーがこんなことを言った。「お屋敷には誰かいるの？」

「いないよ」とわたしは言った。「って、そりゃ、もちろんお屋敷で働いてる人たちはいるけどね」

「向こうに行ってみちゃだめ？」とベッシーに訊かれて、わたしのなかで〝だよね、行ったっていいじゃん？〟な気持ちが頭をもたげた。だって、誰が気にする？　って言うか、誰に止められる、わたしたちのことを？


　念のための保安対策として、ふたりには〈ノーメックス〉の下着——長袖のアンダーシャツと踝（くるぶし）までのズボン下を着用させた。ようやく届いたその下着は、白くてカシャカシャいう生地でできていて、身に着けたところは、ＳＦ映画の世界で暮らしている人みたいだった。ふたりともまあまあ気に入っているようだった。大量に汗をかくことになる点は別として。だったら、なにもそんなものを着せなくてもよさそうなもんだけど、わたしとしては、ふたりが長らく忘れていたお屋敷の記憶がひょっとしたはずみで甦（よみがえ）った場合、つい〝ナニして〟しまうんじゃないか、という不安を拭えなかったのだ。


　そして、わたしたちはお屋敷に向かった。正面玄関には当然のことながら鍵がかかっていたので、裏口にまわってドアを叩いた。やたらめったら連打するうちに、メアリーがやってきて、本来の業務を中断させられてむかっ腹を立てていることを隠そうともしないで、ドアを開けた。

「なんのご用でしょうか？」とメアリーは言った。

「探検したいな〜と思って」とローランドが言った。

「いいでしょう」とメアリーは答えて、わたしたちを招じ入れた。それで家じゅうに病原菌がばらまかれることになろうとかまわない、その結果自分がたとえ死ぬことになろうとからくも生き延びることになろうと、これまたかまわない、といった態度で。

「ありがとう、ミス・メアリー」とふたりが声を揃えて言うと、メアリーはこんなことばで応じた――「あとでキッチンに寄ってください。パンプディングがありますから。ウィスキーソースのパンプディングです」

「やったあ！」子供たちは歓声をあげた。

ところが、お屋敷のなかに入って自由にうろうろしはじめると、ふたりともめっきり口数が減り、敬意を払うような態度を見せるようになった。なんだかヨーロッパの古い大聖堂あたりを訪問しているみたいな。自分たちの足元には、今は亡き大勢の偉人たちが眠っているのだ、とでもいうような。

「覚えてる？」と訊いてみた。ふたりとも黙って首を横に振った。

「あんたたちの部屋は、たぶん、二階にあったんじゃないかな」わたしはそう言って、ふたりを連れて螺旋階段をのぼった。南北戦争当時はこの階段を使って馬を屋根裏まであげ、北軍に見つからないように隠したらしい、という例のありえないような逸話を披露してみたけど、ふたりは、その逸話を聞いたときのわたしに負けず劣らず、しら〜っとしていた。

二階の廊下を進みながら、部屋の戸口ごとに立ち止まり、首だけ突っ込んで室内をのぞいた。ティモシーの部屋も拝見した。例のあのおびただしい数の動物のぬいぐるみに、ふたりは文字どおり眼を丸くした。そしてものすごく慎重に、ここにはぜったいわけのわからないからくり仕掛けの罠が待ち構えているはずだ、とでもいうような足運びで室内に踏み込み、そのふわふわでもこもこの山をじっと凝視した。ベッシーはその山に一発パンチをぶち込み、なかから極彩色の縞柄のシマウマのぬいぐるみをつかみだしてきて「これ、持ってく」と宣言した。一種の徴税というわけだ。わたしが〝まあ、いいんじゃないの、別に〟という態度だったからだと思う、ローランドのほうも片眼鏡（モノクル）に蝶ネクタイのフクロウのぬいぐるみをひっつかんだ。

　そこからもうしばらく廊下を進んだところで、とある部屋の戸口のまえでふたりの足がぴたりと止まった。「ここだよ、ここ」とベッシーが言った。「ここがあたしたちの部屋だったんだ」いったいどうしてわかったのか、わたしには見当もつかなかった。室内には〈ノルディックトラック〉社のフィットネスマシンが一台にウェイトトレーニング用のマシンが何台か並び、壁は全面鏡張りで、どこからどう見てもトレーニングルームだったから。「うん、だってあのバスルームのちょうど向かい側だったもん」記憶を手繰りながらベッシーが言った。「それで、あたしたち、二段ベッドで寝てた。あたしが上の段」

「それと、あそこの窓の下んとこにおもちゃ箱があったんだ」とローランドも言った。

「白い箱でしょ？　お花の絵が描いてあったやつ」とベッシーが言った。「それに、あたしたちそれぞれの机もあったよね」

「あれ全部、どこに行っちゃったの？」とローランドがわたしに尋ねた。わたしとしてはただ肩をすくめるしかなかった。

「あんたたちを連れてお母さんがこのお屋敷を出ていくときに、一緒に持ってってたんじゃないかな」と思いついたことを言ってみた。

「あたしたち、なにも持ってかなかったよ」とベッシーが言った。「ママがだめって言ったから」

「じゃあ、今どこにあるの？」とローランドが言った。

「マディソンに訊けば、わかるかもしれないね」とわたしは言った。「以前に使ってたものをまた使いたいってこと？」

「ううん、そうじゃなくて」ベッシーは正直な気持ちを口にした。「ただ知りたいだけ、パパが残しておいてくれたかどうか」

ふたりとも疲れてきた様子だったので、階下に戻り、キッチンに立ち寄った。メアリーは約束どおりパンプディングを出してくれた。ウィスキーがかなり利いていたけれど、かまわずにそのまま子供たちにも食べさせた。わたしたちはキッチンのカウンターについて甘いデザートを口に運び、メアリーはそんなわたしたちを黙って眺めていた。わたしたちがそこにいることを黙認していた。わたしが自分の分を食べ終え、器の底にソースが溜まっていることに気づいて、いつもの癖でついつい指ですくってぺろりとやろうとしたとき、ローランドが横からわたしのその指にむしゃぶりつき、ソースをなめとった。「見ものでしたね、今のは」とメアリーが黙っていられなくなったように言った。もしかすると、それはメアリーの偽らざる本心だったのかもしれない。わたしたち三人は思わず見とれてしまうような様子だった、と言いたかったのかもしれない。わたしにはそんなふうに聞こえた。

ある朝のことだ、ゲストハウスの戸口にカールが姿を現し、開口一番「子供たちを医者のところに連れていく必要がある」と言った。それを聞いたとき、カールがその件をどう切り出したものかあれこれ考え、あれこれ試してみた結果、〝議論の余地なし〟的な有無を言わせぬ調子でぴしゃりと決めつけるのが、最もスムーズに話を進められる、と判断したのだとわかった。鏡に向かって、その台詞を練習しているカールの姿が眼に浮かんだ。

「どうして?」とわたしは訊いた。

するとカールは白目を剝いて天を仰いだ。その心は――読みどおりだな、そうくるだろうと思ってたぜ。「リリアン、あんたはどうしてだと思う? あの子たちを医者に診せる必要があるとしたら、それはなぜか?」

「発火するから?」

「そうだ、発火するからだ」とカールは答えた。

「でも、どうして今になって?」とわたしは訊いた。「そこんとこがわからないんだよね」

「言ってみれば予防措置の一環だ」とカールは言った。「変わりはないかの確認だよ。改善は望めないまでも悪化もしていないことを確かめるんだ。わかったか?」

「国務長官就任がらみで?」とわたしは言った。それ以外に考えようがなかったから。

「ああ、そのとおり」とカールは答えた。疲れた顔をしていた。疲れているときのカールが相手だと、いつもよりいくらかスムーズに話が進むような気がした。

「だったら前もって言っといてくれればよかったのに」とわたしは言った。「出かけるんなら、いつものジェルを塗らなきゃならないんだからね。あれってけっこう時間がかかるんだよ」

「いや、ジェルはなしだ」とカールは言った。「予防措置をなにも講じていない状態で連れていかなくてはならない。検査を受けるんだから」

〝検査〟ということばを発するときに、聞いた人がぞっとしないような言い方があるのかどうかはわからない。仮にあるものとして、カールはその言い方を会得してはいなかった。「カール、その人って本物の医者なの？」

「込み入っているんだ、いろいろと」とカールは言った。それは、これから診察を受けることになる相手は免許を持った医師なのか、と尋ねたときに、その答えとして聞きたい台詞では断じてなかった。

だけど、ここでカールと言い争っても意味がないということもわかっていた。この件はジャスパーから、というよりも、じつはマディソンから指示されたことだろうから。となれば、泣こうがわめこうが、いずれにしても行くことになる、ということだった。それでも、まあ、子供たちは今回も帰り道にアイスクリームにありつけはするだろうけれど。

「診察だか検査だかなんだか知らないけど、そのあいだずっと、あの子たちのそばについてるからね、いい？　って言うか、あたしだけじゃなくてカールも付き添うんだからね」と申し渡した。

「ああ、もちろん。当然そうする」とカールは言った。

わたしたちが着替えをすませて、出かける支度が整うと、カールはゲストハウスのまえまで緑のホンダ・シビックをまわしてきた。なんの特徴もないわりに、びっくりするぐらいダサい車だった。こんな車に乗るのは、カレンダーの訪問販売にまわる人ぐらいだろうね、と言いたくなった。

「誰の車なの、これ？」とカールに訊いた。

「おれのだ」とカールは言った。

「ミアータに乗ってたんじゃなかったっけ？」

「二台あるんだ」

「なんでまた、こんな車を？」

「時と場合によっては、赤いスポーツカーで乗りつけるわけにいかないことがあるからだ」とカールは言った。「時と場合によっては、ホンダ・シビックで乗りつけたほうがいいこともあるから、という言い方もできる。ところで、そう言うあんたは、いったいどんな車にお乗りあそばしているんでしょうかね？」

「また、そんなどうでもいいようなことを」とわたしは言った。「ほら、おふたりさん、行くよ」

内装は真新しく、ついさっきショウルームから出てきたばかりだと言っても通用しそうだった。あまりにも感動的だったので、カールに向かって笑みを浮かべ、〝やるもんだね〟の意を込めて軽くうなずいてみせた。

「音楽、かけてくれる？」とローランドが言った。

「だめに決まってるだろ」ルームミラー越しに後部座席に眼をやりながら、カールは答えた。そして、わたしたちは出発した。

向かった先は、ナッシュヴィルの北にある、スプリングフィールドという小さな町だった。車は何エーカーにもわたって拡がるタバコ畑を突っ切って延びる田舎道を進み、白い柵で囲まれた二階建ての家のまえで停まった。前庭のまんなかに設置されたポールにテネシー州の旗が揚がっていた。

「ここって……」とわたしは言った。「誰かの家だよね？　診療所じゃないよね？」

「まあまあ、そう慌てなさんな」と言うと、カールはひとりでさっさと車を降りた。すっかり退屈して、暑がっている子供たちに声をかけて車から降ろしているあいだに、ポーチにかなりのご高齢と思われるご老人が出てくるのが見えた。ブルーのオックスフォードシャツにやたらと大きな赤い蝶ネクタイ、チノパンツに赤いサスペンダーという恰好だった。小ぶりな丸眼鏡をかけているからか、ポップコーンでおなじみのオーヴィル・レデンバッカー（一九〇七年〜一九九五年。アメリカの実業家、食品科学者。彼の名前を冠したポップコーン・ブランドがある）を思わせた。世の中にはばかばかしい恰好をすることに多大な労力を注ぎ込むという酔狂な人たちがいるが、この爺さまもその同類というか、少なくとも同程度に頭のネジが緩んでいるような気がして、カールの言っていた件の医師でないことを祈りたくなった。

「医者ならここにおるぞ」ご老体は斯(か)く宣(のたま)い、子供たちに向かって手を振った。

「まじで？」と言ったとたん、カールがわたしの脇腹にこっそり肘をねじ込んできた。

「やあ、カール君」とご老体が言った。

「どうも、キャノン先生」とカールは答えた。

「さあさあ、そんなところに突っ立ってないで」キャノン医師は子供たちにそう言うと、玄関ポーチの階段をおりてきた。「きみたちを診察させてもらうよ」子供たちはそんな相手に、というかその意気込みの激しさに面食らっているようではあったが、怖がってはいなかった。ふたりは医師のほうに近づいた。

「診察室に案内しよう」と言う医師に続いて、全員で家の横を抜けて裏庭にまわり込んだところ、白塗りのちっぽけな、一部屋だけの建物が建っていた。医師はドアの鍵を開けてなかに入った。

「こんなことを言っても、誰も信じちゃくれんだろうが、この建物はそもそもは吾輩(わがはい)の祖父さんが建てたもんでね」と医師はわたしたちに語った。「一八九六年のことだよ。当時は、ある程度の規模の町には、なんでも診られる町医者がひとりはいたもんでね。ここを閉めて、はてさて、何年ぐらいになるかの。いずれにしても、もうだいぶ以前(まえ)から、診察室としては使ってないんだが、開業医を引退してからここで過ごすことが多くなってね。ここで椅子に腰かけて、考え事をするんだよ」

板張りの床は灰色に、壁は白く塗られていた。そとから見ていたとき以上に狭く感じられた。そこにキャノン医師とわたしたちの総勢五名がひしめくことになった。置いてある医療機器はどれも、見るからに相当な年代物で、今日の診察だか検査だかに使われないことを願うばかりだった。黒い革張りの木の診察台もおんぼろだし、石油ランプなんてクラシカルなものも置いてあるし、あやしげな薬剤名のラベルのついた古めかしい薬瓶も並んでいるし……診療室全体が、博物館の昔の様子を再現した展示コーナーみたいだし、そのままどこかの歴史村（ヒストリカル・ヴィレッジ）に持っていってもよさそうだったし……言い方を変えるなら、頭のネジの緩んだ人物が自宅の裏庭に嬉々（きき）として備えていそうなスペースだった。

「すばらしい診察室ですね、キャノン先生」とカールが言った。

「それじゃ、今はもう現役のお医者さんじゃないんですね」とわたしは尋ねた。

「そう、いかにも。開業医ひと筋五十年。それに、ほれ、ロバーツ家のかかりつけ医も務めた。ロバーツ上院議員が——というても先代だがね、ジャスパー君の父上だが、ご健在だったころの話だ。なにしろ、自分で言うのもなんだが、ナッシュヴィルでいちばん頼りになる開業医と言われていたもんでね。いや、テネシー一の名医と言われたこともないわけじゃない」

「そうですか」とわたしは言った。ほかになんと言えばいいか、わからなくて。

「ロバーツ家とのそうしたご縁は、かかりつけ医として大切にすべきものだ」と老医師は言った。

「また、当然のことながら、ロバーツ家のほうも吾輩の慎重な配慮を高く評価してくれとる」

そんな持ってまわった言い方をされると、誰かが性病にでも罹ってたのかと思うじゃないの。お尻がむずむずしてきそうだったので、わたしはただひたすら「そうですか」と言いつづけ、そのひと言が最大限の効果をあげることを願った。

「問題はこの子たちだよ」そこで老医師の声が大きくなり、狭苦しい室内に朗々と響き渡った。「じつに興味深い。非常に興味深い。ああ、カール君から聞いているだろう？　吾輩は医師(ドクター)ではあるが、その〝ドクター〟は医療の分野だけを指すわけではないのだ」

「いいえ、聞いてません」とわたしは言った。見ると、カールはまだサングラスもはずしていなかった。

「なにを隠そう、超常現象の研究者でもある。その意味での博士(ドクター)でもある、というわけだ。超常現象というのも、それ自体が固有の科学でね。ああ、断言してもかまわんよ。こう見えても、その方面では――まあ、きみなんぞは見たことも聞いたこともないだろうが、かなり突っ込んだ研究を行っている。わけても人体自然発火現象に関する研究を」

「それはそれは」とわたしは言った。なんならわめき散らしてもいいんだけど、と思いながら。

「ところが、医療も超常現象も、研究対象としては等しく重要な分野ではあるが、両者の性質はまったく異なる。まったくの別物だと言っていい。だから別々の分野として扱われているわけだ。というか、少なくとも吾輩はそのように扱っているつもりだ。では、お子たちを診察いたそう。さ、この台に乗りなさい。ひとりずつだよ。ひとりずつ順番に」

ローランドがまず診察台にあがった。老医師はローランドの体温を測り、次いで、ほっとしたことにころんとした小さな黒い鞄(かばん)から現代の医療用具を取り出し、血圧を測定し、眼と耳と咽喉を検めた。ベッシーの場合も同様だった。診察を受けるあいだずっと、ベッシーはわたしの顔を見つめ、気持ちを落ち着けようとしていた。とはいっても、医師の診察は丁寧で、子供たちに対する配慮も行き届いていた。威圧感ゼロ、立ち入った質問もなし。ただ観察し、ただメモを取るだけ。

「けっこう、けっこう、たいへんけっこう」とキャノン医師は言った。「ふたりとも健康状態は良好だ。申し分なし。そのぐらいのことは、診断するまでもなく、顔を見ればわかることではあるがね」

「ありがとうございます、キャノン先生。なによりの診断結果です」とカールが言った。

「それだけですか？」とわたしは訊いた。

「ふむ、ジャスパー君から聞いているところでは、きみたちは発火するということだが……吾輩のその理解でまちがいはないかね？」

ふたりともわたしに眼を向け、わたしが親指を立てて〝大丈夫だよ〟のサインを送るのを確認してから、老医師のことばにうなずいた。

「いや、すばらしい。そう聞いただけで胸が躍るね。できることなら、ぜひともこの眼で見てみたい、と言いたいところだが、いかんな、そういうことは考えてはいかん。それで、ふたりとも火傷を負うこともないそうだね？」

子供たちは今度も黙ってうなずいた。

「それもまたじつに興味深い。というのも、人体自然発火現象だということが明らかになっている事例では、発火した当人は自らの火焔が原因で死亡するものなんでね。でなければ煙が原因で。まあ、炎か煙のどちらかの原因だね。しかしながら、このお子たちの場合は、明らかにそれほど単純な機序（メカニズム）ではない、ということになる。しかも、これまた、そうした事例とは異なり、ふたりとも発火が起こるときに予兆めいたものを感じ取れるということだが……そうなのかね？」

「はい、そうです」とベッシーが答えた。

「お嬢ちゃん、それはどこでかな？」と老医師が尋ねた。

「どこって……？」意味がわからず、ベッシーは訊き返した。

「頭のなかなのか、おなかなのか、それとも心臓というか胸というか？」

ベッシーがローランドに眼をやると、ローランドはうなずき、ふたりのあいだでちょっとした無言の会話が交わされた。「胸のあたりから始まって、そこからだんだん拡がるの。腕とか脚とか頭とかのほうまで」

「ほう、なるほど、それはうなずけるね。放射熱のようなものだな。うむ、興味深い。非常に興味深いね」老医師は、せっせとメモを取りながら言った。「そもそもがどこを取っても現実離れしとる。そうだろう？　子供たちが発火する、しかも火傷ひとつ負わないんだから。普通ではありえないことだ。まさに、ありえないの極致だよ。しかし、ここはひとつ、科学的に考えてみようじゃないか。あくまでも医学的事実を下敷きに」

「そうしていただければ、たいへんありがたいです」とカールは言った。当人としては老医師に発破をかけたつもりかもしれない。

「最初に考えたのは、ケトーシスに関係しているのではないか、ということだ。ケトーシスとはなにか、知っているかね？」と医師は子供たちに尋ねた。ふたりは首を横に振った。気づくと、わたしまで首を横に振っていた。カールはといえば、うなずいていた。まあ、そうなるだろうね。およそ知らないことがない人だから。そりゃ、ケトーシスぐらい知ってますって。

「ケトーシスというのは、人間の体内の自然な代謝作用がもたらすものでね。人間が活動するにはエネルギーが必要だが、そのエネルギー源となるブドウ糖が体内に充分にない場合、身体は脂肪を燃やしはじめる。これをケトーシスの状態と言う。蠟燭をイメージしてもらうと、わかりやすいかね？　ケトーシスの状態は健康に資する、と考える人もいるし、身体に悪影響を及ぼしかねない、と考える人もいる。その点については、吾輩はほとんど関心がない。きみらの事例は、そうした健康不安に関する議論とは次元がちがうように思えるからだ。とはいえ、体内でケトーシスが生じにくい食生活を維持できれば、これはまだまだ理論の域を出ない仮説ではあるが、きみたちのその体内発火的な現象を、たやすく起こさない身体づくりができるかもしれん。これでどうだね。この説明で筋は通っているかね？」

「通っているように思います、キャノン先生」とカールが答えた。

「アイスクリームは食べていいの？」とローランドが質問した。

「ふむ、アイスクリームとな。脂質が高い食品ではあるが、糖質も含まれとるわけだから、まあ、問題あるまい」とキャノン医師は答えた。そして、診察結果と所見を書き込んだ用紙を綴りから破り取ってカールに差し出した。カールは受け取った用紙をポケットにしまった。

「大して難しいことでもないからね」とキャノン医師は言った。「気づかぬうちに、すでに実践しておったということもありえる。その場合は、言わずもがなだが、こうしてここまで足を運んだことと自体が無駄だったことになる。医師としてこれ以上言えることはないよ。プライバシー保護について ほかに類を見ないほど厳格にして厳重な規定を順守しつつ、追加の検査を行うのは難しい」

「いや、これで充分です」とカールは言った。「先生には大いに感謝しています」

「さて、お子たち」医師はそう言って改めて子供たちのほうに向きなおった。「きみらの事例だがね、医学の領域を踏み越え、超常現象としてとらえなおした場合、火という概念について考えることになるやもしれんぞ。人間という器に火が宿っているとは、いかなることなのか、考えてみてもいいんじゃないかね」

「ふぇっ?」ローランドがへんな声をあげた。

「つまりだな、人間の体内に存在する火といえば、吾輩の知る限りひとつしかない。聖霊だよ」

「なんですか、それ?」とベッシーが言った。

「ちょっと、ちょっと、ちょっと、なにそれ?」とわたしは言った。

「聖霊のことかね?　神の顕現と言えばいいかね?」老医師はことばを重ねながら、眉根をぎゅっと寄せ、『一万ドルのピラミッド』（アメリカのクイズ番組。ふたり一組でチームを作り、ふたつのチームで争う。連想ゲームのような形で、チームのひとりがパートナーから正解のことばを引き出すために、別の表現でそのことばを伝える）の出演者が、いまだ正解にたどり着けずにいるパートナーに向ける、苛立ちと驚きと信じられないという思いがないまぜになった表情を形作った。「ほら、三位一体（さんみいったい）の」

「ああ、あれね」とベッシーが言った。なんとか調子を合わせなくては、と思ったにちがいなかった。「人間の魂みたいなもんでしょ?」

「いや、ちがうね、お嬢ちゃん」老医師はくすくす笑いながら言った。「似ているようでちがうんだな」

「キャノン先生」とカールが言った。「われわれはそろそろ失礼しようかと――」

「つまり、その聖霊が――」カールのことばを遮り、双子たちをひたと見据えたまま、キャノン医師はしゃべりつづけた。「きみらの心に宿っていることになりはすまいか。火が身体のそとにその姿を現すわけだろう？　そうした瞬間をたびたび経験しているということは、そこから、そう、じつに多くの意味を読み取りうるんじゃないかね。ひょっとしてひょっとすると、きみらは預言者なのかもしれんぞ、神に選ばれし――」

「本当にそろそろ失礼しないと」とカールが言った。

「預言者？」とローランドが言った。そして、そのことばを口にしてみた結果、その響きがけっこう気に入ったというような顔になった。

「ああ、そうとも。われらが神、救い主たるイエス・キリストの再臨を告げ知らせる使者なのかもしれんぞ」とたいそう大仰に老医師は言った。

「カール？」とわたしは言った。

「はたまた――そう、これはまた根本的に、まるで正反対の発想に基づく解釈ではあるが、きみらのなかで悪魔（サタン）が、変幻自在の悪の権化が、聖霊と戦っている、と考えることもできる。その場合、ベッシー、ローランド、きみらは悪魔の手先だということになる。いや、解釈によっては、ただ単に悪魔に身体を乗っ取られている、と考えることもできるかもしれん。いずれの場合であっても、きみたちのなかには浄化すべき悪が存在している可能性がある、ということだよ」

「いやいやいや」とわたしは言った。「そんなこと、あるわけないでしょうが」診察台から子供たちを抱きおろし、わたしのほうに引き寄せた。

「けど、もっと聞きたい」とローランドが言った。

「ありがとうございました、キャノン先生」カールは診察室のドアを開け、子供たちをそとに連れ出しながら、早口で言った。「ケトーシスですね。はい、充分に気をつけます。非常に参考になりました」

「ジャスパー君によろしく伝えてくれたまえ」老医師は手を振った。「あの子は常にすばらしく模範的な患者だったね。病気に罹ったところを見た記憶がない」

カールとふたりで子供たちを車に追いたてた。全員が乗り込むなり、カールはただちにアクセルを踏み込み、あっという間に道路に滑り出た。わたしは運転席のカールをことさらまじまじと眺めた。サングラスのせいで、本当の意味で見たことにはならなかったけど。「ラジオを聴きたい人は？」とカールは言って、返事も待たずにラジオをつけた。ローランドが歓声をあげた。

「あれはまちがいだった」わたしにしか聞こえないよう、声を抑えてカールが言った。「詳しい事情はおれにはわからないが、どうやらロバーツ上院議員はここしばらくキャノン医師と連絡を取っていないんだと思う。キャノン医師の、なんというか、今の状態を百パーセント把握できていなかったんだな」

わたしはなにも言わず、ただじっと、ひたすらカールを見つめつづけた。

「あれでも、州内でいちばんの名医と慕われていたんだ」とカールは続けた。「歴代の州知事やカントリーミュージックのスター連中なんかの主治医でもあったし、論文だってほうぼうの雑誌やらなんやらに発表していたし」

「それはそれは」とわたしは言った。

「おれはあくまでもロバーツ上院議員夫妻の意向に従ったまでだ」カールはそう言うと、後部座席のほうをうかがい、子供たちが聞いていないことを確かめた。「それにな、この際だから言っちまうが、ジェーンが亡くなった直後にあの子たちを診た医師や専門家たちからも——ああ、いちおうまともな医師や専門家だったが——大した意見は出なかったよ。そのときに診た医師のひとりが、やはりケトーシスに言及していた記憶がある。だから、まあ、今回のことでも実害はなかったってことだよ」

「おかげで今やあの子たちは、自分たちは悪魔の手先かもしれないって考えてるけどね」

「いや、それはどうかな。ふたりがどこまで理解してるかはわからんぞ」とカールは言った。それから急いで後部座席のほうを振り返って、子供たちに言った。「ふたりとも、サンデーのアイスクリームはダブルにしていいぞ」

わたしはひと声低くうなって、ラジオを消した。そして、振り返って後部座席に顔を向けた。ふたりとも退屈そうに見えるけれど、頭を忙しなく働かせていることぐらいお見通しだった。突いても答えの出ないことを突きまわして、自分たちなりに理解しようとしているのだ。「ちょっと聞いて」しばらく待って、声をかけた。「あんたたちは悪魔の手先なんかじゃないからね、いい？　そんなこと、あるわけないでしょ？　あの人はイカれてんの」

「けど、ぼくたち、預言者かもしれないよ」とローランドが言った。

「ちがうって」とわたしは言った。大きな声になっていた。「あんたたちはただの普通の子供なの、わかった？　発火して身体が燃えることはあるけど、でも普通の子供なの」

「うん、わかった」とベッシーが答えた。「リリアンの言うことを信じる」

「うん、わかった」とわたしは言った。それから何マイルか進むあいだは、誰もなにも言わなかったけれど、そのうちローランドがくすくす笑いだした。振り返ってみると、ベッシーは半分はまだ悩んでいるような半分は安心したような顔をしていた。ベッシーはわたしと眼を合わせ……次の瞬間、弟と同じように、咽喉の奥で小さく笑いだした。「あたしたちは悪魔の手先なんかじゃない」とベッシーは言った。わたしは〝そうだよ〟の意を込めてしっかりとうなずいた。そして、そのとき、この子たちはわたしの子で、わたしはこの子たちを守ったのだとわかった。なぜなら、ふたりがわたしを信じてくれたから。みんなで車に乗っていたそのとき、その瞬間、ふたりはわたしを信じてくれていた。そんな子たちが悪魔の手先のわけがなかった。

その晩、ふたりの子供という毛布にくるまれたわたしは、頭の上のほうからマディソンの囁き声が聞こえてきているることに気づいた。「リリアン……リル……」と囁くその声を聴きながら、これは夢だと思った。というのも、じつを言うと、頻繁にマディソンの夢を見ていたからだ。

「うん？」とわたしは言った。

「ただいま」囁き声のまま、マディソンは言った。「ついさっき、ティモシーを連れて帰ってきたところなの。一緒に来て。ちょっとつきあってよ。話したいこともあるし」

そのあたりから、これは夢なんかじゃなくて、眼のまえにいるのは本物のマディソンだとわかってきて、同時に肉体的にも眼が覚めるのを感じた。わたしは眼を凝らしてマディソンを見つめた。廊下を背にしているので、バスルームからもれてくる薄明かりのせいで、マディソンの輪郭はわかるけど、表情まではわからなかった。

「子供たちが起きちゃうよ」とわたしは言った。

「ううん、起きないわよ」とマディソンは言った。「いいから一緒に来て」マディソンの声はかすれ気味で、なんだか酔っぱらっているようにも聞こえた。

「ベッシー?」わたしの囁き声の呼びかけに、ベッシーはぴくっとしながら身を反転させ、わたしから身体半分離れたところで仰向けになり、眼を開けた。

「なに?」とベッシーは言った。「なんかあったの? どうかしたの?」

「マディソンが来てるんだ」わたしはそう言って、マディソンのいるほうを身振りで示した。マディソンは手を振った。

「なにしに来たの?」とベッシーは言った。

「リリアンに用があるの」とマディソンは答えた。「ちょっとだけ、この人を借りたいの」

「すぐに戻ってくるからさ」とわたしはベッシーに言った。「そのまま寝てて」

「わかった」とベッシーは言った。「そうしとく」

ローランドは大音量でいびきをかいていたけれど、わたしはできるだけそっとベッドから抜け出し、抜き足差し足で寝室を離れるマディソンのあとを追いかけた。途中でスウェットパンツとスニーカーをひっつかんだ。

「戸外(そと)に出ましょう」とマディソンは言った。「マルガリータをこしらえたの。お祝いしたくて」

「お祝いってなんの?」とわたしは訊き返した。そんなふうに取るに足りない小物(こもの)感満載で、ばか丸出しもいいところな質問をしなくちゃならなかったのは、その朗報が炸裂した時点でわたしたちがまったく異なる爆風半径上にいたからだった。

「ジャスパーよ」とマディソンは言った。「ジャスパーのことに決まってるじゃないの、おばかさんね」マディソンとふたり、正面玄関のまえの、ポーチにあがる階段に腰をおろした。そこでまたしても、トレイに載った例のくそいまいましいピッチャーという代物が登場する。なにもかもがピッチャーで出てくるのは、なんだか『ステップフォードの妻たち』（アイラ・レヴィンの同名のＳＦホラー小説に登場する家庭的で貞淑で従順な妻たちを指す）っぽい。そんなお作法なんぞかなぐり捨てちゃって、たとえば——うーん、うまいたとえではないけど、ばかでかいパンチボウルにじかに顔を突っ込み、派手な音を立てて中身をずずーっと呑み干すってのは、だめなわけ？　と思わなくもなかった。自分がマディソンになにを求めているのか、自分でもよくわからなかった。たぶん、もう少しわたしに近い人間であってほしかったんだと思う。ここまで裕福であることと折り合いをつけられる人間に、なりきってほしくなかったんだと思う。なんていっても、わたしだって人のことを言えた義理じゃない。そういう裕福な人たちの広大なお屋敷で暮らし、その間に銀行口座に多額の手当が振り込まれ、この敷地のなかでぶらぶらしている分にはびた一セントも使わずにすんでいるんだから。そう、それが目下のわたしの人生だった。そのほとんどの時間を他人を嫌うことに費やし、次いでそんな連中以下の自分を嫌うことに費やしているのだ。

　マディソンがふたり分の呑み物を注いだ。マルガリータはよく冷えていて、アルコール分たっぷりで、とてもおいしかった。

「うまくいったわ」とマディソンは言った。「あっけないぐらい。まさかあんなにうまくいくなんて……なんだか信じられないぐらい」

「〝身体検査〟のこと？」とわたしは言った。「えっと、なんかさ、こっちにも誰かが派遣されてきて、あたしも質問とかされるのかと思ってた」

「そうならないようにしたのよ」とマディソンは言った。「あの子たちのことは、誰にも質問させないようにしたの。いい印象は持たれないだろうと思ったから。それでも、こちらの不利になるだろうと思っていたポイントが、たとえばジェーンが自殺したこととか、あの子たちを放置してたこととか、そういうことが、かえって向こうの矛先を鈍らせる結果になった。だって、ほら、そういう点ばかり突くのっていかにも卑劣じゃない？　人間的に問題あり、な印象になるでしょ？」

「そうだね、そうかもしれない」とわたしは言って、黙々とマルガリータを呑みつづけた。

「もちろん、ジャスパーがジェーンを殺したわけじゃないってことは、徹底的に確認されたわ。まあ、向こうとしても、そこは押さえておかないとね。双子たちのことも、又聞(またぎ)き程度ではあったけど、発火についての報告は受けていた。でも、あまりにも信じられない話だからでしょうね、追及のしようがないのよ」

「そっか、よかったよ」とわたしは言った。裕福であるということは、当然のことながら、望むものを手に入れつづけるのが、より容易になるということなのだ。そして、その状態を維持するために努力をする必要が、ますますなくなっていく、ということでもある。

「そもそも、向こうとしてはジャスパーが犯罪行為に手を染めていないか、汚職をしていないか、悪印象を持たれかねない相手と金銭的なつながりがないか、怒らせるべきではない人たちを怒らせてはいないか、そこのところが確認できればよかったみたい。だから、思っていたより、ずっと簡単だったわけ」

「それにしても、あっという間の出来事だったよね」とわたしは言った。

「だって、現職のあの人がころっと死んじゃったんだもの！」ものすごく浮ついた口調で、マディソンは言った。「こんなことになるなんて、誰に予想できたと思う？　ジャスパーもわたしも長期戦を覚悟してたの。ここまでたどり着くには、かなり長いことかかるだろうって。長くかかればかかるほど、途中から割り込んでこようとする人も増えるってことよ。でも、ジャスパーは盤石だから。あの人以上の適任なんていないわけない」

「で、どうなるの、これから？」とわたしは訊いた。

「そうね、まずは指名承認公聴会ね。まあ、形式的なものだけど。いずれにしても、どんなふうに振る舞って、どんなふうに対応すればいいか、ジャスパーも練習済みよ。ともかく徹底的に当たりさわりのない態度に終始すればいいの。そうすれば、ほんとになにも知らないように見えるから。で、難題を吹っかけられたら、こう言いつづける。一日も早く、そうした問題を調査検討し、解決に向かう最善の道を探せる立場に立ちたいと願っているってね。ほとんどもう決まったも同然ね」

「ふーん、そっか」とわたしは言った。「で、それから？」

「それから？　ジャスパーは国務長官になるのよ」とマディソンは言った。

「って言われても、それってどういうことをする人なのか、今いちよくわかんないんだけど」とわたしは白状した。

「国家の大きな問題に関わる人よ、外交問題とか、大統領の最も頼れる側近として助言したりもする。ついでに言うと、大統領に万一のことがあった場合の大統領継承順位では第四位ってことになってるわ」

「うっわー、すごいんだね。そこまですごいとは思ってなかったかも」

「それに、正直に言うけど、わたしにとっても大きなチャンスにもなる。こういう形の知名度は武器よ。賢く利用すれば、これまでやりたいと思っていたことを提言できるようになる。党としても、わたしをどんなふうに使えば党利にかなうか、さっそく考えはじめてるわ」

「いいじゃん、それ」とわたしは言った。自分が世界でいちばん救いようのないオタクになったような気がした。そう、オタク女子が、キスってどんな感じか、男の子がなにをしたがっているか、そんなことぐらいもちろんわかってる、というふりをしているようなものだ。

「当然、ワシントンD.C.に引っ越すことになるわ」マディソンは話を先に進めていた。

「まじで?」とわたしは言った。

「もちろん。そういうことに長けてる人たちが、もう物件を探しはじめてくれてるしね」

「子供たちは?」とわたしは言った。「引っ越しとかして大丈夫だと思う?」

「ティモシーはどんなことにも対応できる子だから」とマディソンは言った。そのとき、マディソンの眼のまえにはわたしがいたわけだけど、そのわたしのことさえマディソンは本当の意味で見ていなかった。四年後か、もしくは八年後の未来を見据えて、忙しなく考えをめぐらせていたから。

「学校だって、D.C.のほうがこっちより百倍もいいでしょ?」

「ローランドとベッシーは?」

「そうね――」とマディソンは言った。「なんとも言えない、あのふたりについては。わからないのよ、わたしには」

「わからないって、なにが?」とわたしは言った。

「ふたりが都会の生活に対応していけるのかどうか、わたしにはわからない。今よりもずっと人の眼にさらされることになるだろうし、ストレスだって大きくなるだろうし」

「あの子たち、今後ジャスパーと会うことは一切なくなるんじゃないの、ちがう?」とわたしは言った。言いながら、もちろんそうに決まってる、そのぐらいどうしてもっと早く気づかなかったんだろう？　と思いつづけた。

「それほど頻繁にはね」とマディソンは事実を認める口調で言った。「でも、わからないじゃない？　もしかしたら、そのほうがよかったりするかもしれない。ジャスパーは建前上はいい父親よ。行動にしろ価値観にしろ、距離を置いたところから見ているほうがいい父親でいられる。それに、あの子たちは今後もジャスパーが〝提供できるもの〟を利用できるのよ、リリアン。本当に重要なのはそこでしょ？」

「それじゃ、マディソンがあのふたりの面倒を見るわけ？」

「ティモシーの面倒だって満足に見られなくなると思うわ」とマディソンは言った。「そのぐらい責任重大なのよ」

「それじゃ、あたしがこのままずっとあのふたりの面倒を見たほうがよかったりする？」とわたしは言った。鼓動が速くなるのがわかった。本当はどんな答えを望んでいるのか、自分でもよくわからなかったからだった。

「まさか」とマディソンは言った。明るく快活に、いかにも愉しげに。「あなたには精いっぱいのことをしてもらった、あの子たちに対しても、わたしたちに対しても。これ以上、甘えるわけにはいかないわ」

「そっか、わかった」とわたしは言った。「だったら、どうすんの？　本物の家庭教師を雇うとか？」

「そうね、じつはまだちゃんと考えられてないの、時間がなくて。対応しなくちゃならないことが、入れ代わり立ち代わり眼のまえに現れるもんだから。わかると思うけど、それぐらい大事（おおごと）なの。だけど、そうね、あのふたりには寄宿学校という選択肢もいいかもしれない、とは思ってる」

「だけど、ふたりとも、まだ十歳だよ」

「ヨーロッパでは、八歳から寄宿学校に預けるのよ」とマディソンは言った。「あの子たちにとっては、あながち悪くないんじゃないかと思うの。海外に行くのも。ジェーンと三人きりで大して広くもない家に閉じこもりっきりで暮らしてきたんだから、この機会にもっと広い世界を経験するのも、悪くないんじゃない？」

「それ、選択肢として最悪だと思うよ」わたしは反論した。「だって、発火したらどうなると思う？　そんな遠いとこに行かせたりしたら、もっとひどくなるんじゃないか、とか思わない？」

「正直言って、発火されるなら、D.C.よりヨーロッパでされるほうがありがたいわ」とマディソンは言った。「目立ちにくいし、事実関係の裏付けも取るのが難しいだろうし」

「ふたりとも、辛い思いや寂しい思いをしたばかりなんだよ」

「わたしたちだって、アイアン・マウンテンにいたわけでしょ？」というのが、マディソンの返答だった。「そんなにひどい経験じゃなかったじゃない？」わたしが言い返す間もなく、マディソンは眼を伏せて、慌てたような早口になって言った。「つまり、その、悪い学校じゃなかったでしょ？」

「あんたは、あの子たちをどこか他所（よそ）に追い払おうとしてるってことだよね？」とわたしは言った。

「それ、最低の最低だよ、マディソン」

「だって、ほかになにができるっていうの？」

「あんたが面倒を見ればいいだけじゃん」わたしはぴしゃりと言った。

「あのね、リリアン」とマディソンは言った。「わたしが助けを求めたときに駆けつけてきてくれて力を貸してくれたことには、心から感謝してる。でもね、遠慮なく言わせてもらうと、あの子たちの面倒を見たといったって、あなたの場合、期限付きの、それもごく短期間にすぎないわ。あなたは簡単なことだと思ってるようだけど、ジャスパーやわたしにのしかかってきているようなプレッシャーを、あなたはひとつも抱えていない。あの子たちのことだけに集中していられるのは、するべきことがそれしかないからよ。ジャスパーもわたしも、そういうわけにはいかない。先々のことまで、将来のうんと先のことまで考えていかなくちゃいけないの」

「でも、あんたのやろうとしてることは、正しいことじゃない」とわたしは言った。

「ときどき思うわ、リリアン、そういうところがあなたの問題なんだって」マディソンがそう言ったとき、これから精神的にものすごいダメージを受けるだろう、ということがわかった。深く傷つくだろう、ということが。「あなたは、自分は誰よりも優れてると思ってる。自分は全世界に貸しがある、なぜなら全世界からひどい目に遭わされたんだからって思っているところもある。あなたを見ていると、そう感じるわ。そして他人をとことん批判する。たとえば、ジャスパーのことだって嫌っている。わかってるわ、そのぐらい。善良な人間ではないと思ってることも知ってる。でもね、あなたはジャスパーに申し開きの機会さえ与えてないのよ。ジャスパーが裕福だってところだけ見て、それで落ち着かない気分にさせられるから、だから悪いやつにちがいないって決めつけてるの。これまでなにかに本気で挑戦したことなんて一度もないでしょ？　確かに学校から追い出されたのは辛い経験だったと思う。でも、あなたはそのことを延々と引きずってる。人類史上、これほどの不幸に見舞われた人は自分以外いるわけがないって顔をして」

マディソンが過去のことを覚えているのかどうか、正直言ってわたしには判断がつかなくなった。わたしが身代わりになったことについて、マディソンからはそれまで、ただの一度も感謝の気持ちを伝えてもらったことがなかった。どうしてなんだろう、という思いが頭をもたげるたびに、きっとそのことをあまりにも恥じていて口にできないのだろうと思ってきた。でも、そのとき初めて、ひょっとしてマディソンは覚えていないのかもしれない、と思った。覚えていない、というか、マディソンの記憶のなかでは、コカインを所持していたのはわたしで、わたしはそれが原因で退学になった、という過去ができあがっているのかもしれなかった。そして、そのあともわたしと友だちでいるのは、マディソンが善良な人間だからで、わたしがめちゃくちゃな人生を送っているのは、そういう運命に生まれついたからだ、ということになっているのかもしれなかった。

「マディソンのお父さんがうちの母親を買収したんだよ。それで誰かさんの代わりにあたしがアイアン・マウンテンから追い出されることになったんだよ」

「ええ、ええ、そうよね」わたしに調子を合わせて、うまいこといなそうとするように、マディソンは言った。陰謀説を唱えたければ、気がすむまでどうぞ、というわけだ。

「あんただって、止めなかったよね。お父さんのすることを見て見ぬふりをしてた。そりゃ、学校を追い出されたくなんかないもんね。でもって、あたしが追い出されるのは別にかまわなかったんだよね。そもそもあの学校にふさわしくなかったんだから。わかってるよ、そう思ってたことぐらい」

「それ、あんまりよ」とマディソンは言った。「わたしはあなたの友だちだったのよ。あなたのことをいつも心にかけてきたのよ。だったら言わせてもらうけど、あなただってわたしがどんな人生を送ってきたか、考えたこともなかったでしょ？　どんな経験をして、どんな悩みを抱えていたかなんて、知ろうともしなかったでしょ？　それにね、リリアン、もしあなたがアイアン・マウンテンを無事に卒業したとして、その後の人生でなにかできたと思う？　わたしみたいな人生が手に入ったと思う？　そんなことがありえたと思ってるわけ？」

「あんたみたいな人生なんて、ほしくもないよ」とわたしは言った。「どう見たって、にっちもさっちもいかなくなっちゃってるじゃん。悲しくなるって」

マディソンがいきなり立ちあがったもんだから、これはこのまま取っ組み合いの喧嘩になるな、と思ってわたしはとっさに両の拳を固めた。顔はもう傷だらけだったから、それ以上どうなろうと屁でもなかった。ところが、マディソンは階段をおりると、緩やかなジョギングペースの駆け足でわたしから離れていったのだ。途中で加速して本格的に走りだし、そのままバスケットボールのコートに駆け込んで投光照明のスウィッチを入れ、コート全面が明るく照らされると、ボールをつかんでドリブルを始めた。それからステップワークをして、レイアップシュートを何本も打った。そのあと、フリースローラインに立って、ターンアラウンドからのジャンプシュートを何本も打った。そして、その音が——ボールがコートに当たって弾む音が、ボールがネットをすり抜ける音が、わたしを解放して、身体のなかに一切の感情がなくなったように感じさせてくれた。おかげで、マディソンをぶっ殺してやりたいと思わずにすんだ。ほんの〇・五秒ぐらいのあいだ、どいつもこいつも死んじまえばいい、と思わずにすんだ。そのことにわたしはとてつもなく感謝した。そして、わたしもコートまで歩いていった。

しばらくのあいだ、マディソンがシュートをするのをただ眺めていた。マディソンはわたしのほうに眼も向けなかった。わたしのことを考えていたんだとしても、マディソンの動きを見る限り、そんな様子は毛ほどもうかがえなかった。マディソンはほぼすべてのシュートを、いとも楽々と決めていた。

「あなたはわたしの親友よ。今でもそう思ってる」かなり経ってから、マディソンが言った。わたしのほうを見ないまま。「うん、わかってる。そんなこと言ったって、ハイスクールの一年以来一度も会ってないくせにって思うよね。でも、ほんとにそう思ってるの。一緒に過ごした時間は短かったけど、あなたはわたしにとって生まれて初めてできた親友だったし、あなたみたいな人にはほかに出会ったことがない。でも、父のしたことが——というか、わたしのしたことでもあるわけだけど——あまりにも恥ずかしくて、それであなたのことは友だちではあるけれど、あのときのあの場所で、あの寮の部屋で冷凍保存されている、思い出のなかの友だちみたいに思おうとしてた気がする。あなたに手紙を書くと嬉しくなった。わたしのことをめちゃくちゃ心にかけてくれてる相手と、人生を分かちあえた気がしたから。返事が届くのも嬉しかったわ。まだわたしのことを心にかけてくれてるんだってわかるから。あなたにとって、もっといい友人だったらよかったと思う。あのとき、正しいことをして責任を取っていればよかったとも思う。でもね、はっきり言って、それでもわたしはこうしてこの場所に立っていたわ。今のわたしになることを、なにものにも邪魔させなかったと思う。だとしても、そうよね、あなたはもっといい人生を歩んでいたかもしれない」

「あたし、恋してたんだよ、マディソンに」

「わかってた」とマディソンは言った。そしてまた一本、シュートを放った。ボールがリングに当たって大きな音が響いた。わたしはほんの少しだけ希望を感じた。

「あっけなかったよ。あっという間に恋してた。でもって、あのころは自分でもそういう自分に納得してた。だって、マディソンに恋してる限り、ほかの人のことを愛さずにすんだから」とわたしは言った。「でさ、そのあともずっと恋してたような気がするんだよね。今だって恋してるような気がするし」

マディソンは短くうなずいた。そして、わたしの視線をとらえて、じっと見つめてきた。マディソンはものすごくきれいだった。わたしはあの寮の部屋で、マディソンがそんなふうにじっとわたしを見つめ、わたしの〝異端児っぷり〟を受け入れてくれたことを思い出した。そんなの関係ないよ、というように、わたしのことをぎゅっと抱き締めてくれたことも。そんな晩が何度もあったことも。マディソンは優しくて思いやりがあった。ほんの何か月間かのことだったとしても、それはほかの誰と比べてもわたしにとっては最長記録だった。

マディソンがなにか言うのを待っていたけど、いつまで経ってもただじっと、わたしの心を測るように見つめてくるだけだった。あのとき、マディソンの眼のなかに、なにが浮かんでいることを期待していたのか、そこになにを見つけたいと思っていたのか、自分でもよくわからない。しばらくして、マディソンは小さく肩をすくめた。わたしになにができるっていうの？　とでもいうように。マディソンが申し訳ないと思っているのがわかった。そのことでわたしの心は粉々になった。そして、自分は人生の大半を、こうして心が粉々になり、それでけりがつくのを待つことに費やしてきたのだと悟った。

なにも言うつもりはないんだろうと思っていたけど、しばらくしてマディソンは口を開いた。わたしに向かって、というよりは夜の闇に向かって。宇宙に向かって——語ったところで、もちろん、声など届くはずもないところに向かって。「わかってるわ、リル。わかってる、わかってる、わかってる。でも、だから？　それでわたしがどうすると思ってたの？　それでどんな人生が手に入ったと思うの？　わたしの人生だけじゃない、わたしたちの人生のことよ。わたしだって考えてないわけじゃないの。あなたのことを思ってないわけじゃない。でも、今のわたしたち以外のわたしたちなんて、ありえない。別のものになったとたん、どうなると思う？　ふたりとも全然幸せじゃなくなるのよ」

「あたしはそんなことない」マディソンをまっすぐに見つめて、わたしは言った。「あたしは幸せじゃなくなったりしないよ」

「わかってもらえないわね、あなたには」とマディソンは言った。

「ことばにして言ってくれないかな？」わたしはマディソンに頼んだ。マディソンがその思いを認めるなら、ことばに出して言うのをこの耳で聞くことができるなら、わたしはそれを覚えておける。頭のなかで何度でも再生することができる。それで充分かもしれない、という気がした。

「ううん、それはできない」とマディソンは言った。「リリアン、わたしには無理なの」

そこでおしまいにするしかなかった。そう言われてしまったら、ほかにできることなんて……なにがあるっていうわけ？

「お願いだからさ、あの子たちを他所にやったりしないで」とわたしは言った。

「あの子たちを引き取りたいってこと？　それがあなたの望みなの？」とマディソンは言った。

「そうすれば、あなたも幸せになれるってこと？」

「あの子たちには面倒を見てくれる人がいなくちゃいけないってこと。あたしはそれしか望んでないよ」

「だけど、どうしてそれがわたしでなくちゃいけないの?」とマディソンは言った。「どうしてそれがジャスパーじゃなくちゃいけないの?」

「だって、今はジャスパーとマディソンがあの子たちの親だからだよ」と言ったけれど、もしかするとマディソンの問いかけは単純な質問なんかじゃなくてひっかけ問題だったのかもしれない、という気がしなくもなかった。

「わたしは父のことが大嫌いよ」とマディソンは言った。「あの人から離れられてせいせいしたわ。それに、あなたのお母さんだって……びっくり仰天じゃないの、リリアン」

そこでようやく、わたしがなにを言ってもなにひとつ変わらないのだとわかった。

「あなたには、この夏の終わりまで、あの子たちと一緒に過ごしてもらいたいの」とマディソンは言った。「ここで、ここの敷地内で。そのあと、あの子たちは海外に行くことになる。もちろん、ジャスパーだってあの子たちに会う機会はちゃんと設けるから、いい? 休暇のときとか祝日とかには、ちゃんとふたりに会いに行かせる。それと、あの子たちのための信託基金も用意する。あの子たちも家族の一員になるのよ」

気がつくと、わたしは泣きじゃくっていた。いつから泣いていたのかも、なにが直接のきっかけで泣きだしたのかも、わからなかった。ともかくわんわん泣いていて、なにも答えられなかった。

「ごめんなさい、リリアン」とマディソンが言った。なにがごめんなさいなのか、なにを謝られているのか、わたしにはわからなかった。マディソンはそこでまたシュートを打ち、あっさりと決めた。ネットを抜けたボールはコートにバウンドして、そのままマディソンの拡げていた腕のなかにすっぽりとおさまった。

　家に戻り、ベッシーもローランドも眼を覚ましていないことを確かめてから、わたしもベッドに這い込んだ。できるだけそっと這い込んだつもりだったのに、ベッシーが眼を覚ました。「リリアンが泣いてる」とベッシーは言った。柔らかくて夢を見ているときのような声だった。

「ううん、なんでもないよ」とわたしは言った。

「なんかあったの？」とベッシーが言った。

「ないよ、なんにも」とわたしは言った。

「あたしたちに腹を立ててるとか？」とベッシーが言った。

「ちがうよ、まさか」とわたしは言った。「そんなこと、あるわけないじゃん」

　ローランドがこちらに手を伸ばしながら、寝返りを打った。それから肘をついて身を起こし、まわりを見まわして「もう朝？」と言った。

「リリアンが悲しんでるの」とベッシーがローランドに説明した。

「なんで？」とローランドに訊かれて、わたしは彗星のように空を飛んでいってしまいたくなった。いい年齢こいた大人だというのに、自分の子供でもない燃える子供たちに両脇を挟まれて、泣いているのだ。こんな場面を眼にして気分がよくなる人がいるとは思えなかった。

「人生はいろいろたいへんだからね」とわたしは言った。「それだけのことだよ。ほら、おふたりさん、寝るよ。横になって眼をつむって」

わたしは寝る体勢になり、子供たちもわたしの両隣でそれぞれまた横になった。眼をつむったけれど、ベッシーが眼をつむらずにそのままじっとわたしを見つめているのがわかった。わたしがなにを考えているのか知りたいと思っていることもわかった。そして、そのとき、わたしは自分以外の誰かを思いやる際の極意がわかった気がした。その瞬間に会得したとも言える。誰かを思いやるには、今の自分のこの人生がこんなふうでなければいいのにと痛切に願っていることを、その相手にぜったいに気づかれてはいけないのだ。

「リリアン？」ローランドのいびきが再開したタイミングで、ベッシーが囁き声で呼びかけてきた。

「うん？」とわたしは言った。

「あたしたちとずっと一緒にいてくれたらいいのになって思って」

「あたしもそう思ってるよ」

「でも、行っちゃうんだよね」ベッシーのそのひと言で、心がぱっかりと割れた。わたしは死んでしまいたくなった。

「まだ行かないよ」とわたしは答えた。言った当人の耳にも、いかにも弱っちく意気地なしに聞こえて、そんな自分がほとほといやになった。

「聞いてほしいことがあるの」とベッシーが言った。

「明日の朝にしよう」とわたしは言った。

「ううん、今聞いて」とベッシーは言った。「あの火のことなんだけど」

「発火のこと？」とわたしは訊いた。

「うん、そう。自然に燃えだすのは知ってるよね。勝手に始まるもんだって」

「うん、ベッシー、知ってるよ」

「でもね、ときどきそうじゃないこともあるの」とベッシーは言った。ベッシーには大事なことのようだった。だから、そのまま話を聞くことにした。「ときどきね、自分で始めることができるの」

「いいんだよ、それでも」とわたしは言った。「それはあんたが悪いわけじゃないよ」

「見てて」と言ってベッシーはベッドからするりと降りて、寝間着の両袖をまくりあげた。「あんなふうになるのって、たいていあたしが怒ってるときなの。じゃなければ、怖くなったときとか、なにが起きているのかわからないとき。でなかったら、誰かにいやなことをされそうになってるとき。そういうときにあんなふうになるのは、怖いよ。だって自分で止められるわけじゃないから。でもね、ときどきだけど、あんなふうになったときのことを思い浮かべて、それにものすごーく集中して、そのままじっと息を詰めながら、よし、燃えろって思うと、ほんとに燃えることがあるの」

「ベッドに戻りなよ、ベッシー」とわたしは言った。

「見てて」とベッシーは言った。そして眼をつむった。全世界のためにお願いごとでもするみたいに。寝室は真っ暗で、ベッシーの肌までは見えなかったけど、熱は感じた。部屋の温度がわずかに変化し、熱気が波のようにうねりだすのを感じた。それから十五秒ほど、なんの音もしなくなって完璧な静寂が訪れたかと思うと、ベッシーの左右の腕にいつものあの青くて小さな炎が現れた。手を伸ばして火を消したいと思うのに、動けなかった。炎はベッシーの腕をのぼったりおりたりしてはいたけど、腕以外のところまで燃え拡がることもなければ、それ以上大きくなることもなかった。火明かりでベッシーの顔が柔らかく輝いていた。ベッシーは微笑んでいた。わたしに向かって微笑んでいた。

それから、炎はゆっくりとベッシーの手に向かって移動していって掌で止まった。その小さく震える青い炎をベッシーは持っていた。両手を丸めて、包み込むようにしながら。愛というものに形があったら、きっとこんなふうに見えるんじゃないかと思った。かろうじて存在してはいるけれど、いとも簡単に消されてしまいそうだったから。

「見えるよね?」とベッシーに訊かれたとき。わたしは見えると答えた。

そして、火は消えた。ベッシーはとても落ち着いた、機械で測ったように正確な呼吸をしていた。

「これができなくなるのは、いやなの」とベッシーが言った。「二度とできなくなっちゃったりしたら、すごく困る。どうしていいかわかんなくなっちゃう」

「うん、わかるよ」とわたしは言った。本当にわかっていた。

「だって、ほかにどうやって自分たちのこと、守ればいいの?」とベッシーは言った。

「わからないよ」と答えるしかなかった。人はどうすれば自分の身を守ることができるのか? 押し寄せ、押しつぶそうとしてくる世の中から、誰がこの子たちを守るのか? わたしは知りたかった。心の底から知りたかった。

10

C-SPAN（議会中継や記者会見を放送するアメリカのケーブルテレビチャンネル）を放映中の画面のなかで、ジャスパーが微笑み、思慮深く相手の話に耳を傾け、うなずいていた。何度も何度もくりかえしうなずいていた。まるで世界じゅうの出来事をひとつ残らず理解しているとでもいうように。カメラはときどき委員会に出席しているほかの上院議員たちに向けられることもあったけど、これってなんかの悪ふざけなんじゃないの、と思いたくなるほど、どの人もどの人も同じに見えた。音を消して観ていたから、実際になにがどうなっているのかわかっていたわけではないけれど、簡単に想像がついた。なんなら次の展開だって予想できた。その映像はじつは指名承認公聴会の再放送で、この日、上院の正式決議が発表されるまでの〝つなぎ〟として放映されている番組だった。

子供たちはソファに半分寝転がるような恰好で、本を読んでいた。ふたりはプールからあがったあとの塩素のにおい、わたしの大好きなにおいをさせていた。わたしは家のなかをうろうろと行ったり来たりしながら、髪を梳かし、顔に保湿剤を塗りたくり、足の爪を切り、といった少しでも見栄えがよくなるための細々（こまごま）とした補修作業を行い、ひとつの作業を終えるたびに鏡をのぞいてみるのだけれど、そのたびに〝なによ、変化の「へ」の字もないじゃないの〟な気分にさせられていた。

コーヒーテーブルには、歴代の国務長官全員分の索引カード、ざっと六十枚が散らばっていた。

目下、子供たちに、そのうちのせめて何人かについてでも、暗記させようと発破をかけているところだった。国務長官という役職について知ることは、子供たちのためにもなるはずだ、とマディソンが言ったからだった。この子たちには、自分の父親に話しかけるときのきっかけとなるネタが必要だろうから、と言っているように聞こえなくもなかった。そんなわけで、その役職にあった人たちのことを勉強しているのだった。ほとんどが、名前も聞いたことのない人物だった。六人の国務長官がその後大統領になった、という事実には、なかなか興味深いものがあった（トマス・ジェファソン、ジェイムズ・マディソン、ジェイムズ・モンロー、ジョン・クウィンシー・アダムズ、マーディン・ヴァン・ビューレン、ジェイムズ・ブキャナンの六名）。それこそマディソンとジャスパーが大いに検討している路線なのだ。けれども、個人的には、大統領選に出馬しながら勝てなかった国務長官が三人いる、という事実のほうが痛快だった（ヘンリー・クレイ、ジェイムズ・ブレイン、ウィリアム・ジェニングス・ブライアンの三名）。ベッシーとローランドには、誰よりも先にその三人の名前を覚えさせた。

マディソンは、ローランドとベッシーはここに残ったほうがいいだろう、と考えた。就任式に向けての目のまわりそうな過密スケジュールやら、往復の移動やらは、ふたりにとっては大きなストレスになるはずだ、と。その考えはまちがってはいない。だって、そう、ふたりの父親でありながらふたりがどちらかといえば嫌っている人物なんぞのために、アメリカでも屈指の大都会にわざわざ出かけていくことなんてないでしょ？　ただ、わたしはスミソニアン博物館のことを考えたのだ。いつか行ってみたいと思いながら、まず行くことはないだろうとわかっている場所のことを。ワシントン記念塔、リンカーン記念堂、それに無名戦士の墓のことを考え、あの永遠の炎のことを考えた。そういうところを、ふたりには見せてあげたかった。マディソンには、ふたりのために揃えた装備も見せた。防火ジェルも、〈ノーメックス〉素材の長袖に長ズボンのアンダーウェアも、カトリックの学校で着るような肌の露出を極力抑えた衣類も。

「簡単に言えば、リスクとリターンのバランスの問題なの」とマディソンは言った。あの晩のことについては、どちらも口にしなかった。ただのひと言も。それでも、なにもなかったふりをしたわけじゃない。そんなのはくそくだらない猿芝居……と言ったら猿に叱られることになる。けれども、あの晩のことを口にしたら、同じことのくりかえしになって、同じ痛みをもう一度味わうことになるわけだから、そんなことをしてなんの意味があるの？　というふりをしていた。

「わたしだって、もちろん、そういうところはあの子たちにも見てほしいと思ってるのよ、だけどやっぱりね」とマディソンは言った。「ああ、そうだ、あの子たちに新聞を読んでやってね、いい？　ふたりには自分たちの父親を尊敬してほしいの。わかれば自然とそういう気持ちになると思うのよ、あの人がどれほど重要な人かってことがわかれば」

「ジャスパーが重要な人だってことは、ふたりともわかってるよ、マディソン」とわたしは言った。

「自分たちが重要だってことはわかってないけど」

「そう」とマディソンは言った。「だったらわからせてあげなくちゃね、あなたが」

「そのために、これまでいろいろやってきてるんだけどね、あたしなりに」むかっ腹が立ってきて、思わず鼻息が荒くなった。

「やめましょう、喧嘩になるから」マディソンはそう言って、わたしの腕に手を置いた。計算ずくでスキンシップに持ち込んだのだ。わたしは置かれた手をそのままにしていた。腕に蝶が止まって、静かに羽を閉じたり開いたりしているみたいに。

「ごめん、ごめん」とわたしは言った。「うん、そうだね、マディソンの言うとおりだね。うん、わかったよ」

「世の中って、そういうふうに動いてるのよ」わたしに説いて聞かせるように、マディソンは言った。でも、それはマディソンの世の中がそういうふうに動いている、ということだ。そんなこと、わたしだって先刻ご承知だってのに。「世の中は理不尽で、イカれてて、めちゃくちゃなことばかりよ。だけど、乗り切ればいいの。乗り切ってしまえば、もう世の中に傷つけられることはなくなる。そこから先は静かで、落ち着いた、完璧な時間が続くようになる。そういう世界が待ってるの。そこにたどり着きさえすれば」

「うん、そうだね」とわたしは言った。もうそこでおしまいにするつもりで。

「ふたりにも、そういうことを話してあげてよ」マディソンはそう言って、わたしの腕から手を引っ込めた。「そういうことをわからせてあげて」

わたしたちが昼食を食べたあと、上院本会議で指名が承認され、驚くにも当たらないことながら、ジャスパー・ロバーツが、ベッシーとローランドの父親が、アメリカ合衆国の新しい国務長官に就任した。わたしはそこでようやくテレビの音量をあげた。聞こえてきたのは、ただのことばの羅列で、本当に大事なことはなにひとつ言っていなかった。

「お父さん、国務長官になったよ」わたしはふたりに報告した。

「ふーん、あっそう」とローランドは言った。

ベッシーは「そうだ、そういえば……」と言ってコーヒーテーブルに散乱していた索引カードをさらにごちゃごちゃに引っ掻きまわして、エリフー・B・ウォッシュバーンと記されたカードをつまみあげて、裏を向けた。どのカードも、裏面には、その人物についてわたしたちが調べた、興味深い事実がひとつ、ふたつ書き込んであった。ベッシーは裏向きにしたカードをわたしに差し出して言った。

「この人、国務長官を十一日間しかしてないの（エリフー・B・ウォッシュバーンは第二十五代国務長官、在任期間は一八六九年三月五日から三月十六日）。もしかしたら、パパもそうなったりしてね」

「かもね」とわたしは言った。

そのとき、画面に議事堂まえの階段に設置された演台と、そのまわりに大勢の人がひしめいている様子が映し出された。わたしは子供たちと一緒にソファに坐り、マディソンの姿を探した。どんな服を着ているのか、見たかったから。そのうち、まわりの人たちのあいだから拍手が湧きおこり、ジャスパーとマディソンとティモシーが三人揃って演台に近づいていくところが映った。そのすぐうしろにカールが続いているのも見えた。思い切り硬い表情で、くそ真面目が服を着ているみたいだった。マディソンはティモシーを腰骨の上に載せるような恰好で抱きかかえていた。ティモシーの着ているスポーツジャケットの襟の折り返しに、アメリカ国旗の飾りピンが刺してあった。マディソンが着ていたのは、臙脂色の細身のワンピースだった、ジャクリーン・ケネディー・オナシスを意識したのかもしれない。ジャスパーが着ていたのは――まあ、そんなことは誰も気にしやしないだろうけど、なんの工夫もひねりもない、ごく普通のグレイのスーツだった。それでも、そこそこハンサムには見えた。三人はすてきな家族に見えた。それは否定のしようがなかった。欠けるものがなく、ひとつにまとまっていて、非の打ちどころがなかった。わたしたちがこっちにいて、あの三人が向こうにいる、ということも、わたしには完璧に納得できることだった。

ジャスパーがスピーチを始めた。あの晩の食前の祈りのときみたいに、陳腐な決まり文句のオンパレードだった。コンピュータープログラムが聖書とアメリカ合衆国憲法から拾ってきた語句や表現を交ぜ合わせてこしらえた原稿を読みあげているかのようだった。ジャスパーは責任について語り、安全保障について語り、国の安全を守りつつ発展と繁栄を確かなものとすることについて語った。それから自分の従軍経験について語った。軍務に就いていたことがあったとは、初耳だった。そのあと外交についても語った。そのあいだずっと、わたしはジャスパーのことは見ていなかった。ジャスパーの肩越しにマディソンを見ていた。マディソンは光り輝いていた。息を呑むほどきれいだった。立っている姿のどこにも無理がなかった。ほしいものを手にして、肩の力が抜け、リラックスしているのだとわかった。そんなマディソンの肩にティモシーが頭を預けていた。なんだか表情がへんだった。見ると、しかめっ面をしていた。ほかの誰にも聞こえない小さな雑音を聞きつけた、とでもいうように。それから一拍置いて、本当に音がした。打ち上げ花火のような音だった。はっと息を呑んだ音も聞こえた。とっさに、誰か撃たれたんじゃないか、と思った。

ベッシーもローランドも立ちあがって、画面を凝視していた。そして、わたしたち三人にそれがはっきりと見えた。そこで起きている出来事が。

ティモシーが燃えているのが。

完全に燃えあがっているのが。ちょっと火花が散るとか、パチパチ程度に爆ぜるとか、プスプス程度に煙があがるとかではなかった。ティモシーは本格的に燃えていた。マディソンが悲鳴をあげ、ティモシーを抱いていた手を離した。地面に落ちたティモシーは、画面からはみだし、わたしたちからは姿が見えなくなった。マディソンの服がくすぶっていた。細い煙が幾筋か立ちのぼりはじめていた。ジャスパーは事態が理解できていないのか、まっすぐまえを向いたまま、視線を動かそうとしなかった。視線をはずして振り向くのは、弱さの表れとでも思っているのか、はたまた、まわりの者が対応するだろうと当てこんでいるのか……でも、そのときにはマディソンの悲鳴はもう絶叫になっていて、そこにカールが飛び出してきてジャケットを脱ぐなり、そのジャケットで地面を——たぶんティモシーがいるのだろうと思われるあたりを叩きはじめた。そこでようやくカメラが動いた。カメラの角度が変わったことで、ジャスパーが画面からはみだし——どうせ、誰もジャスパーに関心なんか向けちゃいないだろうし——代わりにティモシーが映った。地面にしゃがみ込むような恰好でうずくまり、ものの見事に、めらめらと燃えているところが。大勢の声が聞こえた。なかでもひときわはっきりと、ジャスパーの声が聞こえた。怒りと苛立ちにうわずった声で、何度も何度もマディソンの名前を呼び立てていた。

「うげげ〜っ」ベッシーとローランドが同時に叫んだ。「まじで?」

そして、次の瞬間、まるで魔法でも使ったかのように、ティモシーの火が消えていた。ティモシーは無事だった。無事どころか、にこにこしていた。髪の毛ひと筋乱れていなかった。カールがティモシーをジャケットでくるんで抱きかかえ、スーツとサングラス姿の男たちがまわりを取り囲んで守りを固めると、そのまま全員がひとかたまりになって駆け足で、一列にずらりと並んだ黒い車のほうに——ちなみにどれも同じで型式で見分けようがなかった——移動していき、しばらくしてその車が一台、また一台と走り去っていって、それで終わりだった。画面はスタジオに切り替わり、ツイードのジャケットを着た男が毒でも服まされたような顔をしていた。たぶん〝たった今、視聴者がご覧になったものは燃えあがる子供では決してありませんから〟ってことにするべく、男は咳払いとも舌打ちともうなり声ともつかないものを発したのち、カメラに向かって言った。「上院本会議で指名が承認され、新しい国務長官が決まったことは歴史を振り返ってみた場合――」

部屋の温度が微妙に変化した気がして、わたしはふたりのほうを振り返った。ふたりとも身体を硬直させて、眼を大きく見開いて画面を凝視していた。〈ノーメックス〉の下着を着せていたにもかかわらず、燃えだしているのがわかった。「屋外(そと)に出て!」と叫んだ。例の呼吸法ごときでは対処しきれないに決まっていたから。これからどうなるか、予想がついたから。なのに、子供たちは動かなかった。そうこうするうちにふたりの身体から煙がもうもうとあがりだし、化学薬品のような、濃くて鼻につんとくるにおいが漂いはじめた。

「ベッシー!」とわたしは大声で叫んだ。「ローランド! ほら、ふたりとも、しっかりして! 屋外に出るよ」

わたしが引っ張ったことで、ふたりはようやくわれに返ったようだった。一緒に正面のドアまで歩き、戸口を抜けて屋外に出た。いい天気だった。きれいに晴れ渡った空の高いところで太陽が輝いていた。ベッシーとローランドは芝生に足を踏み入れた。芝生の上を歩きながら、ふたりは笑っていた。大笑いしていた。ふたりの発する眼のくらむような白い光が強烈すぎて、ふたりのことを直視しているのが難しくなった。その直後、ふたりも燃えだした。赤や黄色の色鮮やかな炎をあげて。ふたりは足を止め、芝生に突っ立ったまま、炎をあげた。それでも、わたしは嬉しかった。ふたりが無事なことはわかっていたから。火傷ひとつ負わないことはわかっていたから。ふたりの足元の芝生は黒く焦げ、まわりの空気が熱くなって陽炎(かげろう)みたいに揺らめいていた。美しい眺めだった。美しい子供たちだった。

ゲストハウスのなかで電話が鳴っていた。いつまでも鳴りつづけていた。それでもわたしは動かなかった。芝生の向こうに眼をやると、メアリーがお屋敷の裏手のポーチに立ったまま、子供たちを眺めているのが見えた。メアリーは毛ほども動じていなかった。庭の餌箱(えさばこ)にやってきた、ありふれた鳥でも眺めているようだった。わたしはメアリーに手を振った。何秒か間を置いて、メアリーも手を振り返してきた。

そのうち、子供たちは円を描いて走りだした。炎をうしろにたなびかせて。芝生に火の粉が落ちると、そこだけ一瞬、ぱっと燃えあがり、じきにもうもうとした煙に変わった。ふたりは燃えに燃えた。そのままいつまでも永遠に燃えつづけそうだった。でも、その火もやがてはおさまる。わたしにはそれがわかっていた。炎はやがて消えて、身体のなかのどこか奥まった秘密の場所に引っ込むことが、わかっていた。そしてじきに、わたしがよく知っている、一風変わった身体に一風変わった癖を持つ子供たちに戻ることが。だから、走りまわるふたりを捕まえようとはしなかったし、火を消そうともしなかった。そのまま燃えさせておいた。わたしはゲストハウスのポーチの椅子に腰かけ、きれいに晴れ渡った空の下、ふたりが燃えるのを眺めた。これが終わったら、火が消えて炎が引っ込んだら、ふたりはまっすぐわたしのところに戻ってくるとわかっていたから。

11

わたしたちはその晩、ほとんど眠れなかった。興奮しすぎていて、どうにもおさまらなかったのだ。そんなわけで、太陽が顔を出すやいなや、子供たちはベッドから飛び出した。防火ジェルのせいでシーツは手のほどこしようもないほど、にちゃにちゃのべたべただった。ふたりは順番にシャワーを浴び、肌にこびりついていたジェルを洗い流した。あえて止めようとは思わなかった。止めたところで、意味がないと思った。そう、ふたりがゲストハウスを焼き尽くすことになるか、そんなことにはならないか、ふたつにひとつなんだから。

前日、何度めかにかかってきた電話に遅ればせながら出てみたところ、カールが息をぜいぜいいわせながら、ロバーツ夫妻とティモシーをお屋敷に送り届けるべく、ナッシュヴィルに向かって運転中だと伝えてきた。カール曰く――目下マディソンがダメージを最小限に抑えるため、関係各方面にしかるべき手を打っているところなので、誰とも話をしないように。子供たちを家から出さず、防火ジェルを塗りたくっておくように、と指示して、それから「ふたりを守るんだ、わかったな？」と言うと、こっちにティモシーの様子を尋ねる暇も与えず、一方的に電話を切った。

ベッシーもローランドも、もう一度あの映像が観たいと言いつづけた。ティモシーが燃えているところが観たいということだ。あまりにも何度も何度もせがまれるもんだから、わたしはとうとうテレビのプラグを引っこ抜いた。あんな場面を何度も観たって、いいことはなにもない。それに、そう、あの場面はわたしたちの瞼の裏に、すでにくっきりと焼きついてしまっているわけだし。もちろん、お屋敷のそとの世界ではどんな状況になっているのか、新聞記事にはどんなふうに書かれているのか、気にはなったけれど、そうしたことは全部まとめて頭から追い出し、子供たちのことだけに気持ちを向けた。

ふたりの火がようやくおさまったあと、わたしはふたりの肌にへばりついた〈ノーメックス〉の残骸を剝がして、清潔な服に着替えさせた。それからソファに坐らせて、コーヒーテーブルにリンゴをどっさり積みあげて、ペニー・ニコルズ・シリーズを三冊ばかり読んだ。一本調子にただだらだらと物語を読みあげるわたしの声を頼りに、三人してミステリーの曲がりくねった小道をよたよたと進み、すべてが明らかになるあの瞬間にたどり着いた。そんなふうにして、わたしたちは生き延びた。身を寄せあい、本のページに綴られたことばを追いかけ、ひとつの物語が終わると、一時黙り込み、それからまた新しい物語を始めることで。それが効いたのだ。子供たちは歓んでいた。なんせ、仲間がひとり増えたわけだから。ふたりとも、世界を焼き払いたかったわけじゃない。ただこの世界で味わう孤独を、いくらかなりともやわらげたかっただけなのだ。

ベッドから飛び出した子供たちを説得するのに少しばかり手こずりはしたけれど、それから三十分ほどヨガをやらせた。ふたりがシリアルを食べているあいだに、わたしはお屋敷の母屋までひとっ走りして新聞に眼を通してくることにした。あの出来事がどんな切り口で、どんな話にまとめあげられているのか、想像もつかなかった。ベッシーとローランドのことにも言及されているかどうかも確かめておく必要があった。場合によっては、こっちも覚悟を決めるというか、肚をくくらなくちゃならなくなるだろうし。裏口のドアをノックして、メアリーが開けてくれるのを待った。

「なにか召しあがりたいものがおありですか？」と訊かれたので、思わずベーコンサンドウィッチをお願いしたくなったけど、甘い誘惑に釣られて目覚めかけた食欲は無視して本来の目的に邁進した。

「新聞を見せてもらいたいんだけど」とわたしは言った。メアリーは瞬きもせずに、わたしをじっと見つめてきた。前日のティモシーの一件をメアリーは知っているのだろうか？　わたしには見当もつかなかった。なにか言いたいと思ったけど、礼儀正しい会話に発展しそうな糸口はなかなか見つからなかった。

　しばらくして、メアリーはようやく口を開いた。「どうぞ、なかに」

　お屋敷のなかはどこにも明かりがついていなかった。人の気配もなかった。

「なんだかちょっと不気味だね、ここ」とわたしは言った。

「ほかのスタッフは全員、一週間の休暇を貰っていますから」

「それはよかった……ってことになるよね？」

「どうぞ、新聞です」メアリーはそう言って、わたしに『ザ・テネシアン』紙を差し出した。案の定、一面トップにでかでかと報じられていた。特大の見出しは——〈ロバーツ氏の災厄、長官指名承認で火災事故発生〉。

「あっちゃー」ということばしかなかった。記事を飛ばして、添えられた写真を見た。ジャスパーが困惑と憤りのないまぜになった顔で、まわりから急き立てられながら車に向かうところを撮ったものだった。すぐうしろにマディソンも写っていた。ティモシーとカールの姿も探してみたけど、ふたりは先に車に乗り込んでしまっていたようだった。

　メアリーが「ふん」とも「へん」ともつかない声をもらした。まるで関心がないというような、むしろ退屈ですらあるとでも言いたげな調子だった。

「これ、テレビでやってたやつ、観た？」と訊いてみた。

「テレビは観ません」とメアリーは言った。

「でも、昨日、あたしたちのことは見たよね？」とわたしは言った。「ゲストハウスの庭先にいたとこを見たでしょ？　ベッシーとローランドのことを？」

「見ましたよ、ええ」とメアリーは言った。

「あれと同んなじことが、ティモシーにも起きたんだ」

「そうではないかと思いました」とメアリーは言った。それはこのお屋敷でメアリーの置かれている立場が、つまりは被支配階級の一員であることが言わせている台詞なのか、はたまたそもそもメアリーという人が、感情を示すに値しない相手には決して感情をあらわにしないという主義の持ち主であるからなのか……わたしにはなんとも言えなかった。

　改めて記事の本文に眼を通した。ジャスパー・ロバーツの公式発表の文言がたびたび引用されていた。曰く――記者会見が予想されていたため、ティモシーのシャツには通常以上にばっちり糊が利かせてあり、そこになんらかの火花が飛び散ったことで瞬間的に燃えあがったものと考えられる。ティモシーは、マディソンともども軽い火傷を負い、病院で手当てを受けたもののその日のうちに退院している、とも書かれていた。その補足として、ティモシーを家族のかかりつけ医に診せるため、ジャスパーは急遽テネシーに帰郷することになった、とも。ところが、そこでおしまいだった。紙面を繰ってさらなる情報を求めたが、ほかに記事はなかった。ひとつだけ言及があったのが、国家安全保障に関する記事で、ジャスパー・ロバーツは前長官の路線を踏襲しつつ、いかに同路線の強化をはかることになるか、その展望について述べられていた。信じられなかった。あれほど摩訶不思議な出来事を、こんなにも簡単に、なんとなればマスコミ自ら率先して、なかったことにしてしまえるとは。現実の出来事だと信じることを放棄してしまえるとは。シャツの糊が利きすぎていた？　まじで？

そばに『ニューヨーク・タイムズ』紙もあったので、そっちにも眼を通した。ティモシーに関する言及はさらに少なく、長官指名承認の際の記者会見の写真さえ載っていなかった。代わりにジャスパー・ロバーツの公式肖像写真が載っていた。記事そのものの内容も公式だらけの通りいっぺんなもので、述べられているのは政策について、国家の運営戦略について。そんなもん、誰が気にするかっちゅうの。

「以前から知ってたの？」とメアリーに訊いてみた。

メアリーは黙ってうなずいた。

「誰から聞いたの？」

「見たんです」メアリーはようやく認めた。「このキッチンでした。双子の女の子のほうが炎に包まれるのをこの眼で見ました」

「あのふたりが、まだこのお屋敷に住んでたころのこと？」

「はい」とメアリーは言った。「ロバーツ上院議員がジェーン奥さまとお子さんたちを追い出す少しまえのことでした。あのころはご夫婦のあいだで喧嘩が絶えませんでね。そんなとき、あの双子の女の子のほうが、ベッシーさんが二階から降りてらして、ここに顔を出してなにか食べたいと言ったんです。そこにロバーツ上院議員が入ってらして、ディナーのまえになにか食べることは許されない、とおっしゃいました。ベッシーさんはわめきました、だっておなかがすいたんだもん、とね。すると、ロバーツ上院議員はお嬢さんの腕をつかんで、こうおっしゃったんです——ルールは父親が決めるものだ、家族のことをいちばん理解しているのは父親なんだから、たとえ妻のことだろうと、子供のことだろうと、なにがいちばんいいかを決めるのも父親だ、とね。そしたら、いきなりでした、ベッシーさんが燃えだしたんです。ロバーツ上院議員は飛びのきました。お嬢さんをただじっと眺めてるだけでした。すぐに火災報知器も鳴りだしましたよ。ですから、わたしはピッチャーの水をベッシーさんにかけました。それでもまだ燃えていたので、もう一度水を汲んで、またかけました。それでもまだ消えないんです。なので、また水を汲んでかけました。それでようやく、ベッシーさんは燃えるのをやめたんです。ようやく火が消えたんです。ご本人はどこもなんともないようでした。火傷ひとつしてませんでしたしね。真っ赤になってはいましたけど、泣いてもいなかったですからね。それから、リビングルームからジェーン奥さまが悲鳴のような声をあげられて、どうして火災報知器が鳴っているのかとお尋ねになり、ロバーツ上院議員は、わたしのせいにしたんです。メアリーがグリルドチーズサンドウィッチを焦がしたせいだって。まあ、あれには、かちんときましたね」

「うん、それはムカつくわ」とわたしは言った。

「上院議員はお嬢さんを階上に連れていかれました。しばらくして、ベッシーさんは服を着替えて、髪の毛はまだ湿ったままでしたけど、ここに戻ってきました。ロバーツ上院議員の姿はどこにもありませんでした。ベッシーさんはグリルドチーズサンドウィッチが食べたい、と言われたので、ひとつこしらえてさしあげました。いえ、ふたつこしらえてさしあげたんだったかもしれません。それだけです。それから間もなく、お三方はお屋敷を去られたんです」

「そのときのことで、ジャスパーからなにか言われた？」

メアリーは首を横に振った。「昇給はしましたけどね。ずいぶん気前のいい昇給でした」

「まったく、ここん家の人間ときたら」今度はわたしが首を横に振る番だった。

「どこのご家庭も似たようなもんです」メアリーはそう言って肩をすくめた。「良くも悪くも大差ありません」

「そうだね」とわたしは言った。「そういうもんかもしれないね」

「新聞はお持ちになりますか？」とメアリーに訊かれて、ゲストハウスで子供たちが待っていることを思い出した。

「ジャスパーに取っといてあげて」とわたしは言った。「スクラップブック用にほしがるかもしれないからね」

「ティモシーはぼくたちと一緒に暮らすことになるのかな？」とローランドから質問された。

質問されたことで、その発想がまったくなかったことに気づいた。「わからない」とわたしは正直に白状した。「ひょっとしてひょっとするかもしれないけどね」そう、それがどうした？　だった。わたしのベッドにもぐり込んでくる子がひとり増え、息を吸い込み、止め、吐き出す肺がもうひと組増える、というだけのことだ。ジャスパーはほかにも婚外子をもうけていたりはしないだろうか、と考えた。その子たちの母親たちには様子うかがいの手紙の一通も送られてしかるべきなんじゃないの？　でなければ、パンフレットとか？　ゆくゆくはこのゲストハウスが、人体自然発火するわがままで強情っぱりな子供たちの家になるかもしれない。

ベッシーとローランドの発火現象は、ジェーンの側の一風変わった気質のせいにちがいない、と周囲の誰もが決めつけていたようだったけど、発火につながる因子は、じつはジャスパーの側にあった、ということだ。それがわかって痛快だった。すべてジャスパーのせいにできる、というのは、快哉(かいさい)を叫ぶべきことであったけれど、少々心配でもあった。燃える子供たちの製造元はジャスパーに確定したけど、そのことを当人が百パーセント納得するに至った場合、子供たちにどう接するようになるだろうか？　その点が不安だった。子供たちのなかにどれぐらい自分の要素を見出すだろうか？　多すぎても、少なすぎても、きな臭いことになりそうな気がした。

わたしたちは、ジャスパーたちの帰りをただ待った。ワシントンD.C.からテネシー州のフランクリンまで車でどれぐらいかかるものなのか、見当もつかなかったので、極力それまでの日課どおりに過ごすようにした。とはいえ、わたしがなにを提案しても——算数の問題カードのときも、〈シリーパティー〉(自在に変形させられるゴムや粘土のようなおもちゃ)をこねていたときも、動物のお面作りのときも——その途中で何度か、ふたりが宙の一点をじっと見つめているのに気づいた。ふたりの肌はまだらに赤くなっていたし、触ると温かかったけれど、火がおもてに出てくることはなかった。本当に必要なときのために温存しているのかもしれなかった。でなければ、あるいは前日に燃やし尽くしてしまったとか。そう、わたしの立場にいたなら、本当は正確な記録を残し、科学的な研究を行うべきだったんだと思う。安全ゴーグルかなんかを装着したうえで。すべきだったことも、できたはずのことも山ほどあったけれど、そのどれをとっても、〝そんなことしてなんになる?〟ばかりだった。だから、わたしはただふたりに食事をさせ、手を洗わせ、ふたりが話したがることならどんなたわいのないことでもくだらないことでも、耳を傾けてきたのだ。それがふたりの世話をするってことだから。ちがう?

夕暮れが近づき、あたりが赤と金色の完璧な光に包まれはじめたとき、わたしたちは屋外（そと）のバスケットコートに出ていて、ベッシーが連続で五本、フリースローを決めようとしていた。五本めがなんなく決まったあと、さらに六本めも、七本めも決まった。いいシュートだった。少し雑ではあるけれど、そこは今後の課題として練習を積み、磨きをかければいいだけの話だった。シュートをはずして、逸（そ）れたボールを拾いにいったときは、戻ってくるときに必ず、脚のあいだを通すドリブルを練習しながら戻ってきた。歩幅を拡げ、ぎごちないがに股歩きになりながら、決してうつむかず、戦場を見渡す将軍のように顔をあげたままで。そんなときのベッシーは、サイドを刈り上げたヘアスタイルと決然とした顔つきでまえをにらみつける様子が、パンクロックのミュージシャンを思わせた。いかにも世界の終わりのバスケットボール風だった。ローランドはコートの反対側で、リック・バリーよろしく下手投げのフリースローをくりかえしていた（リック・バリーは一九四四年生まれのアメリカのバスケット選手。フリースロー成功率九十%を誇る下手投げの名手）。何本も決めていたけど、当人は特に真剣になっているわけでも、努力しているわけでもなさそうなところが、これまた、言わずもがな、わたしには嬉しかった。

ふたりを呼び寄せて、HORSE（ホース）というゲームをすることにした（交代でシュートを打ちあって、先にシュートを五回失敗したほうが負けになるゲーム。シュートをはずすたびにＨ、Ｏ、Ｒ……と一文字ずつ増えていき、ＨＯＲＳＥという単語が完成した時点で負けが決定する）。あっという間にローランドの敗退が決まり、ベッシーはＨＯＲまで文字が増えた。わたしは一文字も貰ってなかった。子供だって、大人と同様、それがどんなことであれ勝負には勝ちたいものだと知ってはいたが、子供の成長過程にはこういう経験も必要だろうと思ったのだ。何事も労なくしては上達しないことを、だからこそちょっとした進歩が嬉しいのだということを、身をもって経験させるつもりだったのに……子供たちは勝ち負けなどどこ吹く風だった。わたしが次から次へと難しいシュートに挑戦するのを眺め、自分たちをいとも簡単に負かすのを嬉しがった。

「夏が終わるまで、あとどれぐらいある？」とベッシーが訊いてきた。

「まだまだあるよ」とわたしは答えた。

「夏が終わったら、リリアンはなにするの？」

「まだ考えてない」とわたしは言った。本当に考えていなかった。「考えてる時間なんてなかったからね。あんたたちのことばっかり考えちゃってて」

「どこに行くの？」ベッシーは粘った。「ここに残る？」

「ううん、たぶん家に帰ると思うよ」とわたしは言った。母さんのことを考え、あの屋根裏部屋のことを考えると泣きたい気分になったけど、でも、今のわたしにはお金がある、と思い直した。こっちに来てから銀行口座の残高を確認してはいなかったけど。軍資金があるんだから、独り暮らしをしたっていい。部屋にちゃんと窓があって、普通の人たちが暮らしている、そこそこのアパートメントかなんかで。

「ほかの子たちの世話をするの？」とローランドが言った。

「たぶん、しないと思うよ」とわたしは言った。「あんたたちと一緒に過ごしたあとだからね、ほかの子なんてきっと嫌いになっちゃうよ。つまらなすぎて」

「うんざりするよね、その子たちに」わたしに加勢するように、ベッシーが付け足した。ローランドも、うんうんとうなずいていた。こんな子たちのことを、どうして嫌いになれる？

「そうだよ」とわたしは言った。「あ、そうだ、学校に戻ろっかな。それだったら賢い選択になりそうだしね」コミュニティ・カレッジと夜間学校に断続的に通っていたので、一年と半年分ぐらいの単位は取っていた。ここらで一発、生活を立て直さなくっちゃ、と自分に言い聞かせては、そこまで行きつかないうちに挫折する、というのを何度かくりかえした結果だった。ふたりから専攻を訊かれないことを祈った。それは大いなる謎ということにしておきたかった。答えようと思ったら、頭のなかでものすごくたくさんのステップを踏むことになるだろうから。

「もしかしたら、そのうち誰かと出会うかもしれないよ」とローランドが言った。「で、その人と結婚するとか。子供も生まれるとか」

「それはないな」とわたしは言った。

「だから、もしかしたら、だよ」とローランドは言った。「先のことなんてわからないじゃん？」

「だね」とわたしは言った。わたしの生き方を説明なんかしてローランドをしょんぼりさせたくなかったから。だって〝そんなことしてなんになる？〟だもの。その場でくるりと向きを変え、反対側のゴールに向かってオーバーヘッドでボールを放った。ボールは気持ちよくネットに吸い込まれていき、子供たちから歓声があがった。思わず口元が緩み、笑みを浮かべていた。試合中にやってくる〝波〟に乗ったときのことを思い出した。自分の足が動くのにただ遅れないようについていきさえすれば、ゴールをはずすことなどありえない、というあの感覚を。〝波〟は、だけど、いったん頭で考えてしまうと、自分が乗りに乗っている理由を突き止めようとしたりすると、たちまち去っていくもので、〝波〟が去ったことを次のシュートを打つときに感じるのだ。ああ〝波〟に置いてかれたな、と。そうなったらもう、黙ってうなだれ、コートを走って定位置に戻り、自分がマークすべき選手にぴたりとへばりついて、あの〝波〟が戻ってきてくれるのをひたすら待つことになる。自分にこう言い聞かせながら——次はぜったいに〝波〟に置いていかれたりしない、次こそはしっかりつかんでぜったいに手放さない、と。

ドライヴウェイを進んでくる車の音がした。わたしたちはシュートの練習をやめて、お屋敷の真正面の車寄せに車が滑り込んでくるのを眺めた。ベッシーが抱えていたボールを放り出し、ローランドとふたりして全速力で車に向かって駆けだした。わたしはふたりを呼び止めた。何度か呼び止め、それからふたりのあとをジョギングぐらいのペースで追いかけた。わたしたち、いったいなに向かって走ってるの、と思いながら。本当はくるりとうしろを向いて、反対方向に全速力で逃げだすべきなんじゃないの、と思いながら。

運転席からカールが降りてくるのが見えた。疲労困憊（こんぱい）を絵に描いたような様子で、シャツの裾がズボンからはみだしていた。カールが駆け足で車の反対側にまわり、後部座席のドアを開けようとしているところで、わたしも子供たちに追いついた。そして、三人揃ってその場に突っ立ったまま、車中の人々が降りてくるのを、テレビかなんかの映像みたいに〝これって現実の出来事じゃないよね〟的な気持ちで眺めた。

最初にマディソンがティモシーを抱いて降りてきた。ティモシーはベビー服みたいな色味の薄いブルーのタオルにくるまれて眠っていた。マディソンが歩きだすと、ティモシーは眼を開けて、お屋敷の建物を見あげた。

「やっほ、お帰り」とわたしは言った。このうえなくダサい挨拶だった。マディソンがわたしのほうに眼を向け、ひとつ大きく溜め息をつき、それから黙ってうなずいた。

「お帰りって言ってもいい？」ローランドがマディソンに尋ねた。マディソンはとても疲れた顔をしていた。マディソンがだめとも言わず、足を止めてその場に立ったままでいたので、双子たちはマディソンのそばまで近づいた。

「お帰り、ティモシー」とローランドは言った。

ティモシーは少しのあいだ、ふたりのことをじっと見つめた。ふたりが誰だったかを思い出そうとするみたいに。それから「ただいま」と言った。

「すごかったんだぜ、おまえ」とローランドは言ったけど、ティモシーはそこでまたぐったりとマディソンにもたれかかった。

「覚えてないのよ」とマディソンはわたしに言った。「というか、少なくとも覚えてないみたいなの」

少し遅れてジャスパーも車から降りてきた。子供たちの様子を眼にするやいなや、ことばの端々から苛立ちを滴らせながら、「マディソン、ティモシーを屋内(なか)に連れていきなさい」と言った。「わたしもこれで失礼させてもらおう」

国務長官に呼びかけるときの正式な敬称ってなんだっけ？　と思ったけれど、思い出せなかった——長官殿（ミスター・セクレタリー）？　いやいや、それじゃケンタッキー・ダービーで最下位に終わった馬の名前みたいだし……とか思っているうちに、ジャスパーはわたしのことをじろりと見やり、今回のこのごたごたの全責任はきさまにある、とでも言いたげにひとにらみしたあと、マディソンを追いかけるようにしてお屋敷に入っていった。

　カールがわたしの手をつかみ、ぎゅっと握りしめて言った。「話がある」

「観たよ、テレビで」とわたしはカールに言った。「うげげ〜、まじか、だったね」

「あれは……タイミングが悪すぎた」とカールも認めた。

「どうなったの、あのあと？」とわたしは尋ねた。

　カールが子供たちに眼をやったので、その意をくんで、ふたりには、メアリーのところに行ってなにか食べさせてほしいと言ってみたら、と勧めたところ、ふたりとも、何者にも制止できそうにない勢いでお屋敷内に突入していった。

「大混乱だった。なにが起こったのか、正確なところは誰ひとりとして理解できていなかった。ティモシーが火傷ひとつ負っていなかったから余計に。もちろん、われわれは理解していた。だが、その場で目撃していたとしても、人間のごく一般的な思考回路ではとっさに、国会議事堂の正面の階段で子供が人体自然発火で燃えた、という発想にはならない。万事を取り仕切ったのは、ロバーツ夫人だ。手まわしがいいなんてもんじゃなかったよ。即座に行動を起こし、報道各社を呼び集め、伝えるべきことをびしっと伝えた。最新の情報ってことにして。あの事態が発生してから二秒後には、もうコメントを用意できてたんじゃないかって感じだった。見事だった。じつに見事だった」

感服している口調で、カールは言った。

「それじゃさ、ジャスパーは辞任することになる……んだよね？」と訊いてみた。

「あんた、気は確かか？」とカールは言った。「辞任なんぞするわけないだろうが。息子が発火したことが原因で辞任？　ありえないね。そもそも上院が今になって指名を取り消したりすると思うか？　承認したばかりなんだぞ。それを取り消したりしてみろ、上院はとんまと間抜けの巣窟ってことになっちまう。そんなみっともない真似、するもんか」

「けど、あれっきりじゃなかったら？」とわたしは言った。「ああいうことがまた起こるかもしれないんだよ。それって危険じゃないの？」

「込み入っているんだ、いろいろと」現状を認める口調でカールは言った。

「あんたってそればっかりじゃん」とわたしは言った。「あたしには、それほど込み入ってるようにも思えないけど」

「屋内に入ろう」

「なんなの、今度は？」

「リリアン」とカールが言った。「感情的にならずに考えてみてくれ。目下の状況を冷静に見直してみてほしいんだ」

「マディソンと話がしたい」わたしはそう言うと、カールを追い抜いて先にお屋敷に入った。キッチンをのぞいて、子供たちの様子を確かめた。ベッシーもローランドもカウンターについて、メアリーが温めているチキンナゲットを待っていた。「ここにいてね」と子供たちに言いおいて、わたしはリビングルームに引き返した。初めてこのお屋敷に来た日に、マディソンとアイスティーを飲んだあの部屋に。ジャスパーが、わがもの顔にのさばっていた。片手であの銀髪をかきあげながらコーヒーテーブルのまわりをぐるぐる歩きまわっていた。

「マディソンはどこですか？」と尋ねた。

「ティモシーを寝かしつけにいっている」とジャスパーは言った。カールがリビングルームに入ってきて、わたしのすぐ隣に立った。

「リリアン」とジャスパーは続けた。「きみにも想像がつくだろうと思うが、ここ数日は極度の緊張を強いられ、精神的に非常に疲れた。やれやれだよ。指名承認の公聴会だけでも、充分すぎるぐらいのストレス要因だというのに、そこにもってきて今度は……今度はあの騒ぎだ」

「まあ、はちゃめちゃですよね、はっきり言って」わたしとしては、相槌を打ったつもりだったけれど、カールが、なんと言うか、わたしのほうに身を乗り出してきたので、〝余計な口をきくな〟の合図だと受け止め、わたしは口をつぐんだ。

「きみの貢献には感謝しているよ」とジャスパーは言った。「妻とわたしにとって大きな力になってくれた。どれほどありがたく思っていることか。妻もわたしも、恐縮の至りだ。ベッシーとローランドの世話をするにあたっても、持てる知恵と力を総動員して、骨惜しみせず、最善を尽くしてくれた。そのことも承知している」

「どういたしまして」とわたしは言った。わたしの〝貢献〟に感謝する、という言い方も〝なんか、へんなの〟と思ったけど、まあ、いかにも政治家連中が使いそうなことばだとも思った。翻訳するなら、政治家の先生方をお支えするため、われわれ一般庶民には数多の〝なんか、へんなの〟を耐え忍ぶ義務がある、ということだ。

「残念ながら、ここにきて状況は一変してしまった」とジャスパーは言った。「われわれの力だけでなんとかできると考えていたのは、甘かったのかもしれない。専門的な研修も受けていないきみでも充分に対処可能だろうと判断したことも含めて」

　わたしはカールに眼をやって尋ねた。「どういうこと？」

　ジャスパーは話を続けていた。「そんなわけで、きみの貢献はもはや必要なくなった。双子たちには新たに別の宿泊施設が見つかったんでね」

「寄宿学校のこと？　ええ、知ってますよ。それって、そんな飛びつくほどの名案だと思ってるんですか？　あの子たちを遠く離れたとこに追いやることが？　だって、ヨーロッパでしょ？」

　ジャスパーは困惑の面持ちになり、カールをじっと見つめた。その意味するところは――ここからはきみが代わって事情説明を行うようにだ。「じつはテネシーなんだ、ふたりが暮らすことになるのは」とカールは言った。「いわゆるオルタナティヴ・スクール（従来とは異なる理念や教授法、カリキュラムなどを実践する学校）というやつだ。学校といっても大きな牧場みたいなとこでね。専門的な訓練を受けたスタッフが問題を抱えた子供たちと生活を共にしている。グレートスモーキー山脈にあるんだが、ごく限られた者にしか門戸を開いてない。秘密厳守も徹底している」

「いつ決めたの、そこにあの子たちをやるって？」

「施設自体はだいぶ以前（まえ）にカールが見つけていたんだが――」とジャスパーが言った。「当時は論外だと思ってね。にべもなく却下してしまったんだ」

「それじゃ、あんたが決めたの？」とわたしはカールを問いただした。カールは顔を赤らめながら弁明に努めた。

「準備に入った当初の段階で、あのふたりの世話と治療のためにいかなる手立てを講じることができるかを考え、可能な限りたくさんの候補を探しておくことがおれの任務だったんでね」

「問題を抱えた子供たち？」わたしはカールが口にしたことばをくりかえした。そのことばの響きだけでむかっ腹が立った。

「まさか、ベッシーもローランドも問題など抱えていないと言い張るつもりかね？」ジャスパーがあきれ顔で言った。「そこの施設なら、ふたりは精神的な意味でも身体的な意味でも、常に向き合ってもらえるはずだよ」

「それって正真正銘のたわごとだよ」とわたしは言った。「そもそも、そこってなんなの？〝学校〟って言ってみたかと思えば〝大きな牧場〟みたいなところだとか言うし、で、今度はなに、〝施設〟？」

「複合的なところなんだ」とカールが言った。「リハビリテーションセンターみたいなものをイメージしてくれ」

「先方では〝アカデミー〟という呼称を採用しているそうだ」とジャスパーが言った。

「そんなの、くそどうでもいいよ、ジャスパー」わたしはぴしゃりと言った。「カール、あんたならわかるよね、そんなのたわごと以外のなにものでもないって。あの子たちを世間の眼から隠して、そのまま忘れちゃおうってことだよ」

「われわれの取りうる選択肢はかなり限られてるんだよ、リリアン」とカールは言った。

「わたしは今やこの国の国務長官だぞ」とジャスパーは言った。声が大きくなっていた。「これまでにわたしがどれほどの犠牲を払ってきたか、きみなんぞには想像もつくまい。わたしには責任というものが――」

「ジャスパー、まじで今すぐその顔にパンチをお見舞いできそうなんだけど」とわたしは言った。

「リリアン」とカールが言った。「おれだってこんなことはしたくな――」

「だったら、しなけりゃいいでしょ。あんた、ばかなの？　そんなこともわからないほど、くそ脳たりんのくそばかなの？」とわたしは言った。「だって不公平すぎるでしょ？　じゃあ、ティモシーはどうなるの？　ティモシーの世話はどうするつもりなの？　なんでベッシーとローランドだけが、そんなお仕置きみたいな扱いを受けなきゃならないわけ？」


　カールがジャスパーに眼をやった。ジャスパーは困り果てたと言わんばかりに首を横に振っていた。そして言った。「ティモシーは今後六か月間、経過観察のため施設に入所することになっている」


「あんたみたいな人でなしって、あたしには理解できないよ、ジャスパー」と言ってやった。

「隠蔽（いんぺい）工作の意図はない」とジャスパーは言った。「きみはわれわれのことを極悪人だと思っているようだが、極端に考えすぎだよ。そこは、言ってみれば〈メイヨー・クリニック〉（アメリカを代表する医療機関）のようなところで、最先端の医療が受けられる。ただ……ただ、一般には公開されていない、それだけのことだ」

「それこそ隠蔽工作の意図しかないって感じに聞こえるけどね。そういうのって……」なんて表現すればいいのか、ぴたりとくることばを必死に探した。頭がまともに働いていなかった。「そういうのって……よくないよ」結局はそうとしか言えなかった。

「ほんとね、隠蔽工作の意図しか感じられない」とマディソンが言った。見ると、二階から降りてきたところだった。

「この件は検討済みじゃないか」とジャスパーが言った。

「ティモシーのことは初耳よ」とマディソンは言った。「あなたが言ってたこととちがう」

「一時的な措置だよ」

「一時的？　六か月間が？」とマディソンは言った。「冗談じゃないわ、ジャスパー」それからカールのほうに向きなおった。「その施設とやらだけど、所在地は？」

カールがごくりと唾を呑んだのが、わたしにまで聞こえた。さしものカールもたじたじだった。完全に気圧されていた。「モ、モンタナにあります」

「冗談じゃないわ」マディソンはもう一度言った。圧倒的な迫力だった。学んで身に着けたのではなく生まれながらにしか持ちえない、そんな猛々しさに輝いていた。「今すぐティモシーを連れて出ていきます」マディソンはくるりと向きを変えて階段をのぼりはじめた。「当面は両親のところに滞在するわ。それがどういうことか、わかる？　あのくそとんでもない両親と暮らすってことよ。兄たちが車を飛ばしてやってきて、あなたのことをこてんぱんにぶちのめすことになるでしょうね」

「だったら、どうしろと言うんだ？　ほかになにができる？」今にも泣きそうな声で、ジャスパーが言った。

「なんで、みんな大きな声で怒鳴ってるの？」ローランドだった。ちょうどリビングルームに入ってきたところで、隣にベッシーがついていた。ベッシーは突き刺すような剣呑な眼差しで、ジャスパーをにらみつけていた。

「カール？」とジャスパーは言って、ベッシーとローランドのほうを身振りで示した。それを合図にカールが子供たちの頭をがつんと一発やって袋詰めにすることになっているって感じで。「カール？」

カールはためらった。踏ん切りがつかない様子で子供たちのことをじっと見つめ、それからジャスパーに言った。「長官、ことによると、われわれの当初の行動計画をいったん見直す必要があるかもしれません」

「よくも……よくもわたしの人生をぶち壊してくれたな！」ジャスパーの怒鳴り声が響き渡った。銀髪が乱れて眼のまえに垂れかかり、顔も真っ赤になっていた。いったい誰に向かって言っているのか、よくわからなかった。たぶん、その場にいた全員に言いたかったんだと思う。

「そっちこそ、あたしたちの人生をぶち壊したくせに」とベッシーが怒鳴り返した。わたしはベッシーに駆け寄り、傍らに膝をついた。

「それはおまえたちの母親だよ」ジャスパーは声のボリュームを一気に落とし、相手の理解を求めるような口調になった。「おまえたちの母親がおまえたちの人生をぶち壊したんじゃないか」

「ちょっと、あんたってどこまでくそなの？　言うに事欠いて――」しゃべりだすのと同時に、わたしは床を蹴り、伸びあがってジャスパーのシャツの胸倉をつかんだ。その勢いで、両眼に指を突っ込んでやろうとしたけど、ジャスパーを痛めつける暇はなかった。そのときにはもうベッシーが発火していたから。少し遅れて、ローランドも発火した。わたしはマディソンに向かって声を張りあげ、ティモシーのところに急ぐよう伝えた。マディソンは猛然と階段を駆けあがっていった。

振り返った瞬間、ものすごい勢いでジャスパーに突き飛ばされた。わたしはバランスを崩してコーヒーテーブルに倒れ込んだ。その衝撃でガラスの天板が砕け散った。カールがジャスパーを抑えにかかるのが見えた。レスリングのフルネルソン式に羽交い絞めにして、そのまま力任せに正面玄関のほうに引きずっていくのが。

そこにマディソンが、ティモシーを抱きかかえて階段を駆けおりてきた。一瞬だけわたしを見つめてから、正面玄関を駆け抜け、戸外に飛び出していった。ティモシーは半分閉じかけた瞼の隙間から、なんだか億劫そうに炎を眺めていた。

ベッシーもローランドも、そこらへんにあるものに、ただすっと手を伸ばして触ることで次から次へと炎を移していた。ソファのクッションも、壁の絵も、なにもかも燃えあがらせながら、平然とリビングルームを抜けてお屋敷の奥のほうに向かっていった。

倒れ込んだままのわたしの脇を、メアリーが通り過ぎていった。高価な鍋やらフライパンやらをごっそり抱えて。そして一度も振り返ることなく堂々と正面玄関から出ていった。わたしはメアリーのこれからに幸多からんことを願った。

テーブルの残骸から身を起こした時点で、身体じゅう細かい傷だらけになっていたが、深い傷はひとつもなかった。わたしは子供たちを探し、廊下にいたふたりに駆け寄った。

「行くよ」とふたりに声をかけた。「ここから出なきゃ」

ふたりは戸惑った顔でわたしを見あげた。「あんたたちとあたしと三人で、だよ」とわたしは言った。「三人で逃げるの。ここから逃げだすんだよ」

「あたしたち三人だけで?」とベッシーに訊かれて、わたしはうなずいた。

ふたりは眼をつむって深呼吸を始めた。できるものなら、ふたりを抱き寄せたかった。わたしのこの腕でぎゅっと抱き締めたかった。だけど、わたしには熱さに耐えられるぎりぎりのところまで近づくことしかできなかった。そこに突っ立ったまま、ふたりがゆっくりと炎を抑え込み、身体の奥に引っ込めるのを見守った。お屋敷のあちこちで小さな炎があがっていた。そのことに、わたしたちは呆気にとられた。その事態を引き起こしたのは、ほかならないわたしたちだということに。わたしたちは呆然と炎を眺めた。美しい光景ではないはずなのに、いったん眺めはじめると眼を離すのが難しかった。

ちょうどそのとき、カールが戸外から駆け込んできて、「ここから出ろ」と叫んだ。わたしは子供たちの手をつかんだ。そのまま正面玄関に向かおうとしたところをカールに止められた。

「裏口からだ」とカールは言った。「着替えて荷物をまとめろ。できるだけ短時間で」そして、鍵がいくつかぶらさがったキーリングをわたしに差し出し、そのうちの一本を指さし、「ガレージにシビックが駐めてあるから使え」と言った。「行き先は聞かない。いいから行け」

「ありがとう」キーリングごと受け取りながら、わたしは言った。

「悪かった」とカールが言った。

「いいって」とわたしは言った。カールは消火器を探してキッチンに駆け込み、わたしは子供たちを連れて裏口から戸外に出た。

「服を着替えて、なんでもいいから」ゲストハウスに戻るなり、子供たちに言った。それから五分で、たぶん五分もかかってなかったと思うけど、ふたりは焼け焦げた服の残骸を剝ぎ取り、〈ノーメックス〉のアンダーウェアを身に着けた。わたしは財布とチョコレートバーをつかんだ。集中しなくちゃいけないのに、どうしてもうまくいかなかった。ゲストハウスを出たとき、お屋敷のなかが揺らめく炎で明るく照らされているのが眼に入った。わたしたちは裏手伝いにガレージまで移動して、シビックに乗り込んだ。エンジンをかけ、子供たちにシートベルトをするよう言った。正面玄関のまえで、ティモシーを抱きかかえたまま立っているマディソンを見つめた。車寄せを抜けるとき、マディソンがこちらに顔を向けるのが見えた。一瞬、マディソンと眼が合った。わたしは手を振った。マディソンは微笑んで手を振り返してきた。それから向きを変え、お屋敷のほうに眼を戻した。

長い長いドライヴウェイのずっと先のほうにメアリーの姿が見えたので、追い抜きざま減速して、乗っていかないか訊いてみた。メアリーは、ボーイフレンドが迎えにくることになっているから、と言った。それから手をひと振りしたのは、かまわずに行ってください、という意味だった。子供たちはメアリーにさよならを言った。わたしは改めてスピードをあげた。そのあいだずっとルームミラー越しにお屋敷を見ていた。子供たちも振り返ってお屋敷を見ていた。数分後、サイレンを鳴らしながら、お屋敷に向かっていく二台の消防車とすれちがった。

その時点ではまだ、息があがるぐらい興奮していて、事態の深刻さが正確には理解できていなかった。わたしがしでかしてしまったことは、いかなる犯罪行為に該当するのかも含めて——誘拐？　放火？　国務長官に対する身体的暴行？　ほかにも自覚なんてこれっぽっちもしていなくて、法廷で判事に起訴状を読みあげられて初めて気づくような犯罪を山ほど犯しているにちがいなかった。それでも、被告人席から子供たちに手を振り、大したことないよ、心配することなんてひとつもないから、というふりをするんだろうけど。

しばらくのあいだ、ただ車を走らせていた。今どこにいて、どこに向かっているのかも、ほとんど意識していなかった。問題のかなりの部分は、この先どこに向かえばいいのか、わたしがまるでわかっていなかったことにある。どこか適当なホテルに泊まればいいだろうとも思ったけれど、あやしまれるのは眼に見えていた。なんせ、あのコーヒーテーブルのせいで、わたしは全身切り傷だらけなのだ。

しばらくして州間高速道路の流入口が眼にとまったので、進入路に乗り入れ、スピードをあげて車の流れに滑り込んだ。子供たちは静かだった。精神的にショックを受けているのだろうとは思ったけれど、今はどうしてあげることもできなかった。幼いころに暮らしていた家に火をつけるというのは、象徴的な意味でもずしんと胸にこたえることのように思われた。ルームミラー越しに子供たちの様子をうかがった。ふたりとも眠ってはいなかった。ぱっちりと眼を開けて、こちらをじっと見つめ返してきた。

「そこのおふたりさん、どうもね」とわたしは言って笑みを浮かべた。

「あたしたち、まずいことになってるの？」とベッシーが訊いてきた。

「いくらかね」とわたしは認めた。

「これからどうすんの？」今度はローランドが訊いてきた。

「まだわからない」と答えるしかなかった。

「じゃあ、どこに行こうとしてんの？」とベッシーが言った。

その瞬間、パズルのピースがおさまるべきところにおさまったように、わたしにたったひとつだけ残されていた選択肢がわかった。そして、車がすでにそこに向かっていることに気づいた。もはやそうなるしかない、ということだった。

「家に向かってるんだよ」とわたしは言った。

「誰の家？」とふたりから訊かれて、ふたりともここ何か月かで何軒もの家を転々としてきたことを改めて思った。

「あたしの家」と言いながら、自分自身に猛烈に腹が立って泣きそうになった。

「そっか」とふたりは言った。

12

ドアを開けた母さんは、わたしの両隣のベッシーとローランドを見てもなにも言わなかった。ただうなずいただけだった。長年にわたってわたしの人生の枝葉末節をとことん無視してきた人なので、わたしがじつは十歳の双子の母親だったということになっても、なんの抵抗もなく事実として受け入れる可能性はあった。

「こんちは、どうも」とローランドが言った。

母さんは、うんとも、ふんとも言えない、くぐもった声をもらした。禁煙して十年になるとはいえ、母さんにはいまだ、今にも煙草を深々と一服してその煙を相手の顔めがけて吹きかけそうな雰囲気があった。

「どうもね、母さん」とわたしは言った。

「血が出てる」母さんは、わたしのシャツの袖の血のしみを指さした。あのコーヒーテーブルのガラスの天板に倒れてできた切り傷のどれかが出血したらしかった。

「わかってる」とわたしは言った。「入ってもいい?」

「あんたの家でもあるんだから」母さんにそう言われて、なんだか泣きたくなったけど、どうして泣きたくなったのか、よくわからなかった。

「この子はベッシーで、この子はローランド」それぞれの頭をぽんぽんと軽く叩きながら、双子を母さんに引きあわせた。

「あんた、この子たちの家庭教師なんだっけ?」と母さんは言った。

「あたしがこの子たちのなんなのか、よくわからないんだよね」とわたしは言った。「目下、ちょっとごたごたしちゃっててさ。でも、ともかくこの子たちの世話をしてることは確かだよ。で、居場所が必要なの。この子たちが安全に過ごせる場所が」

「まずいことになってるわけ?」と母さんは言った。子供たちのことを、まだじっと見つめていた。

「ある意味では」とわたしは言った。「そうだとも言えるし、そうじゃないとも言えるって感じかな」

「まあ、あんたの部屋はそのままになってるから」と母さんは言った。「あんたが出てってから足も踏み入れてないしね」

「ありがと、母さん」と言ったけど、母さんは手のひと振りでそのことばを退けた。

わたしは子供たちを階段に追いたて、屋根裏部屋まであがらせた。部屋は蒸し暑かった。扇風機を一台も稼働させていなかったからだ。小声で悪態をつきながら、わたしはすべての扇風機のプラグを差し込んでまわり、電源を入れた。なかでも大きめの二台のまえに双子をそれぞれ坐らせて、風速設定を〝最強〟に合わせた。部屋じゅうの埃が吹きあげられ、細かな粒子が宙を舞った。見ると、蓋が開いたまま床に放置されていたデリバリーボックスのなかで、食べ残しのピッツァがひと切れ、化石化していた。わたしは深く恥じ入った。ふたりに出会うまえのわたしの暮らしぶりの一端を見られてしまったわけだから。ふたりがわたしに抱いていた、万事を心得ている人という幻想も、そこで雲散霧消したにちがいなかった。ピッツァを箱ごと爪先で押しやり、ベッドの下に滑り込ませたが、時すでに遅し、ふたりにはばっちり目撃されていた。

「おなかすいた」とベッシーが言いだした。考えてみたら、この夏のあいだに、ふたりとも冷蔵庫や戸棚に手を突っ込みさえすれば、なにかしら食べ物が見つかるという生活様式にすっかり慣れてしまっていた。もちろん、ピッツァのデリバリーを頼むことはできるけど——考えすぎだとわかってはいたけど——警察の眼が気になった。

「ほら、聞いてよ、ぼくのおなかの音」とローランドが言った。「ね、ぐうううって言ったでしょ？」

「はいはいはい、わかりました」とわたしは言った。「わかったから、おとなしくここに坐って待ってて。階下に行ってなにか持ってくるから」

「一緒に行っちゃだめ？」とふたりは口を揃えて言った。「ここ、暑いし」

「うちの母さんは、子供の扱いに慣れてないんだよね」わたしはふたりに言って聞かせた。「自分だけの空間ってのが必要な人だし」

蒸し暑くてはあはあ言いながら、わたしは階段を駆けおりた。背中に手をまわしてジーンズのウエストのちょっと上のあたりを指で探った。小さなガラスの破片が刺さっていた。つまんで引っこ抜こうとしたけど、けっこうしっかり刺さっていて抜けなかった。そのままにしておいても、別に痛くも痒くもなかった。だけど、そこにガラスが刺さっていると知ってしまったもんだから、そのことが頭から離れなくなった。傷口を露出したままあの黴臭い屋根裏部屋で過ごすのは、衛生上よろしくなさそうな気がした。集中力が切れかけているのがわかった。とりあえずキッチンに向かった。母さんがキッチンの椅子に坐り、ラジオでソフトロックを流しながら、雑誌を読んでいた。

「あのさ」とわたしは言った。言ったとたん、めちゃくちゃ気恥ずかしくなった。もともと人にものを頼むのが苦手なのだ。母さんに頼みごとをするのは、なかでも最も苦手だった。「あの子たち、おなかをすかせててさ」

「ってことは、おなかをすかせてる人は、あたしも含めて三人ってことだね」母さんは雑誌に眼を向けたまま言った。海辺の家特集だかなんだかの、くその役にも立たない雑誌だというのに。

「お金はあたしが払うから、全員分のピッツァのデリバリーを頼んでもらえないかな？」

母さんは天井を見あげ、わたしの提案を吟味する顔になった。そして、「ピッツァって気分じゃないんだな」と宣った。

「ピッツァじゃなくてもいいよ」とわたしは言った。「〈マクドナルド〉は？〈サブウェイ〉でもいいし」

母さんは溜め息をついて立ちあがると、テーブルを離れて戸棚に向かい、扉を開けて中身を検めては、ばたんと大きな音を立てて扉を閉める、をくりかえした。

そして「マカロニ&チーズならあるけど」と言った。それから冷蔵庫を目顔で示して「あとはホットドッグ用のソーセージ」と付け加えた。

「上等だよ、上等」とわたしは言った。鍋を見つけて水を張っているあいだに、母さんが冷蔵庫からソーセージを取り出し、コンロの脇のカウンターにどさっと放り投げた。そしてまたテーブルに戻っていった。鍋のお湯が沸騰するのを待ちながら、母さんを眺めた。子供のころは、こんな夜ばかりだった。たいていは、母さんとボーイフレンド軍団の誰かがキッチンに置いてあった小型テレビでなんか観ているあいだに、わたしがバターとチーズであえるだけの簡単パスタやら市販のサウザンドレッシングをただぶっかけただけの水っぽいしなしなサラダやらをこしらえた。あんたたちが世界一健康的でいられてるのは、このあたしのおかげなんだからね的な気分で、キュウリとかパプリカとかなんかをせっせと刻んでいたのだ。

階段のところまで行って声を張りあげ、子供たちに大丈夫かと尋ねた。大丈夫という答えが返ってきた。キッチンに戻ると、母さんが言った。「あんたが来るのはわかってた」

「へえ、そうなんだ？」とわたしは言った。皮膚がむずむずして、鼓動が速くなった。

「あんたたちが現れるちょっとまえに、電話がかかってきたから。カルだかカールだか……なんか、そんな名前の男から。あんたから連絡はあったか、と訊かれたわ」

「で、なんて答えたの？」

「夏のあいだ一度も顔も見てないし、話もしてないって」

「そっか」と言って、わたしは待った。話はそこで終わりではないとわかっていたから。

「あんたが子供をふたり連れて現れたら、連絡するように言われた」母さんは話の続きを述べ、そこでようやく顔をあげてわたしと眼を合わせた。「連絡してくれたら、その手間に対して謝礼を払う、とも言ってた」

「で、連絡したわけ？」とわたしは尋ねた。

母さんは首を横に振った。「しゃべり方が堅苦しくてよそよそしくてさ。ああいうのは、いただけないわ、だから、連絡しなかった」

鍋のお湯がようやくふつふついいはじめたので、マカロニを投入した。

「お礼ぐらい言っても罰は当たらないと思うけどね」と母さんが言った。

「マディソンのだんなさんが――」

「知りたくないわ」わたしのことばを遮って母さんが言った。

「そう？　だけど、あの子たちのことで、ベッシーとローランドのことで、言っておかなくちゃいけないことが――」

「だから、知りたくないの」母さんはまたしてもわたしのことばを遮った。「リリアン、あんたのやりたいことを止め立てはしない。これまでだってそうだったでしょ、あんたのやりたいことを止めたことなんて――」

わたしは鼻息とともに「はんっ」とひと声あげた。今度はわたしが母さんの話を遮ってやる番だった。

「そうよ、あんたはやりたいと思ったことをなんでもやればいい。ただし、あたしの心の平和もかき乱さないでほしいわ」数秒ほどの間を置いて、母さんは言った。

わたしは母さんに眼をやった。母さんはまだ御年四十七歳だというのに、やけに老け込んで見えた。それにときどき、もっとずっと高齢の人じみた立ち居振る舞いや態度を見せることもあった。たいていは、自分がやりたくないことをやらずにすますための方便ではあったけれど。わたしが男だったら、ハンサムな男の子だったら、母さんも海辺の暮らしを特集した雑誌をめくりながらあくびを噛みころしたりはしていないだろう。わたしが娘でなければ、わたしに対する接し方もまたちがったものになるんじゃないか、とも思う。だけど、わたしがわたしである限り、わたしという存在が、母さんをめっきり老け込んだ気分にさせるのだ。なぜなら、母さんの娘だから。

わたしは鍋のマカロニをかき交ぜ、フライパンにソーセージを放り込んだ。

「あんたが子供を連れてる姿なんて想像したこともなかったわ」と母さんが言った。「そういうタイプには見えなかったからね」

「だったら、そんな想像したこともなかった人は、あたしも含めてふたりってことになるね」

「めっちゃおなかすいた！」屋根裏部屋でローランドの叫び声があがった。

「あのふたりに降りてくるように言えば？」母さんはそう言ってキッチンのテーブルを指さした。おまけに椅子から立ちあがって、プラスティックのカップを四つ出してきてテーブルに並べ、それぞれに水まで注いだ。

「こっちに降りといで！」わたしはその場で大声を張りあげた。がたのきかけた家では、壁も床も防音どころか遮音の役にも立たない。じきにばたばたという賑やかな足音をさせながら、ふたりが階段を降りてきた。

「こんちは、どうも！」ローランドは今度もまたそう言って、母さんに向かって手を振った。母さんは雑誌を持ったまま、自分の椅子を窓の近くまで引きずっていった。

マカロニの湯切りに気を取られていたあいだに、フライパンで温めていたソーセージが焦げそうになっていた。鍋に移してマカロニその他と交ぜ合わせ、お皿を出してきて盛りつけた。

「食べたくないの？」とローランドが母さんに声をかけた。

「食べようかな」母さんはそう言うと、椅子を引っ張ってきてテーブルについた。そして、ひと口食べてうなずき、「うん、悪くないよ」と言った。そういえば、昔からそうだった。わたしが料理をすると、それがどんなものでも、母さんはいつも歓んで食べるのだった。

「あんたはおとなしいんだね」母さんはスプーンの先でベッシーを指しながら言った。

「なんか、ちょっと疲れちゃったから」とベッシーは言った。

「キュートじゃない、この子」母さんはわたしに言った。スプーンの先をベッシーに向けたままで。ベッシーの表情がちょっぴり明るくなっていた。

「ぼくたちね、旅行中なんだよ」ローランドが横から口を挟んだ。自分も母さんにかまってもらいたくなったんだと思う。

「いつまで？」と母さんは言った。母さんが子供と話をするのは……というより、生身の誰かと話をするのは、どれぐらいぶりなんだろう、わたしは考えるともなくそんなことを考えた。

「わかんない」とローランドは言った。「なんとも言えないな、決まってないから」

「ちょっとのあいだだけだよ」わたしはテーブルに向かって言った。食欲がなくて、お皿の食べ物を突っつきまわしていた。

「あたしたち、一か所に長くいたことがないんです」とベッシーが言った。

「それはそれは」と母さんは言った。「けど、まあ、生まれてからずっと同じところに居つづけてるよりはいいんじゃない？」

「そんなことないと思うけど」とベッシーは言って、わたしのほうに眼を向けた。なにか言ってほしい、と言われているような気がしたけど、わたしの心はこの家を抜け出し、どこか別のところに行ってしまっていた。そういうことが、以前からよくあった。身体はここにあるのに、生まれ育ったこの家に居残っているのに、心だけが身体を離れてふわふわと浮かんでいて、そうやって、外部から見張っているのだ、自分がいったいなにをするつもりなのかを。

子供たちが寝入ったあとも、緊張が解けなかった。興奮も尾を引いていて、わたしはなにも手につかなかった。この家に、この屋根裏部屋に舞い戻ってくるというのは、世界最大の滑り台を滑り降りてしまったというかなんというか、宇宙規模のジョークでしかないような気がした。この夏以前の自分の暮らしを思い出そうとしてみた。屋根裏部屋を脱出しては、あっという間にまた舞い戻ってくることのくりかえしだったことを。頭は決して悪くなかったのに、物事が思い描いていたとおりにならなくなると、好奇心を心のうんと奥のほうまでぎゅうっと押し込めてしまったことを。そうやって多くの時間を無駄にしてきたことを。

図書館でアーシュラ・K・ル゠グウィンやグレイス・ペイリーやカーソン・マッカラーズの本を借りたとき、そういう本が通りすがりの人の眼に触れないようにしていたことを思い出した。本のことでとやかく言われたくなかったのだ。小難しい本を読めることをひけらかそうとしている、と思われたくなかったし、本当の自分を忘れて別の自分になろうとしている、と思われるのもいやだった。しかるべき訓練を受けていないので、肝心な場面で正しく振る舞えなくておたおたした。自分が人に慣れていない野生動物みたいに思えて途方に暮れた。

そんなわたしがこうして、ふたりの子供に両側からぎゅっと抱きつかれ、胸に巻きつけられた腕のせいで息をするのもやっとの状態にある。こんなふうにわたしがふたりを独り占めにしているということは、わたしたちにはもうあのお屋敷のゲストハウスという安全地帯がない、ということでもあった。そのことでこの子たちも機会というものを奪われ、途方に暮れることになるのだろうか、と考えた。それから、こんなわたしにもふたりのためにできることがある、というふりをするのは残酷なことだろうか、と考えた。いつかはこの子たちを返さなくてはならないときがくる。それはわかっていた。そのときがきたら、わたしはふたりから、激しく憎まれることになるのだ、ということも。ジェーンよりも、それどころかあのジャスパーよりも激しく憎悪されることになるのだ。そしてきっと一生赦してはもらえないだろう。そう、ふたりから、とんでもなく憎まれることになる。こんなわたしにもふたりのためにできることがある、と思わせてしまったから。

胸に巻きついた腕を引き剝がすと、ふたりから不満のうめき声があがった。屋根裏部屋にこもった熱気のせいで、ふたりとも汗びっしょりだった。扇風機をもっと子供たちの近くに置きなおしてから、わたしは階下に向かった。一段降りるごとに階段は鈍い軋みをあげた。リビングルームのソファに母さんが坐っているのが見えた。テレビを観るでもなく、なにかを読むでもなく、なにもしていなかった。お酒を吞んでさえいなかった。ただ呆然と宙の一点に眼を据えていた。

アイアン・マウンテンを追い出されてこの家に帰ってきてからまだそれほど経っていなかったときのことだ。わたしは母さんと車庫のまえにいた。これから母さんが学校に送ってくれるところだった。母さんが車のエンジンをかけると、ボンネットの隙間から煙があふれだしてきた。次いで思わず耳をふさぎたくなるような金属のこすれあう音がして、もっと大量の煙があがりはじめた。わたしは水を汲んでくるために家に駆け込み、母さんはぼろきれを何枚か手に巻きつけてボンネットを開けた。わたしが水差しを抱えて、水をぴしゃぴしゃ撥ねちらしながらおもてに飛び出したときにはもう、エンジンは火を噴いていて炎がかなり高くまであがっていた。わたしは母さんの数フィート手前で足を止めた。母さんはただ炎を見つめていた。ちょうど今、わたしが見ているような表情で。炎のなかになにかが、なにかの予言が見えるとでもいうように。でなければ、もしかすると、それまでの自分の人生を見ているのかもしれなかった。その瞬間に至るまでの、使いものにならなくなった車をまえに呆然と立ち尽くすことになるまでの人生を。

そばまで歩いていって水差しを掲げてみせたけど、母さんはただ首を横に振った。そして「見てよ、いいから見て」と言ってエンジンのほうを身振りで示した。なにを見ろと言われているのか、わからなかった。そもそも母さんとわたしとに同じものが見えているのかどうかも。「なんかきれいじゃない?」しばらくしてようやく母さんが言った。それからしばらく、ふたりしてその場に突っ立ったまま、燃えさかる炎をただ眺めていた。最後に母さんがわたしから水差しを受け取り、エンジンに水をぶっかけた。エンジンを救うにはなんの役にも立たなかったけど。「なんだったら、今日は学校に行かなくてもいいよ」と母さんは言って深々と溜め息をついた。「あたしも仕事を休むから」わたしはうなずいて、こっそり笑みを浮かべた。もしかしたらその日一日、母さんと一緒に過ごせるかもしれないと思ったからだった。ふたりで一緒に映画を観にいくのもいいかもしれない、と期待が膨らんだけど、家に入ると、母さんは煙草に火をつけ、自分の寝室に入ってドアを閉め、鍵をかけてわたしを締め出した。次に母さんと顔を合わせたのは、翌日の朝のことだった。そのとき、遅ればせながらようやく理解できたのが、母さんとわたしはどんなときでも、ふたりしてその日暮らしにどっぷり首まで浸かっているようなときでも、人生の下り坂を転がり落ちていくときでも、常に別々でふたりのあいだには埋めがたい距離がある、ということだった。そして、しっかりつかまっていられる相手がいて、自分は独りぼっちじゃないと思えるのは、どんな感じがするんだろうか、と考えたことを覚えている。

そんなこんなを経て、母さんとわたしはこうしてまたこの家で顔を合わせているのだ。これが夢なら、このままリビングルームに入っていきたいところだった。そして母さんの隣に腰をおろしてこう尋ねたかった――「ねえ、あたしのこと、どうして嫌いだったの？」母さんにはこんなふうに言ってほしかった――「あんたは物の見方がひねくれてるね。嫌ってなんかいなかったもの。それどころか、めちゃくちゃ愛してたんだからね。だから守ってもきた。危ない目に遭わないようにしてきたんじゃないの」。わたしが「ほんとに？」と訊くと、母さんはうなずく。父さんはどんな人だったかと訊くと、人類史上稀にみる最低最悪の人間だった、と答える。そんなくそ野郎から逃げだすためにすべてをあきらめ、人生を棒に振ることになった、と母さんは言う。そして、たった独りで精いっぱい頑張ってあんたを育ててきたのよ、と言う。わたしが「ありがとう」と言うと、母さんにぎゅっと抱き締められる。けど……それほどへんだとは思わない。普通に誰かが誰かを抱き締めるのと、なんのちがいもないじゃないの、と思う。で、次の瞬間、わたしの全過去が、それまでにあったすべてのことが消えてなくなり、そのあとはなにもかもが順風満帆、万事楽に運ぶようになる……。

リビングルームのソファに坐っている母さんを、もう何秒か眺めた。それでも母さんがその頭のなかでなにを考えているのか、想像もつかなかった。母さんを憎んでいるわけではなかった。だけど、リビングルームに入っていって母さんの隣に坐る気には、なれそうになかった。ことばをかける気にも、なれそうになかった。わたしはまわれ右をして階段をのぼった。踏み板は派手に軋みをあげたから、たぶん、母さんにも聞こえたはずだった。聞こえていないとは、どう考えても思えなかった。屋根裏部屋に戻ると、子供たちは、わたしが出ていったときのまま、身体を硬直させると同時に弛緩（しかん）させて、眠りの海に沈んでいた。わたしもベッドにもぐり込んだ。ベッシーが眼を開けた。

「どうなるの、これから?」とベッシーは言った。

「わからない」とわたしは言った。わたしにも見当さえつかなかった。ここまでたどり着けたことすら信じられないぐらいだった。

「戻らなくちゃならなくなると思う?」

「うん、いつかはね」とわたしは正直に言った。「いつかは戻ることになると思うよ」

ベッシーはわたしの言ったことを考えているようだった。屋根裏部屋はとても暗くて、ベッシーの表情まではよく見えなかったけれど、本当に見えたほうがいいのかどうか、わからなかった。

「そっか」とベッシーは言った。

「けど、大丈夫だよ」とわたしは言った。「ほんとに大丈夫だから」

ベッシーがわたしにキスをした。ふたりのうちのどちらからも、これまでキスなんてされたこともなかったのに。わたしはベッシーの髪を撫でた。一風変わったヘアスタイルにしてある髪を、一風変わったこの子供を。

「夏が終わるまで、あとどのぐらいある?」とベッシーに訊かれた。

「たっぷりあるよ」とわたしは言った。「まだまだたっぷりある」そう、それで充分だった。ベッシーはほどなくまた眠り込んだ。それから間もなく、わたしも眠りに落ちていた。

眼が覚めると、カールが枕元に立っていた。片手を軽く頬に当て、わたしのことを抽象芸術を鑑賞するような眼で、つまりなにかしら興味深いものではあるけれど、どうもよく意味がわからない、ひょっとして子供が創ったものなんじゃないか、というような眼で、見おろしていた。正直なところ、それほど驚かなかった。わたしたちを逃がしてくれたのはカールだったけど、どこかの時点でわたしたちを連れ戻しにくるのも、おそらくカールだろうと思っていたからだった。

「どうもね、カール」とわたしは言った。わたしのありさまを無遠慮に眺めまわしながら、カールはあきれたように首を横に振った。

そして「ほかに行く当てはなかったのか？」と言った。

「うん、まあね、ほら……友だちとかそんなにいるほうじゃないから」とわたしは言った。「母さんからいつ電話があったの？」

「昨夜遅くに」とカールは答えた。母さんに対して怒りすら湧かなかった。あのとき、わたしはなにを考えていたのか、自分でもいまだによくわからない。ひょっとすると、そこで終わりになることを願っていたのかもしれない。自分ひとりでできるのは、そこまででもう限界だから、それ以上はもう無理だと思っていたのかもしれない。その限界に達するまで、ほんの一日かかるかかからないか程度だった、というのがわれながら情けなくはあるけれど。

「で、あんたはここで育ったわけだな？」屋根裏部屋を見まわしながら、カールが言った。

「ちがうよ、カール。育ったのは普通の部屋だよ。階下にあるの。この部屋はわたしが最終的に流れ着いた場所」

「なるほど」とカールは言った。

カールとわたしの話し声に、子供たちが眼を覚ました。わたしが話している相手がカールだとわかると、ふたりは純度百パーセントの不満の声をあげるなり、ぱたんとまた横向きに倒れ込み、上掛け用のシーツを頭の上まで引っ張りあげた。

それまでの出来事を考えれば、わたしだって恐怖を感じてしかるべきだったと思う。だけど、眼のまえにカールがいることは、苛立たしくはあったけど、怖くはなかった。訪ねてきたのが警官だったら、恐怖に震えあがっていただろう。だけど、訪ねてきたのがカールだった、ということは、マディソンとジャスパーはわたしのことを、子供たちのことを誰にも話していないし、どこにも通報していないことを意味した。

「お屋敷だけど、まさか全焼なんてしてないよね？」とわたしは言った。

「大丈夫だ。煙で被害を受けた箇所を修復するのに一か月ほどかかるが、屋敷そのものは問題なく使用可能だ。もちろん、被害がもっと拡大していた可能性は否めないわけだから、まあ、不幸中の幸いというやつだな」

「消防署にはなんて説明したの？」と訊いてみたのは、純粋な好奇心からだった。これはわたしの予想だけど、まあ、それしか考えられないと思ったのは、お金で沈黙を買ったという筋書きだった。

「消防署長はロバーツ国務長官の親しい友人でね」とカールは言った。なるほど、そういうことでしたか、と納得がいった。特別扱いというわけだ。お金持ちを特別扱いすることには、金銭を受け取る以上のメリットがある——ごもっともだった。それから、カールが国務長官という呼称を使ったことに気づいた。

「ジャスパーは辞任しないんだ？」とわたしは言った。

「そういう話をしに来たわけじゃない」とカールは言って、わたしに携帯電話を差し出した。

「誰と話せってこと？」とわたしは訊いた。

「ロバーツ夫人だ」とカールは答えた。「すべての手筈を整えたのは夫人でね。あんたと話がしたいと言っている」

「カール、無理だよ、話ができる気がしない」とわたしは言った。「法的に言って、あたしのしたことがどういう――」

「いいから、電話に出て話をしろ。わかったな?」カールはそう言って、わたしの手に携帯電話を握らせた。「緑のボタンをタップすればつながる」それからベッドを揺さぶり、シーツを引き剝がして子供たちに声をかけた。「アイスクリームを食べたくはないか?」

「あんまり」とベッシーが正直に言った。

「だったら、このゴミ溜めみたいな屋根裏部屋から脱出して、新鮮な空気を吸いたくはないか?」

カールは提案の趣旨を変更して、再度子供たちを誘った。

「カールと?」とローランドが言った。相手を小ばかにしてせせら笑う口調で。

「大丈夫だよ」とわたしはふたりに言った。「カールはあたしたちに親切にしてくれてるでしょ?ちょっとだけ、マディソンと話をしなくちゃならないんだ」

「あたしたちを置いて、どこか行っちゃったりしないよね?」予防線を張るようにベッシーが言った。

「カールはあんたたちを階下に連れていくだけだよ。階下で母さんとぐだぐだしててよ」わたしはそう言ってベッシーをなだめた。「大丈夫だから」

ふたりはベッドから這い出し、身だしなみを整えた。カールが両手を差し出すと、ふたりはその手をそれぞれ片方ずつ握った。そしてカールに連れられて階段を降り、わたしのいるところからは見えなくなった。

わたしは携帯電話を見つめた。これをゴミ箱に放り込んで、こっそり階段を降り、窓から戸外に這い出せば、そのままどこかに行ってしまえる、たったひとりで。そうしたい衝動をこらえた。わたしにはおなじみの衝動だった。ちょっとした摩擦が引き金となって、なんであれ、そのときに進行中の物事から飛び降りてしまいたくなるのだ。ここで逃げだせば、少しのあいだ刑務所に入ることになり、信用もがた落ちにはなるだろうけど、それでも例によって例のごとく、逃げてみるだけの価値はあるような気がした。それから、あの子たちが母さんやカールと一緒に階下のリビングルームのソファに坐っているところを思い浮かべた。そんな運命共同体は、あまりにも悲しい。わたしは携帯電話を耳に当て、あの声が聞こえてくるのを待った。何年も何年も、頭のなかで再生していたあの声が。

「リリアン?」マディソンの声がした。

「うん」とわたしは言った。

「よかった」とマディソンは言った。「ああ、もう、ほんとによかった。正直に言ってね、ばかなことはしてないわよね?」

「してないよ」その質問に若干憤慨しながら、わたしは答えた。「って言っても、まあ、あの母さんの家に帰ってきちゃったわけだから」

「そうね、それは、まあ、充分ばかなことかもしれない。でも、わたしが訊きたいのはそういうことじゃないの。どこかの記者になにか訊かれたりしてない? 子供たちに注目が集まるようなことはなかった？」

「ないよ」とわたしは言った。「あのまま車で母さん家に直行して、マカロニ＆チーズを食べて、世界一寝心地の悪いマットレスで眠っただけだから。大丈夫だよ」

「そう……ならよかった」とマディソンは言った。

「母さんからあたしの居場所を聞き出すために、いくら払ったの？」と訊いてみた。

「千ドルだけど」とマディソンが答えた。わたしはなにも言わなかった。「どうして？」とマディソンが訊いた。「もっと多いと思っていた？　それとも少ないと思っていた？」

「正直言って、よくわからないよ」とわたしは答えた。嘘じゃなかった。お金というものがどんな働きをするものなのか、わたしにはもうさっぱりわからなくなっていた。

「リル、わたしたち、これまできちんと話をするチャンスがなかったわよね。なにしろ、おかしくなりそうなぐらい目まぐるしかったから。もうてんやわんやの大騒ぎだったしね。もちろん、そう、指名承認関連のあれこれがいちばんの原因ではあるんだけど。ほら、あの、ティモシーが……発火して……燃える子供だってことがわかって。そういったことも含めて」

「ティモシーを守ったね」とわたしはマディソンに言った。

「と言っても、落っことしちゃったけどね」とマディソンは言った。「もう、びっくりしたなんてもんじゃなかったわよ。ものすごい勢いで燃えるんだもの」

「だけど、ここぞというときにびしっと守ったじゃん」

「ジャスパーがあの子を、どこかのわけのわからない実験場送りにするって言いだしたときのこと？　ええ、あんなこと許すわけにいかないわよ。実行に移したりしようものなら、あの人を完全に潰してやってたわ。あの人自身の弱さが、ああいうわかりやすい形で発露したんだと思う。当人は、そんなことは考えようともしなかったけど」

「けど、マディソンも双子たちのことは、あの大きな牧場だかなんだか得体のしれないとこに追いやろうとしてたわけだよね」とわたしは言った。

「そういう話が出たってだけよ、リル。それだけ。あなたが信じてくれないのはわかってるけど、でもね、わたしにもいちおう良心ってものはあるのよ。気が咎めることだってあるの。普通の人に比べると時間はかかるかもしれないけど、申し訳ないなって気持ちにもなるのよ」

「今や、自分の子供も燃える子供だってわかったわけだしね」とわたしは言った。

「そうそう、そこなの」とマディソンは言った。「まさにそこなのよ。あんなことがあって、もちろん恐ろしいことではあったけど、でもそのあともティモシーはやっぱりティモシーなの。かわいいの。わたしのかわいい子なのよ。そして、こんなふうに思った――いいわ、なんとかなる、こういうことがこの先たとえ何回起ころうと、わたしならなんとかできるって」

「確かにお見事だったもんね。あんなふうにごまかしちゃうなんてさ」とわたしは言った。

「こんなこと、誰にも言えないけど、じつはちょろいもんだったわ」とマディソンは言った。「車に乗り込むまでに、完璧なシナリオができあがってた。お金持ちでいることにはいろいろな特典があるけど、なかでもいちばんの特典は、ほぼどんなことでも好きなように言えるってこと。自信を持って、瞬きひとつしないで堂々と言えば、そのことばを信じるためにまわりのみんなが多大な努力をしてくれるってことよ」

「それじゃ、ティモシーはこれから先もマディソンと一緒に暮らせるんだね？」わたしはいちおう確認してみた。

「ええ、もちろん」とマディソンは言った。「ジャスパーにはきっちり因果を含めて、承知させたわ。昨夜、じっくり話しあったの——そういえば、昨夜はあのゲストハウスに泊まらなくちゃならなかったんだけど、最高ね、すっかり気に入ったわ。ジャスパーは一族代々のお屋敷が燃えちゃったことで、いつまでもぐずぐず泣き言を並べてたけど。で、じっくり話しあった結果、ジャスパーにはたくさんのことを理解してもらったわ。わたしがその気になったら、あの人の人生をどれだけみじめなものにさせられるかってことも含めて。そう、わたしたちが一致協力すれば、ジャスパー・ロバーツを破滅させることだってできるんだっていうこともわかってもらった。そういうことがわかっていれば、国務長官でいさせてあげてもいい。やらせておけばいいのよ。どうせ、あの人の大統領継承順位は、今以上にはあがりっこないもの」

「それじゃ、ジャスパーとは別れないの？」とわたしは訊いた。訊くまでもなく、答えはわかっているような気がしたけれど。

「ええ、これまでどおりよ」とマディソンは言った。「それでいいの。わたしはほしいものを手に入れるつもりだから。現時点ではジャスパーのおかげで、わたしにとって重要で、意味のあるものにアクセスすることができている。お金のことだけを言ってるわけじゃないのよ。わたし自身の考えや、わたし自身の人生を自由に手に入れられるってこと。それにね、ここだけの話だけど、じつはまだちょっとだけ好きでもあるの、愚かな人だけど、嫌いにはなれないのよ。それから、もうひとつ聞いてくれる？　ある人から、ジャスパーが抜けたあとの上院議員の補欠選挙に立候補してはどうかって言われてるの。それって、ちょっとすごくない？」

「それでもし、ティモシーがまた発火したらどうするの？」

「はっきり言っていい？　そんなこと、大騒ぎするほどの問題かしらって気がする」とマディソンは言った。「だけど、まあ、なんとかするわ。なんか考えつくでしょう。いっそ本当のことを話したっていいのかもしれない。ティモシーは大丈夫よ。大丈夫でいられるように、わたしがしてみせる。だって、あなたなんて子供ふたりの面倒を見たのよ。ひとりぐらい、わたしにだってなんとかできるはずだわ」

「ティモシーこそ大統領になったりしてね」と思いついたので言ってみた。

「それはありえないわ」とマディソンは言った。「ティモシーは〈トミー ヒルフィガー〉のモデルになるの。で、王族と結婚するの。のんびりと気楽に暮らすのよ」

マディソンの声を聞くのは、心地よかった。マディソンの声を聞き、マディソンがほしいものについて語るのに耳を傾けていると、爽快（そうかい）で、痛快で、晴れやかな気持ちになれた。

わたしは、自分がなにをほしいと思っているのか、ちゃんとわかったことがない人間だった。マディソンに送った手紙も、どっちつかずで、恨めしげで、はっきり言ってかなりイタい内容だったと思う。マディソンはそうじゃない。常になにかを欲していた。そして、マディソンがそのほしいものについて話すのを聞いたり、書いたものを読んだりすると、あの激しさでそうされると、聞いたり読んだりしたほうは、それをマディソンに提供したくなるのだ。マディソンにそれを手に入れてもらいたくなってしまうのだ。それはもう、あっけないぐらいに。だから、わたしはまたマディソンに恋をして、それまでの関係にあっさりと戻ることをくりかえしてきた。マディソンがわたしを傷つけ、わたしがそれを許す関係に。それを受け入れて生きていくことに。

「それで、あの子たちはどうなるの？」とわたしはようやく切り出した。訊くまでに時間がかかったのは、悪い知らせを聞かされることを覚悟しなくてはならなかったからだ。「ベッシーとローランドは、これからどうなるわけ？」

「ふたりとも、あそこには……なんて名称だったか覚えてないけど、あのうさん臭い新兵訓練所(ブートキャンプ)になんか行かせないから。安心して。それに、正直に言っていい？　ふたり合わせると、年間五十万ドルもかかるのよ。とんでもないでしょ？　冗談じゃないわ」

「ってことは、ジャスパーがふたりを引き取って面倒を見ることになるわけ？」とわたしは尋ねた。

「それって、あの子たちにどんな影響があると思う？」

　そこでマディソンは黙り込んだ。携帯電話越しに息遣いが聞こえた。マディソンは今、どこにいるんだろう、と考えた。お屋敷のあのポーチの椅子に坐って、そばに甘い香りのお茶の入ったピッチャーが置いてあったりするんだろうか？　それともアパートメント探しのために自家用ジェット機でワシントンD.C.に向かっているところだろうか？　マディソンの姿をはっきりと思い描きたかった。

「それがね、ちょっと込み入ってるの」とマディソンが言った。「ジャスパーは正しいことをしたい、と思ってるの。本当に、心からそう思ってるのよ、リル。あの人は確かに、へまをしでかした。修復なんて望めないぐらい、とんでもないへまよ。ローランドもベッシーも、ジャスパーを許す必要なんてまるでないとわたしは本気で思ってる。許さないのは、あのふたりの当然の権利だもの。ただね、それでもふたりの生活は、保障されることになるの」

「どういうこと？」とわたしは言った。「マディソン……」と言ったときには、泣きそうになっていた。「どういうこと？」

「リリアン、あなた、あのふたりを引き取りたい？」とマディソンは言った。

「えっ？」ひと筋の細い光が差してきた。手を伸ばせば触れそうな気がした。ものすごく微かで、今にも消えてしまいそうなぐらい心細い光だったけど、うんと手を伸ばせば指先が届きそうだった。わたしは息をするのを忘れていた。身体を動かすことも。

「聞こえたでしょ。聞こえたってことはわかってるからね」とマディソンは言った。

「あたしが、ふたりを？」わたしは訊き返した。

「あのふたりの世話をしてもらえる？　これからも、あの子たちの面倒を見てもらえる？」

「いつまで？」

「あのふたりが望む限りずっと。あなたが望む限りずっと。いつまでもずっと。半永久的に」

「どういうこと？」とわたしは尋ねた。「どうして？」

「じつはそれほど込み入ったことじゃないの。というか、込み入ってはいるんだけど、カールがひとつひとつ順を追って解説してくれてね。あの人、すさまじく頭脳明晰だわ。あんな人、ちょっとほかにいない。余人をもって代えがたいってやつね。思いついたのはわたしなんだけど、それを形にしてくれたのがカールなの。でね、あなたは双子を養子にするわけじゃないの、いい？　養子ってことになると、なんて言ったらいいか、あなたが責任を負うことになるって言えばいいかしらね。まあ、そういう立場に立たされることになる。一方でジャスパーは善良な人ではあるけれど〝法的な立場として〟善良な人でいたほうがより善良な人でいられる人なの。ってことで、たどり着いたのが、法廷後見人制度ってわけ。聞いたこと、あるでしょ？　あなたはあのふたりの法廷後見人ってのになるのよ。そして、ジャスパーは双子たちが満足のいく生活を送れるよう、サポートをする。教育を受ける機会を提供し、養育費を負担することになるの。だから、もしベッシーをアイアン・マウンテンに進学させたかったら――」

「やめてよ。そんなの、ありっこないじゃん」と言いながら、わたしは半分笑っていた。半分泣きながら、半分笑っていた。頭がおかしくなったと思われそうだった。

「まあ、それならそれでもいいの。アイアン・マウンテンに限らず、どこかいい学校にってことよ。普通のいい学校、もちろんあのふたりにとって、ってことだけど」

「ふたりはあたしの子になるんだね？」とわたしは確認した。

「そうよ」とマディソンは言った。「そうなったら、嬉しい？」

「正直言って、わからないよ」わたしは白状した。

「リル、それはわたしが聞きたいと思ってた返事じゃない。あなたたちがあの御大層なくそ屋敷をあやうく全焼させそうになったときから、ずっと考えに考えて、考え抜いてきたことなんだからね」

「そうじゃないの」とわたしは言った。「嬉しいよ。嬉しいんだけど、ただ……ただ、あたしにはうまくやれないんじゃないかって気がして」

「あなたのこと、批判できる人なんていると思う？」とマディソンは言った。「そもそも、うまくやれたって胸を張って言える人なんて、いると思う？　子供をただの一か所も歪めたり、損なったり、だめにしたりしないで、ノーミスで育てあげた親なんていると思う？　そういう人、ひとりでも思いついたら言ってみて」

「って言われても、すぐには思いつかないや」

「そんな人、いないからよ」マディソンの口調が苛立っていた。わたしに感謝してほしくて。マディソンがわたしにしてしまったことの埋め合わせをしたくて。

「わかったよ」とわたしは言った。「ふたりを引き取る」

「リリアン？」とマディソンが言った。そして黙り込んだ。

「うん？」とわたしは言った。

「これでなにもかも修復できたことになると思うんだけど……」

「ううん、そこまでじゃないよ」とわたしは言った。「それは言いすぎ。だけど、もっとひどいことになるのを食い止めはしたよ」

「それが修復するってことじゃない？」とマディソンは言った。「もっとひどいことになるのを食い止めることが」

「そっか」とわたしは言った。「なら、ありがとうって言っておこうかな」

「これっきりじゃないからね、いい？」とマディソンが言った。「わたしたち、これからも会うんだからね。ティモシーもローランドとベッシーに会うのよ。しかるべきときがきたら、ジャスパーもローランドとベッシーに会うわ。それほどしょっちゅうではないだろうし、べったり仲良くってわけでもないだろうけど。でも、そうやって続いていくのよ、わたしたち」

「うん、わかったよ、マディソン」とわたしは言った。

「愛してるわ、リリアン」そのとき初めて、マディソンが言った。

「あたしも愛してるよ」とわたしも言った。だって、ほかに言うべきことはなかったから。ほかにできることもなかったから。「そろそろ切らなきゃ」とわたしは言った。

「じゃあね、リリアン」

「うん、さよなら」わたしはそう言って電話を切った。

さて、そのときのわたしの心境をどう説明したらいいだろう？　どう説明すればわかってもらえるだろう？　説明のしようなどないのかもしれない。もちろん、嬉しくなかったわけじゃない。嬉しかったことはまちがいない。ベッシーとローランドがわたしの子供になるのだ、嬉しくなかったわけがない。だけど、こんなことを言って、わかってもらえるかどうかわからないけど、わたしはじつは悲しかった。あの子たちを引き取りたいと本当に思っているのか、自信がなくて。それでたまらなく悲しかった。ふたりはわたしの眼のまえに、魔法のように現れたけど、わたしには魔法の力はない。わたしはめちゃくちゃな人間で、関わったものを片っ端からめちゃくちゃにしてしまう人間でもある。それに、子供をふたりも育てるのは、それも発火する子供をふたりも育てるのは、あだやおろそかにできることではない、とわかってもいた。だから、きっと悲しくなるにちがいなかった。ふたりを歪めたり、損なったり、だめにしたりするのは、難しくもなんともないことだろうから。

なにかが終わろうとしていた。眼も当てられないほど惨憺たるものではあったにしても、曲がりなりにもわたしの人生と言えたものが終わろうとしていて、これはもうわたしの人生ではないような気がした。誰か別の人の人生だった。そして、わたしはその人生に入り込み、借り物だということに気づく人がいないか様子を見つつ、それを生きてみることに決めたのだった。そうこうするうちに、いつかそれがわたしの人生になるのかもしれなかった。もしかしたら、その人生を愛するようになるのかもしれなかった。

……って、なんだかんだごちゃごちゃ言ってるけれど、煎（せん）じ詰めれば、わたしは自分の望んでいたものを手に入れた、ということになる。だけど、マディソンがなんと思おうと、マディソンがすべてはうまくいくとどれほど自分に言い聞かせていようと、これがハッピーエンドではないことはわかっていた。これはただの終わり（エンディング）に過ぎなかった。そして階下（した）には新しい始まりが控えていた。ふたりがわたしを待っていた。それでも、わたしはその屋根裏部屋に、これまでの人生でただの一度も幸せな思いをしたことのなかったその場所に、ぐずぐずと坐り込んでいた。そこに坐って、新しい始まりが動きだすまえの、束（つか）の間（ま）の時間にしがみついていた。こうしていつまでしがみついていられるだろう、と思いながら。この先の人生で何度この場所を、この瞬間を思い出すことになるだろう、と思いながら。この瞬間を振り返ったとき、そのときの自分はどう感じるんだろう、と思いながら。

それから、それまで坐っていたベッドから立ちあがった。ハーフパンツと着古してよれよれになったTシャツに着替えた。Tシャツには、ドミニク・ウィルキンス（一九八〇年代から九〇年代にかけてNBAほかで活躍したプロバスケット選手。ダンクシュートで有名）の漫画チックな似顔絵が、シルクスクリーン印刷されていたけど、それももうかなり色褪せていた。最後にバスケットシューズを履いた。大のお気に入りだったのに、もう二度と眼にすることはないかもしれない、と思っていたものだった。ベッドの下に突っ込んでおいたバスケットボールは、まだそのままだった。ボールのグリップ力はほとんどなくなっていたけれど。この家の数ブロック先に、お粗末ながらバスケットボールのコートがある。コートのひび割れから雑草が顔をのぞかせ、ラインも消えかけていて、リングにはネットすらついていないコートだった。それでも、ふたりにそこでバスケットをしてもらいたかった。わたしたち三人のものになるかもしれない人生に、慣れてもらいたかった。

階下（した）に降りてみると、ベッシーとローランドはソファに坐っていた。カールがふたりのために、トランプのカードを使って、度重なる失敗にめげることなく、家をこしらえようとしているところだった。母さんの姿は、当然と言えば当然だけれど、どこにもなかった。カールから受け取ったお金をギャンブルに注ぎ込むべく、今ごろせかせかとチュニカ（ラスベガス、アトランティックシティに次ぐ、アメリカ第三位のカジノタウン）に向かっているところを想像した。

「それじゃ、話は聞いたな？」カールが立ちあがり、気をつけの姿勢になって言った。

「うん」とわたしは答えた。そのやりとりを不必要に引き延ばしたくなかった。携帯電話をカールに返して、ハグをした。その結果、カールはハグが好きではないか、そのタイミングでハグされることを予期していなかったかのどちらかだとわかった。いずれにしても、わたしは少しのあいだ、カールにしがみついていたことになる。「あんたとおれと、まずまずのチームワークだったんじゃないか」いくらか照れくさそうにカールは言った。

わたしはうなずいた。それから「そこのおふたりさん、カールにさよならして」と言った。そしてカールは去っていった。いつかまたカールに会うことはあるだろうか、と思わなくもなかった。

「なにかまずいことになりそうなの？」とベッシーが訊いてきた。

「ふたりとも、あたしと一緒にいたい？」とふたりに訊いた。「ずっと一緒にいたい？」

「うん、いたい」一瞬の迷いもなく、ふたりは答えた。

「無理にとは言わないよ」

「一緒にいたい」今度もふたりは即答した。ふたりの身体が小刻みに震えていた。

「お屋敷のゲストハウスにいたときみたいにはいかないよ」とわたしは言った。「いつもいつも愉しいことばかりってわけにはいかないからね」

「あそこにいたときも、いつもいつも愉しいことばかりじゃなかったよ」とローランドが言った。

「やな気持ちになることだってあったし」

「そういうことなら、あまり変わらないってことかな」

ふたりは黙ってうなずいた。ふたりとも、にこにこしているわけではなかった。どちらかというと、呆然としていると表現するほうが近いような表情をしていた。

「あたしたちがほしいってこと？」不意打ちだった。なんの前置きもなく、いきなりベッシーに訊かれた。

「えっ？」とわたしは言った。心臓の鼓動が止まった気がした。

「あたしたちがほしいってこと？」とベッシーはもう一度言った。

〝うん〟と即答したかったけど、わたしをじっと見つめてくるベッシーの視線に、一瞬、自信が揺らいだ。わたしの心のなかを、わたし自身もわかっていないのに、ベッシーはわかっているような気がして。おまけに瞬きひとつしないんだから。

「うん」とわたしはようやく言った。「ほしいよ、ふたりとも。ふたりの面倒を見たい」

ベッシーはにこりともしなかったし、ひと言もしゃべらなかった。ただじっとわたしのことを見つめていた。ベッシーの肌がまだらに赤くなりはじめていた。体温のあがった身体が熱を放ちはじめていた。その熱を感じながら、ここでベッシーが発火したら、自分は躊躇なくベッシーを抱き寄せるだろうとわかった。そのまま炎に呑み込まれるに任せるだろう、と。

けれども、ベッシーは発火しなかった。肌の赤みが徐々に引いていくあいだ、ベッシーは深い呼吸をくりかえした。

「ほんとにそう思ってるんだね」とベッシーは言った。「うん、あたしたちのこと、ほんとにほしいと思ってるんだね」

「戸外（そと）に出ようよ」わたしはそう言って、ボールを掲げてみせた。わたしたちは戸口のところで足を止めた。眼のまえに全世界が拡がっていた。信じられないぐらいたくさんのもので満ちあふれていた。わたしたちは家から戸外に足を踏み出した。わたしたちはふたりを〝これから〟に導いていく。それがどんな〝これから〟であろうとも。ベッシーにボールを渡すと、ベッシーは歩道でボールをバウンドさせ、ドリブルを始めた。心臓の鼓動のような、あの一定のリズムで。

ベッシーはわたしを信じてくれた。わたしがふたりを引き取りたいと思っていることを、これからもずっとふたりの面倒を見るつもりでいることを、わかってくれた。だから、わたしもベッシーを信じることにした。だから、これでまちがいないと信じることにした。その思いは、小さな炎に似ていた。わたしはそれにしがみつき、それはわたしを温めてくれるだろう。そして、なにがあっても、決して消えることはないのだ。

謝辞

以下の方々に感謝を

ジュリー・ベアラーと〈ブック・グループ〉の全スタッフ、とりわけニコル・カニンガムに。

辣腕編集者、ザック・ワグマンと〈エコ〉社の全スタッフに。

サウス大学及び同大学英語学科、ワイアット・プランティに特大の感謝を。

執筆に必要な時間と空間を提供してくれた、〈コーポレーション・オブ・ヤドゥ〉と〈ハーミテッジ・アット・セント・メアリーズ〉に。

家族に――ケリー&デビー・ウィルソン、クリスティン、ウェス、そしてケラン・ホフマンに。

メアリ・クーチに。メレディス、ウォレン、ローラ、モーガン、そしてフィリップ・ジェイムズに。

それからウィルソン家、フューズリアー家、それにベルツ家の面々に。

友人に――アーロン・バーチ、マニュエル・チンチラ、ルーシー・コリン、リー・コネル、リリー・ダヴェンポート、マーシィ・ダーマンスキー、サム・エスクウィス、イザベル・ガルブレイス、エリザベス&ジョン・グラマー、ジェイソン・グリフィ、ケイト・ジェイロウ、ケリー・マロン、ケイティ・マッギー、マット・オキーフ、セシリー・パークス、アン・パチェット、ベッツィ・サンドリン、マット・シュレーダー、リア・スチュアート、デイヴィッド&ハイディ・サイラー、ローリル・タッカー、クレア・ヴァイア・ワトキンズ、ケイキィ・ウィルキンソン、そしてベッカ・ウェルス・ウィリアムズに。

　そして、常に変わらず、心からの愛を、リー・アン、グリフ、そしてパッチに。

訳者あとがき

本書は、ケヴィン・ウィルソン三作目の長編、『*Nothing to See Here*』（二〇一九）の全訳である。原題の Nothing to See Here とは、直訳すれば「ここに見るべきものはなにもない」だが、たとえば事故現場で交通整理に当たる警官や警備員が、その場に停滞しないでさっさと通りすぎるよう野次馬をうながすときの決まり文句でもある。「じろじろ見てないで、進んでください」、もうちょっと居丈高なら「見世物じゃないんだから、ほら、行った行った」というようなニュアンスだろうか。作中でも、旧友マディソンの頼みで十歳の双子ベッシーとローランドの面倒を見ることになった主人公のリリアンが、なんとか図書館で本を〝借り出す〟とき、双子を励ます場面などで「大丈夫、……誰もじろじろ見たりしないからね」という台詞になって登場している。

十歳の子供たちがどうしてそこまで人の目を気にするのか？　それは本書の邦題にもあるように、ベッシーもローランドも〝燃える〟からだ。興奮したり、動揺したりすると、体温がぐんぐんあがって、ついにはぼっと発火して燃えあがってしまう。それでも火が消えると、ふたりとも、何事もなかったかのようにけろりとしている。火傷ひとつ負うこともない。そんな不思議な双子を、どうしてリリアンが世話することになったのか、そしてどんなふうにふたりと向きあい、さらにはひと口には説明できない関係にある友人のマディソンと向きあい、ついでに自分とも向きあい、最後にどんな結論を出すのか、それが本書の読みどころと言っていいだろう。

この人体自然発火現象、ケヴィン・ウィルソンのほかの作品でもたびたび登場している。じつは、作者の強迫観念でもあるらしい。長年、人体自然発火を含めて、たとえば高いところから落下したり、刃物で刺されたりといった自己破壊的なイメージが突然、思い浮かんでくることに悩まされていたとのこと。アメリカで公共放送用の番組を制作し配布している非営利団体NPRのHealth Newsのインタビューによれば、今では「それを書くことが、頭のなかにあることをそとに出すことが、救いになっている」そうで、「そとの世界に出して本になってしまえば、その観念からしばらくのあいだは自由になれる」と語っている。本書も、そんなふうにしてそとの世界に出てきた物語なのかもしれない。

リリアンの一人称で語られる本作は、語り口がとてもにぎやかだ。思うところを包み隠さず……どころか普通なら包み隠して言わずにすませてしまうことまでぶちまけ、ぶちまけずにはいられない自分を自分で持て余していたりする。そこが実にチャーミングなのだ。語り口の勢いに乗せられて読み進むうちに、そんなリリアンが憎めなくなり、気がつくと、大好きになってしまっているにちがいない。リリアンという主人公に加えて本書の魅力となっているのが、個性的すぎる脇役たちの存在だろう。マディソンはもちろん、マディソンの夫ジャスパー・ロバーツ上院議員と息子のティモシー、ジャスパーの補佐役カール、ロバーツ家のお屋敷で働く料理人メアリー、双子を診察する老医師キャノン、双子の母親ジェーンと祖父母カニンガム夫妻、そしてリリアンの母にいたるまで、ひと癖もふた癖も……というよりも癖だらけ、癖まみれの人物ばかりが登場する。どの人物も、かなり〝へん〟なのに、その描かれ方に侮蔑や排除の眼差しが感じられない。腫れもの扱いもしないし、過剰に持ち上げることもない。ケヴィン・ウィルソンの作品を読んで、いやな気持ちにならないのは、それどころか決してハッピーエンドではないはずなのにハッピーな気持ちになってしまうのは、もしかしたら、作者自身のそういう〝人を見る眼〟によるところが大きいのかもしれない。訳しながらそんなふうに感じた。

そんなケヴィン・ウィルソンという作家、脇役人生にくすぶっている人たちのよるべのなさや孤独や鬱屈、そうした思いを抱えた人への共感を描かせると右に出る者がない、と個人的には思っているのだが、本書も含めて、このところ作者の関心はどうやら家族というテーマに向きつつあるように感じる。第二短編集の『*Baby, You're Gonna Be Mine*』（二〇一八）では、持ち味であるはずのありえない設定や奇妙な味よりもむしろ、「家族とはなにか？」を書こうとしているように思える作品が目につく。先ほどご紹介したインタビューのなかで、作者はこんなことを言っている。「頭のなかにそんな突飛で過激な映像が浮かんできていることを、誰彼かまわず打ち明けるわけにはいかないし、不安でたまらないときに世間に対してそれをそのまま表情に出すわけにもいかない。そんなぼくにとっては、ごく限られた小さな場所で、愛していて信頼できる人たちと過ごすことがいちばん楽で、何よりも幸せだ。だからぼくはほとんどの時間を家族と過ごす。自分のことを説明しなくてもわかってくれる人たちと」。なるほど、それが作者にとっての「家族」の定義なのか、と腑に落ちた。本書もその定義に則って書かれた「家族の物語」と言えるかもしれない。

ケヴィン・ウィルソンの初長編『*The Family Fang*』（二〇一一〔邦訳『ファング一家の奇想天外な謎めいた生活』西田佳子訳、二〇一七、西村書店〕）は、ジェイソン・ベイトマン監督、ニコール・キッドマン主演で映画化され、日本でも『ファング一家の奇想天外な秘密』のタイトルでＤＶ

Dが発売されたが（劇場未公開）、本書についても『人生はローリングストーン』、『いま、輝くときに』のジェームズ・ポンソルトが監督権を交渉中との情報がある。しかも脚本は『いま、輝くときに』のスコット・ノイスタッターとマイケル・H・ウェバーの名コンビが担当するらしい。映画化の話はいつの間にか立ち消えになってしまうことも間々あるので、過剰な期待は禁物だけれど、実現したら、燃える双子が映像化されたら、これはもうNothing to See HereではなくSomething to See Hereになりそう！　と早くもわくわくしている。

翻訳に際しては、たくさんの方々に知恵と力を貸していただいた。とくにジャック・アレグザンダー氏と江尻美由紀氏には、語りかけてくるような独特の文体にてこずる訳者を強力にサポートしていただいた。また集英社クリエイティブ翻訳書編集部の仲新氏には、折にふれ、こちらがはっとするようなアドヴァイスや励ましをいただいた。原稿に丁寧に眼を通してくださった校正の方々には、訳者の見落としをどっさりフォローしていただいた。心からお礼申しあげたい。最後に、本書を手に取ってくださったみなさまに、特大の感謝を。本書の魅力をひと言で語るのは難しい。感じることも、心を揺さぶられるところも、読む人によってそれぞれだと思う。それでも読んでくださった方の心のどこかに触れる部分があったのだとしたら、訳者としてはなによりも嬉しい。

二〇二二年四月

芹澤　恵

ケヴィン・ウィルソン
Kevin Wilson

テネシー州スワニー生まれ。フロリダ大学美術学修士課程修了。デビュー作の第一短編集『Tunneling to the Center of the Earth』(2009) でシャーリイ・ジャクスン賞と全米図書館協会アレックス賞を受賞。2011年に発表した『The Family Fang』はジェイソン・ベイトマン監督、ニコール・キッドマン主演で映画化された。その他の作品に『Perfect Little World』(2017)、短編集『Baby, You're Gonna Be Mine』(2018)がある。妻で詩人のリー・アン・クーチと二人の息子と共にスワニー在住。サウス大学で英文学の准教授を務めている。

芹澤恵
Serizawa Megumi

東京都生まれ。成蹊大学文学部卒業。訳書にR・D・ウィングフィールド〈フロスト警部〉シリーズ(創元推理文庫)、O・ヘンリー『1ドルの価値／賢者の贈り物 他21編』(光文社古典新訳文庫)、メアリー・シェリー『フランケンシュタイン』(新潮文庫)、ケヴィン・ウィルソン『地球の中心までトンネルを掘る』(東京創元社)、エレナ・ファヴィッリ他『世界を変えた100人の女の子の物語』(共訳、河出書房新社)など多数。

イラストレーション＊中島ミドリ
ブックデザイン＊アルビレオ

NOTHING TO SEE HERE
by Kevin Wilson

Japanese translation published by arrangement with Kevin Wilson c/o The Book Group
through The English Agency (Japan) Ltd.

リリアンと燃える双子の終わらない夏

2022年6月10日　第1刷発行

著　者　ケヴィン・ウィルソン

訳　者　芹澤 恵

編　集　株式会社 集英社クリエイティブ
〒101-0051 東京都千代田区神田神保町2-23-1
電話 03-3239-3811

発行者　徳永 真

発行所　株式会社 集英社
〒101-8050 東京都千代田区一ツ橋2-5-10
電話 03-3230-6100（編集部）
03-3230-6080（読者係）
03-3230-6393（販売部）書店専用

印刷所　大日本印刷株式会社

製本所　ナショナル製本協同組合

ISBN 978-4-08-773520-8 C0097
定価はカバーに表示してあります。